あした、この国は崩壊する

ポストコロナとMMT

黒野伸一
監修 中野剛志（経済評論家）

Live Publishing

装丁・装画　城井文平

本書は書き下ろしです。また、この物語はフィクションであり、実在する人物・施設名・団体などとは関係ございません。

あした、この国は崩壊する

ポストコロナとＭＭＴ

序章　二〇四〇年

1

「おかあさん、おかあさん！」

返事はなかった。母は高齢だ。昼過ぎから容態が急変し、園田《そのだ》詠美《えいみ》は覚悟を決めていた。

口元に耳を近づけた。呼吸をしていない。胸に耳を当てると、心音も聞こえない。心肺停止状態である。

心臓マッサージを行った。詠美はフリーの看護師だ。しかし、母の呼吸が回復することはなかった。頸動脈《けいどうみゃく》の拍動も止まっている。医師の確認を取るまでもない。

享年八十九。大病もせず、先月まで元気に買い物や老人会の集まりに行っていた。大往生と言えるだろう。

不調を訴え始めたのが、今月初め。病院で三時間近く待たされ、肺炎と診断された。しかし、高熱があるわけでもなく、咳やたんの症状も見られなかったため、すぐに帰された。いずれにせよ首都圏の病院はいつも満員だ。四万床が不足しているともいわれている。

「大丈夫だよ、おかあさん。あたしがついてるから」

　職業柄病人の面倒は見慣れている。しかし、母はそれからわずか一週間足らずで帰らぬ人となった。午後から高熱が出て下がらず、脱水症状を起こしていた。救急車を呼んだが、到着しないうちに臨終を迎えた。

　サイレンの音が遠くから聞こえてきた。

「もう遅いわよ。いったい何時間かかってるの……」

　とはいえ、膨大な数の病人に比べ、救急隊員の絶対数が不足していることは分かっていた。

　それにしても暑いと、詠美は壁に取り付けられているエアコンを睨みつけた。残暑がまだ厳しいのに、故障している。業者に連絡したら、古いタイプなので、修理するより新しいのを買ったほうが得、と定番の台詞が返ってきた。仕方なく最新型を注文したのに、なかなか交換に来ない。電話で文句を言うと、日本語のおぼつかない女性に「取り付けできる人、いません。みんな夏休み」と言われた。

　熱中症も併発したのだろう。空調が正常に稼働していたら、もう少し長生きできたかもしれないのにと悔やんだ。

　到着した救急隊員が、ＡＥＤによる心肺蘇生を試みたが、母の意識が戻ることはなかった。

　遺体が病院から戻って来ると、寝室に寝かせた。

　畳に敷いた古びた布団の上だ。母は毎朝「よっこらしょ」と掛け声をかけながら、辛そうに起床していた。電動リクライニングベッドを買ってあげると申し出たが「必要ないよ。こんな世の中だから、お金はお前のために取っておきな。それに、電動ベッドなんか使ってたら、そのうち自力で立てなくなっちまう」と言われた。

「おかあさん……」

母との思い出が、走馬灯のように蘇る。逝ったばかりの時は出てこなかった涙が、止めどなくあふれ出した。

――バツ一の一人娘が、いつまで経っても再婚しないと心配していたおかあさん。「子どもがいなきゃ、誰が年を取ったら面倒見てくれるの。早くいい人見つけなさい」と最後に言われたのは、確か不惑の年を迎える直前だ。あれから既に二十年が経過した。

「心配ばかりかけて、ゴメンね」

何も答えない母は、安らかな顔で永眠していた。今朝がたは元気にしていたのに、こんな風に急逝してしまうとは。

「若い頃は、ちっともおかあさんの言う事聞かないで、反発ばかりして……」

一番の親不孝は、改名したことだろう。若気の至りといえばそれまでだが、いくら「親がつけた名前を変えるなんて」と非難されようが、元々の名前が大嫌いだった。詠美というのは、改名後の名。自由奔放に生きる同名の女流小説家をなぞった。酒を飲んでは母に暴力を振るっていた父が娘を名付けたと聞いた時、躊躇なく改名を決意した。子どもの頃に家を出て行った父からは、その後音沙汰がない。生きていれば九十を超えている。

「あたし、おかあさんが心配してた通り、独りぼっちになっちゃったよ」

兄弟はいないし、親戚とも疎遠だ。一人だけ、母方の叔母と仲良くしていたが、数年前認知症に罹《かか》り、今や詠美が見舞いに訪れても「どなたですか？」と尋ねられる。

「でもあたしには仕事があるから。仕事仲間もいるし」

年金を貰えるまであと十五年、働き続けなければならない。幸運なことに、看護師は恒久的に人手不足だ。職にあぶれることはない。

「……だから心配しないで、ゆっくり休んで」

再び涙が込み上げてきた。詠美は台所に行って、冷やした白ワインを冷蔵庫から取り出した。グラスに二杯飲み、母の隣に身を横たえる。母の手を握ると、驚くほどひんやりとしていた。

在りし日の母の姿が目に浮かび、眠れそうになかったが、アルコールと蓄積した疲労のおかげで、程なく意識が遠のいていった。


翌朝、現実に引き戻された。

昨晩は、急逝した母の死を悼《いた》んでいるばかりで、これからどうするか、ということまで考えなかった。遺体を家まで運んでくれた葬儀会社の人間が、何やら言っていたが、また連絡するからと、早々に追い返してしまった。

歩いて行ける所に斎場があるので、葬儀はそこで行おう。しかし、お墓はどうする？　いや、その前に火葬は出来るのか。ネットで調べると、去年の年間死亡者は百六十万人で、過去最多を記録していた。死ぬ人間が多すぎて、火葬場も霊園も絶対的に不足している。独居老人の場合、遺族が遺体を引き取りに来ないケースもあるため、無縁仏が激増しているらしい。いったいどんな世の中になってしまったのか。

仕方ないので昨日の葬儀会社に電話で相談した。葬儀費用はぼられることもあるから注意しろ、と以前同僚が言っていたのを思い出す。

幸いなことに葬儀会社は悪徳業者ではなかった。こちらが予算を提示すると、その範囲内で葬儀が行えるようにするという。あちこちに連絡を入れ、近日中に火葬を行える火葬場も探し出してくれた。

葬儀に参列したのは、ごくわずかな人々だった。もう三十年近く顔を合わせていない従妹。車椅子で現れた、枯れ木のようにやせ細った伯父。老人会の編み物サークルの仲間たち。そして詠美の同僚の介護士で、パキスタン人のルクサーナ。二十一になったばかりの彼女は、日本人と結婚した兄を頼って四年前に来日した。

「ご愁傷様です。詠美さん」

訛りのない完璧な日本語で、ルクサーナがお悔やみを言った。詠美が勤める会社の使いではなく、個人としてやって来た。詠美の上司飯野も焼香に訪れたが、型通りの弔意を述べただけで、すぐに帰ってしまった。

娘ほどの年齢のルクサーナとは、なぜか馬が合った。敬虔なムスリムで、ハラール食しか口にせず、一日五回メッカの方角に向いて祈りを捧げ、断食月には一切の飲食を断つような女性である。還暦を過ぎても暴飲暴食を繰り返す自分に、よくぞ懐いてくれたと思う。

「詠美さん、大丈夫ですか？」

ルクサーナが大きな瞳で尋ねた。

「ええ、大丈夫」

「何か困ったことがあったら、遠慮なく言ってください」

「ありがとう」

同胞の参列者からはついぞ貰わなかった言葉である。ルクサーナは深々とお辞儀をし、去って行った。

2

忌引き明けの月曜日、派遣先の住宅でルクサーナと落ち合った。

彼女とはよくコンビで仕事をする。緩和ケアが専門の詠美と、患者の介助や生活支援をテキパキとこなすルクサーナ。首都圏では病院もホスピスも満員状態なので、自宅で終末を迎える患者が増えている。

詠美は点滴や注射だけではなく、介護の手伝いもする。ルクサーナが買い物に出かけている時、患者のおむつ交換をしたり、入浴の介助をすることもある。

その日は、ほぼ寝たきり状態の真鍋さんという、九十二歳になる婦人宅での仕事だった。散らかった部屋を片付けていたルクサーナを尻目に、詠美は真鍋さんを脱衣所まで連れて行き、服を脱がせた。

「詠美さん、いいですよ。それ、わたしの仕事ですから」

すかさずルクサーナが声を上げた。

「いいのよ。あんたの仕事を奪うわけじゃないから心配しないで。今断食中なんでしょう。少しは休みなさい」

それに、真鍋さんは入浴の時、饒舌になる。患者の話を聞き、心理的サポートをするのも看護師の重要な仕事だ。

やせ細った真鍋さんを、浴槽に入れた。

「悪いねえ、いつもいつも」

皺くちゃな顔をさらに皺くちゃにし、真鍋さんが言う。

「あたしみたいなおばあちゃんは、とっとと死ねばいいのに、まだお迎えが来なくて」

「そんなこと、言わないで下さい。あたしだって充分おばあちゃんですから」

とはいえ、六十の自分など真鍋さんに比べれば、娘のようなものだ。

「何だか年寄りだらけの街になっちまったね。昔の東京はこんなじゃなかったのに」

一九四七年生まれの真鍋さんは、昔の東京の街並みを思い起こしているように目を細めた。

「このままじゃ、若い人のいないジジババだらけの国になっちまうね。どうして若い子がいなくなっちゃったんだろう」

ジジババだらけの国になるリスクは、今後は減っていくだろう。今が高齢化のピークだ。とはいえ、日本の総人口が今後も減り続けることに変わりはない。

「若い子がいないのは、もうずっと前から子どもを産む人が減ったからでしょうね」

自分もその中に含まれている。子どもを作る覚悟が持てぬまま、気がついたら出産可能年齢を超えていた。

「あたしなんかが小さい時は、周りは子どもだらけだったのに、世の中変わるもんだねー」

団塊の世代の真鍋さんが子どもの頃は、まさか未来がこんなことになっているとは想像もつかなかっただろう。今や三人に一人が六十五歳以上の高齢化社会になってしまった。

真鍋さんはこの三日後、帰らぬ人となった。第一発見者はルクサーナだった。検死の結果、彼女が到着するほんの少し前に、死亡したらしい。彼女にとって初めての被介護者の死で、ショックを受けている様子だった。

「……あんなに元気だったのに、どうして、こんな急に……」

ルクサーナが大きな瞳を潤ませながら尋ねた。真鍋さんは慢性心不全を患っていた。呼吸困難や疼痛、倦怠感を伴う病気だが、ケアのおかげで症状は緩和されていた。だから、苦痛を感じず、ひっそりと息を引き取ったはずだとルクサーナを慰めた。

「わたしがいけないんです。わたしが遅刻しないでちゃんと来ていれば、助けることができたかもしれないのに……」

「それは分からない。自分を責めちゃダメよ」

断食のせいでフラフラの状態のルクサーナに、通常通り仕事をしろというのは酷だ。そもそも、七世紀に作られた戒律を二十一世紀の現在でも頑なに守るのは無理があるのではないか。こう述べると、

「陽が落ちてからは、ちょっとだけパンをかじったりしてますから、心配しないでください」

とルクサーナは弁明した。気分を害したようなので、今後彼女の前で宗教の話をするのは控えようと詠美は思った。


その日の晩、ソファーに横たわり、スマホでニュースアプリをタップすると、いきなり凄惨な映像が流れてきた。黒煙が上がり、サイレンが聞こえ、逃げまどう人々や、流血して路上に横たわっている人々の姿が映し出される。どこかの国でまたテロが起きたのか。

いや。あれは外国じゃない。東京だ。銀座の歩行者天国で、爆弾テロが起きたのだ！　日本でテロが起きたのは、これで二度目だった。最初のテロは昨年末、クリスマス商戦で賑わう渋谷のど真ん中で起きた。「アッラーは偉大なり！」と叫びながら、一人の青年がスクランブル交差点で銃を乱射したのだ。死者五名、負傷者十数名の大惨事だった。

その傷も癒えぬうちに、まさか第二のテロが起きるなんて……。

身に着けた爆弾と共に自ら命を絶ったのは、在日七年のアラブ人だった。ＳＮＳは、在日外国人に対するヘイト発言であふれ返っていた。

日本は二十年ほど前に、特定技能外国人を多く受け入れる政策を採った。事実上の移民受け入

れである。生産人口が減っているので、このままでは経済が持たないというのが政府の言い分だった。

しかし、実態は人手不足の中小企業のニーズを満たすため、安く雇える使い捨ての人材を供給したに過ぎない。日本の若者は贅沢になり、低賃金で汚い労働はやりたがらないので、外国人の出番というわけだ。当然、受け入れ側の体制が整っているとは言い難かった。サービス残業など当たり前で、賃金は日本人に比べ低く設定された。日本語がおぼつかないのだから当然だ、と経営者は開き直った。

差別は職場だけではなく、生活の場にも表れた。外国人にアパートを貸したがらない大家は相変わらず多かったし、パーティーをしているだけで警察を呼ばれることもあった。街中で異国人同士母国語でしゃべっていると、露骨に眉をひそめる人間もいた。

こんな状況だから、外国人たちが怒るのも無理はない。これが古くから移民を受け入れてきたヨーロッパやアメリカで起きていた現象で、日本もやっと欧米並みになったということだ。

3

ルクサーナが仕事中に倒れたと連絡があった。救急車で運ばれ、都内の総合病院にいるという。その日は仕事が入っていなかったので、詠美は病院に駆け付けた。病室を訪れると、カーテンで仕切られた相部屋のベッドに、やせ細ったルクサーナが横たわっていた。しばらく見ないうちに目や頬がくぼみ、とても二十代前半の女性には見えなかった。

見舞いに来ていた三十代くらいの日本人女性が、詠美に気づき、挨拶した。ルクサーナの義理の姉だという。

「過労で倒れたらしいんです。ろくに食べていませんから」

義姉が言った。

「お医者さまは、しばらく休養を取ったほうがいいと」

介護士は常にオーバーワークだ。体力がいる仕事なのに、断食月には必要な栄養補給ができない。

「労災って、下りるんですかね」

こう質されても、詠美はすぐには答えられなかった。

スマホの着信音が聞こえた。義姉のバッグの中からだった。失礼、とカーテンを空け、義姉は病室から出て行った。

詠美は改めて、ルクサーナの容態を確認した。枯れ木のような腕には、点滴のチューブが繋がれている。こんな細い腕で、患者がベッドから起き上がる手助けや、歩行のサポートをしていたのだと今さらながら思った。

廊下の方から義姉の声が聞こえてきた。外国語まじりの日本語だった。通話が終わると、病室に戻って来た。

「ルクサーナの兄からです。とても心配していました。でも仕事が忙しくて、見舞いには来れませんから」

兄は、解体工事を請け負う会社に勤めている。

「労災って、下りるんですかね」

また同じ質問をされた。

「会社に相談してみます」

途端に義姉の眉が吊り上がった。

「義妹《いもうと》は、休みもろくに取れないほど働かされていたんですよ。ですからこれは、会社側の責任じゃないですか？」

どうやら自分は、ルクサーナの上司か何かと勘違いされているらしい。年上の日本人女性なので、無理もない。

就労中に倒れたのだから、正社員やパートなら労災は適用されるだろう。ところがルクサーナは、フリーランスの介護士なので恐らく労災の適用はない。無論、雇い主の介護会社が補償することはあるだろう。だが会社側が何かと難癖をつけ、出し渋ることは充分予想できた。

「外国人労働者は健康保険の面でも差別されているでしょう。酷すぎると思いませんか？」

「思います」

国民皆保険制度は事実上破綻している。七十歳未満の医療費は六割負担になったし、在日五年未満の外国人労働者は、九割が自己負担などという法案が、つい先日国会で可決された。

「じゃあ何とかしてください。補償がなければ、今回の入院費だって払えませんよ」

義姉が尖った声で訴えた。その剣幕が凄かったので、ルクサーナが目を覚ました。

「上司に掛け合ってみます」

「あなたの一存で、何とかならないんですか」

「わたしは請負《うけおい》の看護師ですので……」

「そんなこと言ってないで、何とかしてください。お願いします」

義姉さん、と弱々しい声が呼んだ。

「……詠美さんが決めることじゃないから。良くなったら、あたしから事務所に連絡するから」

消え入りそうな声でルクサーナが言った。

「あたしからも言っておいてあげる」

ルクサーナ一人では、会社側に言い包められてしまうリスクがあった。

「だから、あなたはゆっくり休みなさい。最低一週間は休暇を取った方がいい」

時計を確認すると、もうすぐ五時である。事務所は五時半には閉まってしまう。談判するなら早い方がいい。

「じゃあ、早速行ってくるから」

バッグを手に取り、病院を出た。ここから最寄りの駅までは、歩いて十五分かかる。乗り換えもあるので、会社に着くのは事務所が閉まった後だろう。

タクシーが来たので止めた。普段はこんな贅沢なものには乗らない。後部座席に乗り込み、事務所の住所を告げる。運転手は生返事をし、発車させた。しばらくすると、ハンドルから手を放し、スマホでメールを打ち始めた。

「ちょっと、大丈夫なんですか？」

大丈夫とは分かっていても、つい口を出したくなってしまう。

「もちろん、大丈夫ですよ。こいつは古い型だけど、レベル４はクリアしてますから」

運転手はダッシュボードをパンパンと叩きながら、ハンドルもブレーキもほとんど飾りみたいなものですと言った。レベル４の自動運転なら、本来運転手は必要ない。

「法律がまだ追いついてませんからね。一応念のため、運転手を置けということになってます。だからわたしの首も、何とか繋がってるんですよ。だけど、定年までは持たないでしょうね。あと、十五年もありますから。そのうち、一般道でも運転手は必要なくなるでしょう。次の仕事を見つけなきゃならんけど、この年で今さら何をしていいものやら」

五十五になったという、胡麻塩頭《ごましお》の運転手は力なく笑った。

「金持ちの街じゃ、今やブレーキもアクセルもハンドルもない車ばかり走ってるって、知ってました か？」

金持ちの街とは、スマートシティのことだ。

「まるで走る応接間だよ。車同士ＩＯＴで繋がってるから、絶対に事故を起こさないし。無論、運転手もいませんよ。すべてレベル５。レベル４以下の車両は侵入禁止だって。だからわたしらなんかは、スマートシティではもう商売ができないんだよね」

そんなことになっているとは知らなかった。静岡県の裾野《すその》や、神奈川県の箱根、栃木県の足利などにあるスマートシティでは、エネルギーが効率化され、すべてがＩＯＴで繋がっている。だから従来の都市に比べ、はるかに利便性が高い。金持ちは徐々にスマートシティに移り住むようになり、少子化とも相まって、東京の人口は二十年前に比べ、百万人近く減ってしまった。

「自動化とかＡＩとか、人間の暮らしが楽になるならそれに越したことはないけど、政府も少しは失業する人間のことを考えて欲しいモンだよねぇ。何でもかんでも自己責任にしないでさあ」

会社に着いた。「支払いはカードで」と言うと、運転手が「ボディチップじゃないんですか？」と訊いて来た。ボディチップとは掌の皮膚の下に埋め込まれたマイクロチップのこと。昨今は掌をかざすだけで、オートロックを解除したり、電子決済をすることができる。

「カードは紛失のリスクがあるから、チップを勧められるけど、まだその気になれなくて」

チップによる健康被害は報告されていないが、医療関係者としては慎重になりたい。

「実はわたしもそうなんですよ。若者なんかはもうほとんどがチップを入れてるけど、古い人間はなかなかその気になれないよね。身体の中に金属片を入れるなんて、不気味だもんねぇ」

運転手が眉をひそめた。

タクシーを降り、介護会社のゲートをくぐった。飯野班長は、帰り支度を整えているところだった。

「う〜ん。それは難しいなあ」

補償の話を切り出すなり、飯野は眉根を寄せた。

「彼女はさ、イスラム教の、そのナンて言うんだっけ——ラダマン？」

「ラマダンですか？」

「そう、ラマダンをしてたんだろう。つまり自ら栄養補給を拒んでいたわけだ。で、ぶっ倒れた。幸いにも大事に至らなかったから、我々は胸を撫で下ろしてるよ。でも、それを会社の責任と言われてもねえ――」

「会社の責任とは言ってません。誠意を見せて欲しいと言ったまでです。彼女とは何度かペアを組んだことがありますから、仕事ぶりは知ってます。非常に真面目で一生懸命な娘《こ》です。何とかなりませんか」

「う～ん」

飯野はわざとらしく腕時計を確認した。

「彼女の収入で今回の入院費を負担するのは、大変なことですよ。外国人労働者は九割負担なの、ご存知でしょう」

「それは知ってるけど、うちの会社だって決して左団扇《ひだりうちわ》じゃないんだよ。介護報酬がまた下がったしね。正に火の車だよ」

国は緊縮財政ばかりしているため、しわ寄せはすべて民間にくる。介護需要は増大しているのに、撤退する介護事業者が後を絶たない。

「本人と話がしたいな。退院したら事務所に来るよう言っておいてくれ」

そそくさと書類をまとめ、飯野は事務所から出て行った。

4

やっと母親の納骨場所が決まった。予算の関係から、青梅市にある公営の合葬式墓地である。

青梅駅で降り、タクシーを呼んだ。待つこと二十分。やっとタクシーが駅前に到着した。

「いや、すみませんね。お待たせしちゃって」

運転手が愛想笑いを浮かべた。

「普段は利用客なんていないから、無線入った時、いたずらかと思っちゃいましたよ」

「公営の墓地までお願いします」

「ああ、あそこね。じゃあ、ちょっと遠回りになるけど」

運転手は、今来た道をまた戻り始めた。

「土砂崩れが起きてね。まだ復旧してないから、あっちの道路は通れないんですよ」

「台風八号ですか？」

先月大型台風が列島を襲ったが、大きな被害があったのは関西と北陸のはずだが。

「いや、確か七号じゃなかったかな」

「七号？　あれは沖縄の脇をかすめて、朝鮮半島に上陸したんじゃなかったのでは？」

「いや、今年のじゃなくて、去年のですよ」

しばらくすると、折れ曲がった複数の電柱が見えてきた。近くに点在する民家は、半壊したり、瓦が見事に吹き飛んだりしていた。

「これって、去年の台風七号の被害ですか？　あれから一年経ってるのに、まだこんな状態なんですか」

詠美は目を丸くして、窓の外を眺めた。

去年の台風は、関東北部に甚大な被害を及ぼした。しかし、まさか壊れた家屋やインフラが、手つかずのまま放置されているとは思わなかった。

「過疎地域で、年寄りしか住んでいなかったからね ー」

「被害住民の人たちは、今どこにいらっしゃるんですか」

「まだ避難所じゃないかな。いずれにせよじいさんばあさんたちは金がないから、家の修理もろくにできんのですよ。行政からの支援金もすずめの涙だし。っていうより、人手不足で、そもそも復旧工事をしてくれる若者がいないしねー」

だから過疎地は、人の住めぬ状態のまま放置されているということか。

「この辺りなんかまだいい方ですよ。駅向こうなんてあんた、土砂崩れが起きてそのまま放りっぱなしにされてるから、家も田んぼも畑もずっと埋まったままだ。ったく地球温暖化ってのは怖いねー。異常気象は年々増してるし」

地球温暖化も怖いが、もっと怖いのは、災害に全く対応できていない日本政府のほうだ。

「こういう風景はここだけじゃないですよ。日本じゃ今、見捨てられた地域があちこちにあるって。日本列島は、いつの間にか日本人には大きすぎるようになっちまったんですかねー」

そういえば先月また、自治体がひとつ消滅したというニュースが流れた。県庁が所在する大きな市だったので、皆驚いた。消滅した自治体は、既に全国で五十余りあるともいわれている。

駅から車で十分とパンフレットには書いてあったのに、実際は三十分以上かけて合葬式墓地に到着した。合葬式墓地とは、一つの納骨堂に多くの遺骨を埋蔵する墓地のことである。外観は納骨堂というより倉庫に近い。行き場のない骨壺を、仕方なく倉庫に保管する、公営の廉価な墓地だ。民営墓地は、何百万もする御影石のお墓ばかりで、貧乏人がおいそれと手を出せる代物ではない。

非正規労働の看護師である詠美は、自分のことを下層階級だと思っている。そもそも今の日本には中産階級というものがない。とはいえ、非正規の看護師は、世間からは「下の上」と見られているだろう。本当の貧困層は、住むところもなく路頭をさ迷っている人々だ。

納骨堂から戻ってきた詠美は、これでやっと母の死に関するすべての手続きが終了したと、胸を撫で下ろした。

5

今日もまた、暗いニュースが流れた。

移民排斥を訴える極右グループが、外国人労働者を襲ったのだ。テロへの報復だと叫んでいたらしい。被害者三人のうち一人が死亡、二人が重傷を負った。

極右グループを構成しているのは、失業中や不安定な仕事に就いている邦人の若者たち。一方攻撃された外国人も、経済的には同じような境遇にいた。つまり、「似た者同士」なのに敵対しているのだ。特権階級の金持ちたちは、ほくそ笑んでいるに違いない。

詠美は、中村先生にこの気が滅入る事件の感想を尋ねた。中村先生は、詠美が終末ケアをしている患者で、末期がんを患っている。

「わたしは二十年前に警告したんだけどね。安易に外国人労働者を受け入れちゃいけないって。でもこういうことを言うと、すぐに差別主義者のレッテルを貼られるから、あまり強くは言えなかったんだ」

中村先生が力なく笑った。

特定技能実習生、平たく言えば移民を受け入れ始めて二十年。百四十万人余りを受け入れた。経済的な理由のほかに、少子高齢化対策もあったのだろう。ところが実際は、少子化の抑制には繋がらなかった。就労可能な若者の人口はこの二十年間で一千万人も減ったので、外国人受け入れだけではまったく足りなかったのだ。

「別に差別をしているわけじゃない。外国人労働者を受け入れる前に、企業は日本人を正社員で雇えと言いたかったんだよ」

中村先生は経済学者だ。しかしながら、経済学を下品な学問と呼んで憚《はばか》らない。経済ばかりでなく哲学や宗教、科学などにも詳しい博識な人である。

「どうして企業はそうしなかったのでしょうか」

詠美が生まれたのは一九八〇年。正に就職氷河期の世代だった。

「景気が悪かったからね。先行きが不安だから、固定費を控えたかったんだろう。会社は人件費を固定費から変動費に切り替えて、リスクヘッジをしようとした。つまり正社員より首を切りやすい、非正規労働者や請け負いに頼ったということだね」

「経営者としては仕方なかったのかもしれませんね」

「その通り。さっきわたしは、企業が日本人を正社員として雇えと言ったが、彼らにはなかなかそれができない事情があった。ずっとデフレが続いて将来が不安だったからね。経営者としては正しい判断だよ。ただミクロ的には正しいことでも、マクロ的には必ずしも正しいとは限らない。これを経済学の用語で合成の誤謬《ごびゅう》という。つまり、日本経済全体にとっては、決して好ましいとは言えなかったんだ」

「やはり国がいけなかったということですか」

中村先生が首肯《しゅこう》した。

「経済政策が根本的に間違っていたんだよ」

中村先生のケアを始めてから、既に五ヶ月になろうとしていた。余命三ヶ月などと言われていたのに、未だに元気で意識もはっきりしている。詠美は週三回先生のもとに通い、ケアをする傍ら、経済学の講義を受けた。

憔悴している患者の心理的ケアのため、経済のことをあれこれ質問したのがきっかけだった。齢《よわい》八十になる中村先生は、詠美の質問に丁寧に答えながら、徐々に活力を取り戻していった。講義をすることによって免疫力が上がり、延命に繋がったのである。

詠美も単なるケアの一環としてではなく、先生の言葉に真摯に耳を傾けた。実は学生時代、経済学部に在籍していた。とはいえ、学生時代はろくに勉強せず、遊び呆けていた。経済が暮らしに大きな影響を及ぼしていることを実感すると、遅ればせながら興味を持つようになり、本を読んで自分なりに研究もした。そんな詠美に「あなたはわたしの最後の生徒だ」と、中村先生は眉尻を下げた。

「外国人労働者の話に戻るが、わたしは決して人種差別主義者ではない。寄生虫どもは国へ帰れなどと、ヘイト発言をしているネトウヨと一緒にしてもらっては困る」

「それはもちろん分かっています」

「彼らを単なる労働力としてしか見ていない政府に、注意を喚起したかったのだよ。日本にやって来た外国人は、定住することも当然視野に入れている。落ち着いたら、本国にいる家族も呼び寄せたいと願っている彼らに対し、きちんとした受け入れ態勢を整えているのか。雇用主に丸投げし、うまく行かなかったら自己責任などと、国はまた言い逃れをするのではないか。そうしたリスクが高かったから、外国人労働者の受け入れには慎重にと進言した」

「先生の危惧は現実となっています。外国人を使い捨ての労働力としか見ていなかった結果、彼らが今反乱を起こしています」

「それを宗教のせいだと思っている連中が相変わらずいる。イスラム教の原理主義者は危険だとかね。ヨーロッパやアメリカで起きたテロは、しばしばムスリムとキリスト教徒の因縁の争いという構図で見られてきた。しかし果たして本当にそうだろうか。園田さんはどう思うね」

「宗教や人種の違いだけで、果たして殺し合いが起きるでしょうか。十字軍の時代なら分かりますが」

「そうだろう。宗教による覇権を目指していた中世ならいざ知らず、現代でそんなことが起きるというのは解せない。イエス・キリストを信じようが、アッラーを信じようが個人の自由だ。仮に、キリスト教徒もムスリムも全員そこそこ金持ちだったとしたら、戦争などすると思うかね」

「しないでしょうね。お金持ちなら皆、満足な暮らしをしているはずです。何が悲しくて、それをぶち壊すような真似をするでしょうか」

「その通り。戦争が起きれば、優雅に暮らしていた邸宅から焼き出され、電気も水道もない生活を余儀なくされるやもしれない。いや、そんなことより、死んでしまうかもしれない。愛する家族や友人を失うことだってあるだろう。そんな損失を覚悟の上でするメリットなど、どこにあろうか」

「やはり貧富の差が根底にはあるんですね」

「そうだとしか、わたしには思えないね。テロをするような連中は、失うものがないんだよ。テロはいわば貧民の戦争だ。貧困や不公平感が、テロリズムを誘発する。金持ちの異教徒を殺すことで、現生の不平等から脱け出し、天国に行けると信じているから、自爆テロを起こす」

「金持ちの側にも軍産複合体というのがあって、テロリズムを煽れば、儲かる仕組みになっていますすね」

「すべて経済的理由だ。だからわたしは、嫌われるのを覚悟で外国人労働者受け入れは慎重にと言ってきた。だが、リベラルを気取っている新自由主義者の金持ちたちは、受け入れろと言い続けて来た。自分たちが経営している会社で、こき使おうと思っていたからだろうが、それ以外にも進歩的文化人を気取りたいという理由もあったんだろう。インテリは、偏狭《へんきょう》な国粋主義を嫌い、グローバルな視野を持たなければいけないと、皆思っているようだからな」

「でも上流階級の彼らは、生活の場に外国人労働者を一切入れようとしないでしょう。警備員がいるゲートで囲まれた高級住宅地に住んで、子弟を日本人の金持ちしか入れない私立の名門校に通わせてます。外国人が好きなようには見えませんが」

「本当は嫌いなのさ。典型的な二枚舌だよ。そういえば、いつも来ていた介護士のあの子はどうしたんだい。パキスタン人の」

「ルクサーナですか。今は入院中です」

過労で倒れてしまったことを報告した。

「そうか……それは気の毒にな。大事にならんといいんだが。わたしのような年寄りが、あれこれ我がまま言うから、こんなことになっちまったんだな」

「いえ、そんなことはありません。オーバーワーク気味なのに、断食していましたから。ともかく真面目な子なんです。仕事では絶対手抜きをしないし、宗教の戒律もきちんと守ります。だから、こんなことになったんです。うまく手を抜くことを覚えればいいのに」

「会社は休業補償はしてくれんのかね」

「渋ってます。資金繰りに苦労しているようですから。世の中どこも不景気ですし」

中村先生は、ふ〜っとため息をついた。

「偉そうに、外国人労働者云々を語れんな。ともかく、役立たずの年寄りが多すぎるんだ。高齢化社会と言われて久しいが、今の世の中、高齢者の高齢化が進んでる。他人の世話にならなきゃ生きていけんような、よぼよぼのジジババばかりで、若者は大変だろう。外国人の手を借りたくなるのもよく分かる。わたしの方こそ二枚舌だったのかもしれんな。わたしみたいな年寄りこそ、とっとと逝《い》ったほうが世の中のためかもしれん」

「死は誰にでも訪れます。でも、世の中のために死んだほうがいい人なんて、いません。わたしもルクサーナも、とっとと逝ってしまえと思いながら先生のお世話をしたことなんか、一度もないですよ」

「……そうだよね。すまなかった」

「何で日本はこんな国になっちゃったんでしょう。わたしが小学生の頃は、日本は経済大国でみんなお金持ちでした」

「それは次回のテーマにしよう」


中村先生は孤独な老人だ。奥さんには五年前に先立たれ、子どもはいない。一人っ子なので兄弟もなく、見舞いに訪れる人も見たことがない。だが、このような老人は世の中にたくさんいる。

詠美が小さい頃は、未来がこんなディストピアになっているなどとは想像だにしなかった。日本中が、キラキラと輝いていた。ピッチピチのミニドレスを着た女たちが、扇子《せんす》を持ちながら踊っている光景をよくテレビで見かけた。「ジュリアナ東京」とか「トゥーリア」とかいうディスコの名前は、当時の小学生の間でも有名だった。自分も大人になったら、ああいうところで踊り狂うのだろうな、と漠然と思っていた。

大学生がベンツやＢＭＷを乗り回しているような時代だった。クリスマスイブには高級ホテルのスイートに恋人と泊まるのが、若者のトレンドだった。景気に陰りが見えてきたのが、詠美が中学生になった頃からだろう。しかし、ティーンの詠美にそんなことが分かるはずもなく、相変わらず世の中は希望に満ちているように思えた。

景気の悪さを実感したのは、大学に入り、就職活動をしている時だった。数学が苦手だったので、理系は最初からパス。偏差値と大学ブランドで選んだのが、某大学の経済学部だ。

大学四年の夏から四十社以上採用試験を受けたが、見事に全滅だった。四年制大学出の女など、一般の企業は求めていないことを嫌と言うほど思い知らされた。

結局正社員は諦め、非正規社員として、とある物流会社で働くことになった。ゼミ仲間も男女を問わず、ほとんどが正規採用されなかった。正に就職氷河期である。

物流会社では主にコピー取りや、電話番、お茶くみなどをさせられた。大学で得た知識など、まったく役に立たなかった。何のために親は授業料を払ってくれたのかと、申し訳ない気持ちでいっぱいになった。

典型的な男社会で、セクハラやパワハラも横行していた。だから半年足らずで会社を辞めた。軽い鬱《うつ》になり、しばらく実家に引きこもった後、親戚の友人が経営する小さな建設会社で働き始めた。

パワハラやセクハラこそなかったが、仕事は三日あれば覚えられる単調なものだった。朝出勤して一時間もすれば作業は終わり、残りの時間を持て余した。一緒に働いていたパートのおばさんからは、焦らずゆっくり仕事をすることを学びなさい、と叱られた。

ぬるま湯のような環境だったが、外に出て、また世間の荒波にさらされることが怖かった。暇な時は事務所で本を読んだり音楽を聴きながら、ダラダラと過ごし、五時半きっかりに帰宅した。本当にこのままでいいのか、と自問しなかったわけではない。しかし、では他に何をしたらいいのか、とさらに自問しても、答えは出てこなかった。

とはいえ、こんな状況が永遠に続くわけがない。放漫経営が祟《たた》って、程なく会社は傾き始めた。詠美が就職してから二年目のことだ。人のいい社長は、すまないねえと眉尻を下げながら、解雇通知書を手渡した。会社の都合でクビになったのに、補償金は一切出なかった。

それからは短期の仕事で食いつないだ。コンビニの店員、レストランの接客係、アパレルの販売員等々……。結婚相手とは、アパレルで知り合った。取引先の、詠美と同じ非正規労働の男性だった。三十路《みそじ》を迎えようとしていた頃で、焦りもあったのだろう。相手のことをよく見極めず、婚約した。

新居は当時詠美が住んでいた、昭和の時代に建てられたボロアパートの一室。

お互い不安定な状況だったので、子どもはどちらかが定職を持ってから作ろうと決めた。

詠美は今まで以上に働いた。会社には非正規から正規の登用例はなかったが、自分が第一号になってやると気を張った。ところが夫が同じ意気込みを持っているようには思えなかった。会社から帰ってくれば必ず、仕事の愚痴を聞かされた。「非正規は差別されている」「できない正社員の尻ぬぐいをさせられているのに、給与は向こうの方が高い」「上司の指示が意味不明で疲れる」……。

同じ境遇の労働者として納得できることばかりだったので、頷きながら励ました。そしてある日「そんなに辛いんだったら、辞めたら?」と言ってしまったことから悲劇が始まった。

翌日夫は辞表を提出した。すぐに別の就職先を探すのかと思いきや、家の中でゴロゴロしているばかりで、一向に動こうとしない。

「前の職場が酷すぎたからさ。慎重にやってるんだよ。ホラ、このサイトにもエントリーしたから」

PCの画面を見せながら夫は言ったが、転職サイトよりオンラインゲームに夢中になっていることは知っていた。やがて生活費のすべてを詠美が負担するようになった。折半《せっぱん》していた家賃も、全額詠美が支払った。典型的なヒモ亭主になってしまったのだ。

別れようかと思ったが、ベッドでは優しい夫だった。清潔好きで、家事もそこそこできたから、主夫の役割だけはこなしていた。こういうのも悪くはないと自分に言い聞かせたが、家計はいつも火の車だった。少ない契約社員の給与だけで、夫婦二人生きていくのは大変だ。とはいえ「早く仕事を見つけて」と訴えるなり、夫は不貞腐《ふてくさ》れ、引きこもってしまう。

やはり自分が頑張るしかないと思ったものの、正社員になる道は険しかった。夫が言っていたように、自分よりできない正社員の尻ぬぐいをさせられることも多く、不満は溜まっていった。

そんな折、夫の浮気が発覚した。

当初はシラを切っていたが、確固たる証拠（詠美が不在の時にアパートに置き忘れられていた、女性用の避妊具）を見せつけると、夫は態度を一変、泣きながら「見捨てないでくれ」と懇願した。

「単なる遊びだったんだ。もう二度とこんなことはしない」

甘いと思いつつ、夫を許すことにした。まだ愛していたから、信じたかった。

それから程なくして、泊まり込みの建設の仕事を見つけたと夫が言った時、遂に真面目に働く気になってくれたかと喜ぶ半面、まるで畑違いの分野なのに大丈夫だろうかと心配になった。

「平気平気。こう見えても体力あるし。しばらくは戻れないと思うけど、よろしく。連絡するよ」

最初の三日間くらいは、毎日連絡があった。ところが、次第に滞るようになり、一週間連絡をよこさないこともめずらしくなくなった。

一ヶ月も経つと、そろそろ帰って来てもいい頃なのに、何をしてるんだろうと不安がよぎった。こちらから連絡しても、すぐには出てくれない。下っ端だから、仕事中は電話禁止なんだよと、五回目のコールでようやく返信してきた夫が言った。

「あとどのくらいかかりそうなの？」

「よく分からん。まだ終わりそうもない」

「いったい何を造ってるの」

「リゾートだよ」

「それは聞いたけど、具体的にあなたは何をやってるの？」

「色々だよ。もう切るぞ。呼ばれてる」

　こんな豆腐に鎹《かすがい》のような会話が続いたある日、見知らぬ女性から電話がかかってきた。夫の名を口にし「失礼ですが、あなたは彼とはどういう関係ですか？」と訊いてきた。

「妻です」

「まさか!?　彼、結婚してたんですか？　証拠はありますか？」

「戸籍謄本ならありますよ。それよりあなたこそ、夫とどういう関係なんですか？」

　嫌な予感がした。先方はもごもごと口ごもっていたが、仕舞《しまい》には観念したように語り始めた。夫とは一ヶ月前から同棲しているという。

「彼の荷物の中に指輪があるのを発見して、何か変だと思って、彼の携帯を調べたんです。そしたら、あなたと頻繁に連絡を取り合っているのが分かったから……」

　夫は先方に既婚者であることを隠して不倫していたのだ。おまけに相変わらず定職には就かず、ヒモ生活を満喫していたらしい。建設現場にいるというのは、真っ赤な嘘だった。

「そんな人とは思わなかった。別れます。今まですみませんでした。ご主人、お返ししますから」

「いいえ。いらない。帰ってこられても迷惑だから」

「じゃあ今晩、粗大ごみと一緒に捨てます」

　こうして夫とは別れた。同時に、自分のキャリアも一から見直そうと思い立った。アパレルの販売員として、生活のためがむしゃらに働いてきたが、本来やりたかった仕事かといえば、そうではない。おまけに、いくら頑張っても正社員になれそうもないので、そろそろ潮時だった。

かといって、以前のようにあちこちの職場を渡り歩くような真似はしたくなかった。三十路を過ぎていたので、体力や使い勝手では若者に負ける。

実務に役立つ専門知識がないことを後悔した。何か資格を取らなければ。いろいろ考えた末、看護師の免許を取ることにした。少子高齢化が進んでいるので、これから益々需要のある職業だ。

働きながら夜間の看護専門学校に通い、看護師免許を取得した。それから現在に至るまで三十年、看護師としてキャリアを積んだ。

私生活では、離婚以来ずっと独り身を通してきた。最初の男が無茶苦茶だったため、慎重になり過ぎたのかもしれない。恋人は幾人かできたが、どれも結婚までには至らなかった。

母親は事あるごとに、家庭を持たなければ将来寂しくなると諭したが、詠美が四十を迎える頃になると、もう何も言わなくなった。

その母親も、いなくなってしまった。

母が危惧していた通り、詠美は天涯孤独な身の上となった。

6

ルクサーナが仕事に復帰した。

しかし、彼女の顔色は相変わらず冴えなかった。まだ調子が悪いのかと尋ねると、首を振って大丈夫ですと答えた。

「まさか、まだ断食をしてるわけじゃないでしょう」

「もうしてません。ラマダンは終わりましたから」

実は……とルクサーナが伏し目がちに口を開いた。

「飯野班長から休業補償はないと言われました」

やはりそうか――。難しいとは思っていたが。

「わたしが退院する日に運び込まれた、同じ会社の女の子がいました。日本人の介護士です。彼女は作業中の怪我で、足を骨折してしまったようです。その子の同僚に訊いたのですが、会社が入院費を負担してくれたみたいです。どうして、わたしだけ負担してくれないのでしょうか？」

「本当ですか」

「それは恐らく、その介護士が正社員だから、労災が下りたのよ」

ルクサーナが、綺麗に整えられた眉をひそめた。今まで見たことのない懐疑的な眼差しだった。

「わたしが外国人だからではないのですか」

「いいえ。そんなことはないと思う」

「では、訊きますが、パキスタン人のわたしを、どうして正社員で雇ってくれないんですか？」

「それは……人事部に訊かないとわからない」

「訊かなくてもわかりますよ。わたしが外国人だからでしょう」

「そうじゃない。わたしだって、非正規雇用よ。知っているでしょう」

ルクサーナがはっとなり、小さく「ごめんなさい」と謝った。

「実はつい最近、兄が会社をクビになったんです」

「それは、大変ね。次の仕事は見つかりそうなの？」

「いえ。家にいます。もう働きたくないみたいです」

解体会社で大規模なリストラがあったらしい。そもそも、空き家や空きビルはもう解体するものではなく、放置するものというご時世になっている。

「二人子どもがいてまだ小さいから、義姉は働くことができません。わたしがお金稼がないと、アパートの家賃、払えないんです」

ルクサーナは、兄夫婦とその子どもたちと一緒に住んでいる。２ＤＫに五人だから、かなり窮屈だろう。別のアパートを探しているが、なかなか見つからないらしい。

「あまり頑張り過ぎちゃダメよ。適当にサボりながらやりなさい」

「詠美さんはサボったこと、あるんですか？」

「いつもサボってるわよ」

初めてルクサーナが笑顔を見せた。


サボれと言ったのに、相変わらずルクサーナは仕事に全力投球していた。体重の重い人の介助には体力がいる。こつを知っているというが、八十キロ近い男性の世話をするのはやはり大変だ。会社側に、パワードスーツを導入してくれと談判してみた。しかし返ってきた答えは、相変わらず煮え切らないものだった。

「いずれ入れることは検討してるよ」

業務日誌に目を通しながら、飯野班長が面倒くさそうに答えた。

「いつですか？」

「それはまだわからんよ」

「いつになったら、わかるようになるんですか？」

飯野班長は日誌から顔を上げ、詠美を凝視した。

「あなたのようなベテランなら知ってると思うけど、昔はパワードスーツなんて便利なものはなかった。それでもみんな工夫して介護をしたモンだ。あなただってそうだったろう」

詠美より五歳年下、五十五歳になる飯野班長は、同意を求めるように眉尻を下げた。

「昔は今ほど要介護者が多くなかったですから。それについこの間も、女性介護士が業務中に足の骨を折ったでしょう」

「あれは単なる不注意だろう。若い連中が、あんたんところに泣きついて来たのかね？　あまり甘やかすのはよくないよ」

「甘やかしてなんていません。むしろみんなオーバーワークです。このまま放置してると、また事故や倒れる人間が出ますよ」

「あの、パキスタン人の娘か」

「ルクサーナです。彼女に休業補償をしなかったそうですね」

「まさか、彼女がパワードスーツを入れろなんて、言ってるわけじゃないだろうね」

「違います。彼女ではありません。わたしがお願いしてるんです。それからルクサーナの補償、何とかなりませんか」

「正社員じゃないしね。労災は下りないよ」

「ですから、会社として何とかならないかと」

「無理だね」

「彼女のお兄さん、つい最近解雇されたんです。当面は、彼女がお兄さんの家族の分まで金銭負担しなければなりません。何とかならないですか」

「と言われても規則だからねえ。社長がＯＫしないよ」

「ただでさえ外国人労働者は、差別されていると感じています。あちこちの企業で使い捨てにされていますから。うちだけは他所とは違うことを示してみませんか」

「しつこいね、あなたも。慈善事業をやってるんじゃないんだよ。もうこの話は終わりだ。そろそろ会議に行かないと。きみも職場に戻りたまえ」

言うなり飯野班長は書類をまとめ、そそくさと部屋から出て行った。

7

「粘りましたが、だめでした」

詠美が中村先生に言った。ルクサーナの休業補償を、会社側ににべもなく断られた話をしていた。そのルクサーナは今、中村先生の生活必需品を買い出しに出かけている。

「そうか。それは厳しいなあ。あんなにいい子なのに」

「会社がコストを削減するのは、仕方ないと先生はおっしゃってましたね。すべての元凶は政策にあるのだと」

「それが今日のテーマだったね」

中村先生が、リクライニングベッドの背もたれを上げ、詠美の方に向き直った。

「そもそも、日本経済はいつからこんなに停滞してしまったのでしょうか」

「バブルが弾けてからだよ」

「っていうと、九〇年代初めくらいですか」

「九四年にはすでに、日本全体の物価水準を示すGDPデフレーターはマイナスに転じていた。本格的なデフレ経済が始まったのは、九七年からじゃないかな」

「確か橋本政権でしたよね」

詠美が高校生の頃だった。つやつやの黒髪をオールバックにした橋本総理はカッコイイと、友だちの間でも評判になった。

「九七年には、消費税が3％から5％になった。北海道拓殖銀行や山一証券など、大手の金融機関が軒並み潰れたのもこの年だね。いや、潰れたというより潰されたと言うべきか」

今でもよく覚えている。大人たちは皆テレビ画面に釘付けになり、前代未聞の大手金融機関自主廃業のニュースに見入っていた。

「まさか、大蔵省（現在の財務省）がこんな大手を潰すとは誰も思っていなかった。救う手立てはあったはずだよ。だが、結果的に自主廃業させたんだ」

「どうしてそんなに厳しい措置を取ったのでしょうか」

「いい加減な融資をして不良債権の山を作ったり、暴力団に利益供与したり、大企業の損失補塡をしたりと、まあ不祥事が続いていたからね」

「国民はこの事をどう思ったのでしょう」

「概《おおむ》ね歓迎したんじゃないかな。バブル時代の負の遺産は、粛清されてしかるべきだと」

「でも国民もバブル経済を享受してましたよね」

「それは、今に比べれば彼らは豊かな暮らしをしていたよ。だけど、大部分の国民は中流だった。バブルと言っても資産バブルだから、土地や株を持っていた一部の人間だけが莫大な利益を享受した。一般の国民は、金持ちや大企業に嫉妬していたよ。だから拓銀や山一が潰れても、ざまあ見ろと思った人間が多かった」

「でも、怖くなかったんですかね。明日は我が身かもしれないじゃないですか」

「怖かっただろうね。とはいえ、日本人というのは元来生真面目だから、自分たちにも非があると反省したんじゃないかな。バブルの時代にはしゃぎ過ぎた。無駄遣いをし過ぎた。だから天罰が下ってバブルを崩壊させた。これからは切り詰めて、質素に生活しなければいけない。『清貧の思想』なんて本が、ベストセラーになったのもバブルが弾けた直後だよ」

「あっ、その本のことわたしも覚えています」

「こういう日本人の潔癖性が、うまく利用されたような気がするよ」

「どういうことですか」

「バブルが崩壊し、税収が一気に目減りした。とはいえ、景気対策をしたおかげで、日本経済は再生に向け、歩み始めていた。九五年の末頃だ。この年には阪神淡路大震災もあったね。ところが、翌九六年、橋本内閣による構造改革が実施された。構造改革といえば聞こえはいいが、要は緊縮財政と増税だよ。国が赤字だから、国民に赤字を減らすよう協力しろというわけだ。具体的には消費税を5％に上げ、社会保障費二兆円を国民負担に転嫁したんだ」

「国民は文句を言わなかったんですか？」

「仕方ないと思っていたよ。さっきも言ったが、バブルの頃はしゃぎすぎた罰が当たった。だから国が苦しんでる。何とかしなければ、という意識が強かった」

「だけど、緊縮財政を行ったからって、景気はよくなるんですか？」

「いや。逆だ。景気は後退する。税負担が大きければ、消費に金は回らないだろう。特に消費税は、消費に対する罰金みたいなモンだ。そもそも財政危機が過剰に宣伝され過ぎた」

「というと？」

「政府は国の債務残高を、財政赤字と偽っていた。国の財政が赤字だから、増税止む無しという理屈だが、おかしいなと思うだろう」

「債務は赤字とは違いますよね。債務にはそれに見合う資産があるはずです」

中村先生がゆっくりとうなずいた。

「例えば個人がローンを組んで、住宅を買うとしよう。ローンが五千万円だとすれば、一個人にとってはたいそうな額だ。だが、これを家計の大赤字だといって騒ぐ人間はいない。五千万円のローンが耐えられなくなったら、住宅を売ってローンを返済すればそれで済む」

「国も同じことですよね」

「同じだよ。確かに国は赤字だったが、債務残高が丸々赤字なわけではない。実際の財政赤字はもっと少なかった。それをあたかも債務全額が赤字であるかのごとく、国民をミスリードした。それからもうひとつ、重要なことがある。そもそもその頃の日本は経常黒字国だった。経常黒字国が財政赤字を深刻に考える必要はない」

経常黒字国とは、貿易や投資など他国との取引に関して、黒字を保っている国のことである。

「なのにどうして、国はことさら財政危機を煽ったのでしょうか」

中村先生は大きく肩をすくめた。

「何だかまた難しそうな話をしてますね」

振り向くと、買い物かごを提げたルクサーナだった。

「難しくないよ。ためになる話。あなたも聴いたら？」

ルクサーナは小さくかぶりを振った。

「いいです。あたしの日本語能力では理解するの難しいですから。そもそも、お金の話とか苦手だし、好きじゃないし。それより先生、シャンプー買ってきましたよ」

買い物かごを持ち上げながら、ルクサーナが言った。

「頭を洗いましょう。それから、髪の毛も切りましょう。耳の上とか、うっとうしそうだし」

「おお。いいねえ」

先生の目尻にたくさんの皺が寄った。

中村先生の家には、大きな書庫がある。スチール製の本棚に納められた蔵書は、目もくらむほどのボリュームだ。棚に納まりきれない本は、床の上に平積みされている。ほとんどの人間が電子書籍を読む時代に、先生は頑なに紙の本にこだわった。

本のジャンルは様々で、政治経済や、哲学、宗教、医学、宇宙論などから、小説、詩歌、漫画やヌードグラビアまである。時代も多岐に渡り、明治や大正、昭和に出版された古い本から、今年上半期のベストセラーとなった『恵方巻きの作り方』という料理本まであった。

これだけの蔵書なのに、中村先生はどこにどんな本が収納されているか、正確に覚えている。

「右から数えて三番目の本棚の上段、真ん中あたりに『バブル以降の経済、四十年史』という本があるから読んでみなさい。一般向けに書かれた本だから、難しくないよ」

言われた通りに書庫を調べると、確かにそんなタイトルの本があった。このように先生に指示された本を家に持ち帰り、貪《むさぼ》るように読んだ。格差や貧困が社会問題になっているご時世。経済の話は他人事ではなく、生活に直結した問題だ。

ケアをしながら中村先生の講義を受けること半年。何よりうれしかったのは、先生の免疫力が上がり、がんの増殖がストップしたことだった。時折往診に訪れる医者も、奇跡の回復力だと目を見張った。

「詠美さんを一人前の経済専門家に育てるまで、わたしは絶対に死なないよ」

「だったらサボりながら、ゆっくり勉強することにします」

「いや、打てば響くような反応をしてくれんと、教える気力が萎える。そうしたらすぐに逝ってしまうよ」

ハハハと先生は元気よく笑った。

「だけどわたしの場合は、出血がないからまだいい。輸血を必要とする患者は、大変なんじゃないか」

「ええ。そう聞いてます」

すべてが少子高齢化のせいだ。献血をするのが若い人間、輸血を受けるのが年寄りなので、三人に一人が高齢者の社会では血が足りないという問題が起きる。

「お金持ちには、問題なく血液や臓器を供給できる闇ルートがあるという噂を耳にします」

「人間の寿命は延びているというが、高齢でも健康なのは金持ちだけだろう」

医学の進歩により、昨年からＡＩドクターが解禁になった。専門のアプリを開き、ＡＩを起動させて問診《もんしん》を受けると、処方箋が作られ、これを薬局に提示すれば薬を貰える。医師不足の折、風邪程度の軽い疾病なら非常に効率的だ。

しかし、金持ちはそんなものとは比較にならないくらいの、科学の恩恵を受けている。体内のチップに埋め込まれたバイオメトリックセンサーが、身体の微小な異常をいち早く察知し、警告を発してくれるからだ。この高性能センサーにより、富裕層ががんで死亡する確率は五パーセントにまで低下した。

「金持ちにとって、今の世界がどうあろうが関係ない。相変わらず夜な夜なシャンパンを空け、バカ騒ぎをしてるようだしな。消費税が20%になり、一般国民の生活は益々汲々《きゅうきゅう》としているのに、彼らだけは例外だ。緊縮財政を推し進める政府の人間と、こういった金持ちどもが繋がっているのを知っていたかね」

「ええ。お金持ちは政治家と癒着しますから」

「だから金持ちなんだよ。政治と癒着して自分たちから税金をふんだくらない政策を実現させる。儲かっている大企業の法人税も、大金持ちの所得税も過去数十年間まったく上がってないだろう。その代わりに、どんどん上がっているのが消費税率だ」

消費税の逆進性は指摘されている。つまり金持ちより、貧乏人のほうが負担の大きな税金ということだ。

「国が赤字の原因の一つは、デフレだ。しかし、金持ちにとってデフレはインフレより都合がいい」

デフレは、物の価値が下がり、貨幣価値が上がる現象である。だからすでに十分な貨幣を持っている金持ちは、歓迎する。

「労働者が豊かになるのが、よいインフレだね。なぜインフレが起きるかといえば、購買力が上がるからだ。皆が欲しい欲しいと言えば、物の価格は上昇する。ではなぜ、購買力が上がるのかといえば、雇用が安定して給料が上がるからだよ。これは金持ち、つまり社長や経営陣にとって、あまりいいことではない。労働組合が強くなって、事あるごとに賃上げを要求されたらたまったものではないからな。だから経営陣は、労働者をこき使うムチ型経営を好む。今は大変な時期だから、全社一丸となって取り組めとか言いながら、サービス残業や休日出勤を強いる。で、労働者はちっとも豊かにならず、購買力も上がらんから益々デフレになる」

本当に気が滅入る話だ。こんな状況が続けば、金持ちはさらに金持ちになり、貧乏人はさらに貧乏になる。どうして政府は、こんな状況を長年放置しているのか。


そんな折、ルクサーナが突然職場に来なくなった。理由は知らされていない。

詠美は飯野班長を捕まえ、ルクサーナの行方を訊いてみた。班長は面倒くさそうに、いずれ代わりの介護士を手配するからと言った。

「いったいどうしたんですか？」

「例の組合だよ」

「組合って、何の組合ですか」

「FLUだよ。ルクサーナはそこに駆け込んだ。ったく、冗談じゃないよ」

フォーリン・レイバーズ・ユニオン（外国人労働者組合）略称FLUは、外国人労働者の権利を守るための団体だ。在日外国人だけで構成され、かなり強硬な労使交渉をすることで有名だった。

「鼻息荒い連中が事務所に大勢やって来てさ、ルクサーナに休業補償をしないのは差別だって、まくし立てたんだよ。会社に補償の義務はないと言っても、外国人差別だって譲らないし。仕方ないから、入院費は払うと約束したが、それだけじゃ足りない、入院中の給与も日割り計算で支払い、会社側から受けた不当な差別に対する損害賠償もよこせとぬかしやがった」

本当にルクサーナは、そこまで要求しているのだろうか。

「どうするつもりですか」

「決裂だよ。向こうは訴えると息巻いていたが、ご自由にどうぞと言ってやった」

外国人労働者をこき使う、ブラック企業は相変わらず後を絶たないが、それを逆手に取って賠償金をふんだくろうとする輩も増えてきた。

「じゃあルクサーナは……」

「当然クビ、と言いたいところだが、今解雇してしまうと不当解雇ってまた責められるだろうから、休職中の扱いだ」

とはいえ、こんな状況では職場復帰は難しいだろう。

ルクサーナの連絡先を控えていなかったことを後悔した。職場ではペアを組んでいたが、世代が違うし、プライベートで一緒に遊ぶような仲でもなかったから、あえて訊かなかったのだ。

ルクサーナの連絡先を知りたいと粘ったが、飯野班長は首を縦には振らなかった。

「個人情報だしな。許可なく漏洩したと知れたら、こちらの立場が悪くなる」

ルクサーナのことは、中村先生も非常に心配していた。事情を説明すると、先生は深刻な顔をして考え込んでしまった。

「彼女の力になってやりたいな。わたしが直接雇って、介護報酬を支払ってもいい。休職中なら給与も下りないだろうし」

「残念ながら、連絡先が分からないんです。お兄さんも失業中と聞いてますし、大変だと思います」

「お兄さんは何をやっておられたんだね」

「解体工事会社に勤めていたはずです。つい最近リストラされてしまったとか」

中村先生が大きく鼻を鳴らした。

「母のお墓がある青梅では、去年の台風被害の爪痕《つめあと》が未だに残ってるんです。日本全国、そういうところがまだたくさんあると聞きます。人手不足で、復旧工事もままならないようです。ルクサーナのお兄さんのような人たちが、そういう仕事を担えるようにすればいいのに」

「まあ、難しいだろうな。あの辺は元々空き家だらけで、わずかな年寄りしか住んでいなかっただろう。たとえ復旧したとしても誰が戻ってくるね？　このまま放っておこうと、行政が考えたとしても不思議じゃない。復旧には金がかかるし、地方自治体はどこも赤字だからね」

地方の窮状は、ニュースでも頻繁に伝えられている。要となる金融機関や、商店が撤退し、公共交通機関が運行を取りやめたところも多い。自然災害が起こらなくても、過疎地はどこも消滅の危機に瀕している。

「また同じような話を聞かせて悪いんだが、何も考えずにばかすか外国人を受け入れた結果がこれだ。かつてコンビニ店員は、外国人労働者ばかりだっただろう。ところが今や、コンビニやスーパーは完全自動化されてしまった。職にあぶれた彼らはいったいどうやって生きて行けばいい？」

コンビニの自動化は一時期停滞した。いちいち専用のアプリを起動させ、バーコードを読み取らせなければ入口のドアが開かなかったし、セルフレジが面倒という意見も多かった。だから近所に有人コンビニがある場合は、客はそちらのほうに流れていった。

しかし、ボディチップの導入により、生体認証が可能になり、自動的にドアを開け閉めしたり、会計を済ませることができるようになると、人々は再び無人店舗に戻って来た。

「オリンピックの頃にビルやマンションを建てまくったが、あれから二十年、東京の人口は百万人減った。そこらじゅう空き家、空き店舗だらけで、人々は職にあぶれている。外国に職探しに行く若者も多い」

「ITやAIを専門に学んだ学生たちが、アメリカや中国ばかりでなく、タイやベトナムで就労するって、この間のニュースでやってました」

「今や東南アジアでも日本より高い給与を出すからな。ただでさえ少ない若者、それも優秀な若者がどんどん海外に逃げて行く。一体全体どうしてこんな国になってしまったのか」

先生が深いため息をついた。

中村先生のケアを終え、家で投稿サイトを眺めていると、年配の男性が街頭演説している動画が目についた。ピンク色のシャツを着て、白いズボンを穿《は》き、格差のない社会の実現を熱く訴えている。男性には見覚えがあった。同じ高校に通っていた有名人だ。卒業後芸能事務所にスカウトされ、役者として活躍していた。

だが反原発や格差是正を公然と訴え始めたため、芸能界を干された。その後、社会活動家として実績を積み、衆院選に立候補し、めでたく当選。衆議院議員は三期務め、四期目に保守系候補に敗れ、野に下った。

いつしか世間から消え、何をしているかは不明だったが、再び社会活動家として市民運動を率いているらしい。若い頃は屈強だった身体も、今では随分萎《しぼ》み、髪の毛も薄くなった。

にもかかわらず、若者のように情熱的に語る姿に魅かれた。よく聴いていると、中村先生と同じようなことを言っている。景気対策をせず税金を上げ、規制緩和をして、強い者をより強くしている現在の政策が、格差とデフレを招いているのだと力説した。

詠美は彼の動画を、お気に入りに登録した。

8

同僚の看護師や介護士に、ルクサーナの行方について、何か知っていないか尋ねてみた。しかし皆、首を横に振るばかりで、中には関わりたくないのか、露骨に嫌な顔をする者もいた。

ネットで検索すると、ムスリム系住民が住むエリアが、都内にいくつかあることが分かった。そういえば以前、ルクサーナから江東区の集合住宅に住んでいると聞いたような覚えがある。江東区の新木場には、ムスリムが多く住む公営団地がある。

休みの日に新木場まで出かけ、団地のメールボックスを一軒一軒確認してみた。確かルクサーナの苗字はブットーなはずだ。三十階建ての高層アパートが二棟あったので、表札の数は膨大だった。日本人名がほとんどで、次いで中国、韓国などの東アジア系。カタカナ表記のムスリムと思しき名は、それほど多くない。

いくら探しても、ブットーという姓は見当たらなかった。兄の住戸なので、単純にブットーだと思っていたが、ネットで調べると、パキスタンでは同じ家族が異なる姓を用いることもあるという。

仕方がないので、周辺で聞き込みを行った。スマホに保存していたルクサーナの画像を見せ「この娘を知りませんか」と片っ端から尋ねてみた。十人ほど当たったが、皆知らないと答えた。

肌の浅黒い住人に訊いた時は、ぶるぶると首を振り、逃げるように立ち去った。入局管理局の人間か何かと間違えられたのだろう。不法滞在の外国人労働者は多い。結局ルクサーナの足取りはつかめず、失意のまま家路についた。

もう会えないかもしれないと思っていたところ、偶然にもルクサーナに遭遇した。打ち捨てられた住宅を不法侵入者が占拠し、明らかにラリっているような人間が歩道にたむろしているような場所でのことだった。

この地域に住んでいた患者のケアの帰り道、長い黒髪を後ろに束ね、サングラスにキャップを被った痩せた女性とすれ違った。ルクサーナだった。彼女もこちらに気づいたらしく、さっと顔を伏せるや、近くの路地の中に消えた。

詠美は彼女の後を追った。路地を曲がると小走りしているルクサーナの華奢《きゃしゃ》な背中が見えた。

「ルクサーナ！」

呼びかけても振り向かなかった。

「このままもう会えないなんて、寂しいよ」

悲痛な思いで訴えかけた。ルクサーナの歩みが止まった。

「あたしはあなたの味方だよ。何があったのか話して」

「……ごめんなさい、詠美さん」

ルクサーナが振り向き、サングラスを外した。大きな瞳が潤んでいた。

近くのカフェに連れて行き、温かい飲み物を頼んだ。カフェラテのLサイズを両手で包むように持ちながら、ルクサーナは訥々《とつとつ》と語り始めた。FLUに掛け合ってくれたのは、お兄さんだと言った。

「会社の皆さんには、ご迷惑をおかけしたと思ってます。わたし自身は、そんなに話を大きくしたくなかったんです。でも兄が外国人労働者差別だと激怒して。本人も会社をクビになってますし」

FLUはすぐさま会社に抗議した。会社側は、入院費を払うと妥協案を提示したが、それだけで満足しなかったのは、飯野班長が語った通りだ。

「わたしはそれでいいと言ったのに、FLUの人たちはまだ不充分と譲りませんでした。もうわたしの手を離れて、彼らの案件になってしまったんですね。わたしはうちの会社で、介護士として働き続けたかったんです。だから会社と喧嘩はしたくなかった。でも、結果的にこんなことになってしまって、とても残念です」

ルクサーナの職場復帰は難しいだろう。たとえ出来たとしても、周囲から白い目で見られながら仕事をするのは、愉快なことではない。

「上の人はあまり好きにはなれませんでしたが、一緒に働いてる同僚はみんないい人ばかりでした。詠美さんのことも大好きで、ペアを組んで仕事をするのはとても楽しかったです」

「あたしも楽しかったよ。何とかならないものかねえ」

とはいえ、いい加減な提案はできない。恐らく、ルクサーナはすでに派遣介護業界のブラックリストに載っているだろう。今の職場への復帰ばかりか、同業他社に転職することさえ難しいかもしれない。

猛勉強して日本で介護士資格を取ったルクサーナは、悲し気に笑った。こんなにいい子が、きちんと働ける環境を、どうして作ってあげられないのか。

「……よかったら、あたしがFLUと会社間の調停役になってもいいけど」

うまくやれる自信などなかったが、何とかルクサーナの力になってあげたかった。

「ありがとうございます。でも、もういいんです」

「今後はどうするの？　失礼な言い方だけど、お金、必要でしょう。お兄さんも失業してるし。それとも、お兄さん、仕事を見つけられたの？」

「いえ」

「じゃあ、あなたの仕事は……」と口を開きかけた時、ルクサーナの服装がいつもと違うことに、今さらながら気づいた。仕事中は介護服を身に着けているが、プライベートでは長めのワンピースにヘッドスカーフが定番だった。なのに今日はジーンズにスニーカー、黒いシャツにサングラス、ヘッドスカーフの代わりにつば広のキャップを被っている。こんなにラフな格好のルクサーナを見るのは初めてだ。何かが吹っ切れてしまったのだろうか……。

「あたし、そろそろ帰らないと」

服装をまじまじと見つめられていることに居心地の悪さを感じたのか、ルクサーナが席を立った。

「ごめん。探ってるわけじゃないのよ」

慌てて詠美も立ち上がった。

「これ、あたしの連絡先だから。困ったことがあったらいつでも連絡して」

プライベートの名刺を無理やりルクサーナに握らせた。

9

ルクサーナが来なくなってしまってから、中村先生は元気がない。

替えの介護士として会社が連れて来た女性が、ひど過ぎるということも影響しているかもしれない。

佐藤真由子《さとうまゆこ》という五十がらみの太った介護士は、やることなすことすべてが雑で、荒っぽかった。「今日は食欲がない」と言われても「ちゃんと食べさせないと、あたしが叱られるんですよ」と、匙《さじ》ですくったお粥を無理やり先生の口に突っ込んだりする。繊細なルクサーナとは、まるで正反対のキャラだった。

ある日、歩行介助を行っている時、先生が「痛い」と悲鳴を上げた。見ると真由子の太い指が、あばらに食い込んでいる。

「優しくね」

嗜《たしな》めると、真由子は仏頂面をして舌を鳴らした。あまりの態度の悪さに、文句を言ってやろうかと思ったが、中村先生の前でスタッフ同士喧嘩はしたくなかった。

真由子が買い出しに出かけると、中村先生が大きくため息をつき、詠美を振り返った。

「申し訳ございません」

「いや、いいんだよ。あなたの責任じゃないし」

それきり中村先生は押し黙ってしまった。

事務所に戻った詠美は、飯野班長を捕まえ、状況を伝えた。

「そうは言っても、他の介護士がいなくてねえ」

飯野班長が面倒くさそうに答えた。

「本当に彼女は介護士の資格を持っているんですか？」

「ああ。介護職員初任者研修は修了しているはずだよ」

「にしては、要介護者の扱いがまるで素人です」

「年寄りばかりの世の中だし、どこも人手不足だからねえ。多くは望めんよ」

介護資格のハードルが、年々低くなっているのは知っていた。狭き門にすれば、街中に介護難民があふれてしまう。とはいえ、不向きな人間に任せておいては、いずれ問題が起きる。

「班長のほうからも、言っておいてください」

「言っておくって、何をだね？」

飯野班長が眉をひそめた。

「愛情を持って、要介護者に接するように」

「おいおい、それはきみたちの問題じゃないのか」

「わたしたちの問題ですか？」

「そうだよ、現場スタッフ同士の仲が悪いからって、ぼくに泣きつかないでくれよ。あなたも佐藤さんも、いい大人じゃないか。二人でよく話し合って解決してくれ」

逃げるつもりなのだ。そうはさせじと、詠美は身構えた。

「では、現場スタッフの中では最年長で経験豊富なわたしの所見を述べますが、このまま佐藤さんを放置しておいたら責任は持てません。要介護者の具合を悪くさせてしまうリスクがあります。何か起きてからでは遅いです。早急に手を打ってください。わたし、ちゃんと今言いましたからね。それでも放置するなら、班長の責任ですよ」

詠美は録音機能をＯＮにしたスマホ画面を見せた。

「脅すつもりかよ」

「人聞きの悪いこと、言わないでください。班長の声、録音されてますよ」

飯野班長は深いため息をついた。

「わかった。で、どうすりゃいい？」

「それを決めるのは、わたしではありません」

「もちろん、決めるのはぼくだよ。そのために、あなたの意見を聴きたい」

「別の人に替えてください」

「それはちょっと難しいなあ」

「では佐藤さんにもう少しきちんとやるよう、言い聞かせてください」

「言い聞かせてもできない場合はどうする？」

「それは……外すしかないんじゃないですか？」

「外すのはいいけど、代わりの人材はすぐには手配できないよ。どうする？」

「どうするって、わたしにはわかりませんよ。会社が決めることです」

「だからあなたの意見を訊きたいって言ってるだろう」

「代わりの人材が来るまでの間、わたしひとりでやるしかないでしょうね」

「よし。じゃあそれで行こう」

飯野班長が親指を突き出し、うなずいた。

「いえ……ちょっと待って下さい」

「看護師だって、入浴や食事の介助ができるだろう。もちろん、給与はその分上乗せするよ。介護の分まで全額負担というわけにはいかないが、それなりに考慮する。話はこれまでだ。本社で会議があるからぼくは行くよ」

くるりと背を向けると、飯野班長は足早に部屋から出て行った。

うまくやり込まれたような気がする。給与に上乗せすると言っても、介護士との二人体制よりは安上がりになるはずだ。

翌日事務所のスタッフルームで引継ぎをやっていると、真由子が血相を変え、飛び込んで来た。

「ちょっと話があるんですけど、いいですか？」

目の前に立ちふさがり、巨顔を詠美に近づける。周囲には五〜六人のスタッフがいたが、皆不穏な空気を感じ取り、逃げるように部屋から出て行った。

「なんですか」

ここで負けてはいけないと、詠美は真由子を真っ直ぐ見すえた。

「班長に次回からもう、中村さんの家には行かなくていいと言われました。理由を尋ねたら、園田さんに訊けって。いったいどういうことなんですか」

「わたし一人でやることが決まったみたい」

「どうしてですか？」

真実を告げようかと思ったが、その前に訊きたいことがあった。

「中村先生以外の要介護者の家にも、行くなと言われたの？」

「いいえ。それはないです。山田さんや池上さんに関しては何も言われてません」

やはりそういうことかと、詠美は心の中で舌打ちした。山田さんも池上さんも、詠美は直接関わっていない。面倒だから詠美とのペアを外すだけでケリを付けようと、会社側は考えたのだ。

「仕事のやり方について班長から何か言われた？」

「何かって、ナンですか？」

真由子が眉をひそめた。

「まあ、はっきり言えば、もう少しやり方を考えろとか」

「いいえ。わたしのやり方に何か問題でもあるんですか？」

詠美は小さく深呼吸してから口を開いた。

「問題はあるわね。例えば——」

日頃から思っていたことを、具体的に指摘した。見る間に真由子の表情が曇ってゆく。

「ちょっと待って下さい。それは、園田さん個人の意見、というより偏見ですよね」

まだすべて話し終わらないうちに、真由子が遮《さえぎ》った。

「そんなこと、班長からは一切言われてませんし。園田さんはわたしの上司ではありませんよね。ああ、何となく読めてきましたよ。あなた、わたしの仕事を横取りしたいんですね。そうは、いきませんよ。あたしを誰だと思ってるんですか。あなたなんかに負けませんからね。中村さんのケア、続けますから」

言うなり真由子は大股でスタッフルームから出て行った。

翌日、詠美が中村宅に向かうと、既に真由子がいた。先生の身体をタオルで拭いているところだった。詠美が挨拶しても聞こえない振りをする。表情からは怒りがにじみ出ていた。そのせいで手元に力が入ってしまうのだろう。先生が苦悶の表情を浮かべている。

「優しくゆっくり。何度も言ってるでしょう。できないなら、あたしがやるから。先生、はっきりおっしゃってください。痛いでしょう」

「……うむ。もう少し力を緩めてもらえれば助かるかな」

真由子がキッと詠美を睨み「はい、わかりました」と不貞腐《ふてくさ》れた声で答えた。

その日、仕事が終わると事務所に直行した。受付の女の子に呼び止められ「飯野班長は会議中です」と告げられた。

「会議はいつ終わるんですか」

「長くかかると聞いてます」

「では、待たせてもらいます」

「い、いえ……会議の後は、確か会食があると聞いてますので、待っても無駄だと思います」

ともかく園田にだけは取り次ぐな、と言われているに違いない受付女子は、困惑の表情を浮かべた。

「わかりました。では今日はこれで帰りますが、至急園田が会いたがっているとご伝言、お願いできますか」

飯野班長を捕まえることができたのは、四日後のことだった。詠美に気づくなり視線を逸らせ、廊下を小走りする班長にダッシュで追いつくと「逃げないでください」と一喝した。

「あなたの言いたいことは分かってるよ。だが、どうしようもないんだ」

「どうしてですか」

「佐藤さんは、正社員だしねえ……」

あのようにガサツな人間が正社員で、きめ細やかなケアができるルクサーナが非正規なのか。

「会社はどうしてあんな人を正社員で雇ったんですか」

「ぼくも知らなかったんだが、どうやら会長の親戚らしい」

飯野班長が声をひそめた。

どうりで、あたしを誰だと思ってるんですか、などと啖呵が切れるはずだ。

「会長に泣きついたんだろう。佐藤の担当業務に変更なしと、会長直々にお達しが下った。どうしようもないんだよ。何とか彼女とうまくやるしかない」

真由子にはすでに嫌われている。とはいえ、真由子に痛い思いをさせられている中村先生が直接クレームを出せば、担当替えができるかもしれない。その旨、相談すると中村先生は弱々しく首を振った。

「確かに彼女にはガサツなところがあるが、まあ皆こんなモンだろう。ルクサーナが出来過ぎだったんだよ」

「いえ、患者さんからクレームが来れば、いくら会長の肝いりとはいえ、会社側も真摯に対応せざるを得なくなると思います」

「いや、いいんだよ。彼女も生活が苦しいんだろう。でなきゃ、見ず知らずの老人の下の世話なんか誰がするもんかね。わたしはもうとっくに死んでいてもいい身の上なのに、あなたや佐藤さんのおかげで生かしてもらってるんだ。贅沢言ったら罰が当たるよ」

10

中村先生は日増しに衰えていった。

がんの増殖が再び始まったのだ。

そんな折、衝撃的なニュースが流れた。ルクサーナが逮捕されたのだ。何と麻薬の運び屋をやっていたらしい。あれほど真面目で敬虔なムスリムだった彼女が、犯罪に手を染めるなんて信じられなかった。

八方手を尽くし、拘留されている場所を突き止めた。新宿警察の留置所にいるという。面会を申し込んだが却下された。刑が確定するまでは会えないのだ。

この知らせを聞いた先生の容態はさらに悪くなり、もはや会話もできないほど衰弱してしまった。真由子は先生が何も要求しなくなると、これ幸いとばかりにケアをサボるようになった。ガサツなのはデリカシーに欠けるからではなく、この仕事が嫌でたまらないからだった。

ある日、物言わぬ先生を放置して、居間でテレビを見ながら馬鹿笑いしていた真由子を目撃し、遂に堪忍袋の緒が切れた。

「出て行ってちょうだい」

肉付きのいい背中に言い放った。むっくりとこちらを振り向いた顔が、見る見る醜怪《しゅうかい》に歪んでいく。

「あなた介護なんて好きじゃないんでしょう。そんな人に患者さんのケアを任せられない。あたしがやるから出て行って。もう二度と戻ってこないで」

「それを決めるのはあんたじゃない」

「いいえ。あたしよ」

詠美がポケットからスマホを取り出した。

「苦しんでる病人をほっぽって、ゲラゲラ笑ってたあんたを動画で撮ったから。これを見て会長はどう思うかしらね。まだかばってくれると思う？」

太い腕が伸びてきた。スマホを奪おうとしている。素早く身をひるがえし、スマホのレンズを向けた。

「まだ撮ろうとしてるのかよ、この野郎」

「そうよ」

スマホが叩き落とされた。

「もう遅い。あんたの動画はもう事務所に送ったから」

地虫のようにもこもこした指に、髪の毛をつかまれた。力任せに引っ張られたので、あまりの痛さに詠美は悲鳴を上げた。

「止《や》めんかい！」

振り向くと、寝たきりだったはずの中村先生がドアのところに立っていた。

「暴力はいかん。この家で暴力を振るうことは、わたしが許さない」

真由子は解任された。あんなことをしでかしたのだから、会長も異論をはさまなかった。

ルクサーナは留置所から拘置所に移され、面会が可能になった。拘置所は刑務所などに比べ、かなり緩やかに差し入れすることができると聞いたので、トレーナーや下着類、それに現金も持って行った。

久しぶりに会うルクサーナは、思っていたより元気そうだった。

「ご心配をおかけして、申し訳ありません」

ルクサーナが日本式にぺこりと頭を下げた。

「兄にやれと命令されたんです。いったんは断りましたが、では、赤ちゃんの食事代をどうする？と迫られて」

報道によれば、兄もルクサーナと一緒に捕まった。知り合いが麻薬密売組織にいて、兄を売人として雇い入れたという。ルクサーナは兄の仕事をサポートしていた。

警察の一斉取り締まりがあり、組織は兄とルクサーナを差し出した。トカゲの尻尾切りだ。

「いろいろ大変だったんだね。これ、少ないけど取っておいて」

衣類と一緒に、現金の入った封筒を手渡した。

「ありがとうございます。詠美さんに神のご加護がありますように」

ルクサーナは、躊躇せず差し入れを受け取った。ムスリムの間では貧するものに喜《き》捨《しゃ》するのは、当たり前のことだ。

「本当にこんなことになってしまって残念です。でも一番いけないのは、わたし自身ですから」

とは言っても、ルクサーナが止むに止まれず、こんな世界に足を踏み入れてしまった事情は痛いほどわかった。

裁判が行われ、兄は懲役四年六ヶ月の実刑。ルクサーナには三年の執行猶予つき判決が下った。執行猶予期間中、およびその後二年間は介護士としての仕事はできない。

日本に来て日本語を学び、難関の介護福祉士試験に合格し、職務面でも非の打ちどころのなかったルクサーナ。しかし運命は、彼女に味方をしてはくれなかった。

拘置所を出たルクサーナとは連絡が途絶えた。彼女の携帯電話は解約されていた。風の便りによると、都内の風俗店で働いているらしい。日本にいる限り、もはやそういうところで生きるしか道はないのだ。

11

最後の力を振り絞って、真由子の暴力を止めようとした中村先生は、今は大学病院の緩和ケア病棟で、末期《まつご》を待っている。

詠美は、先生から遺産の処理を委託されていた。住んでいた小さな家は誰も引き取ってくれそうもないので、解体するしかないだろう。

書庫に関しては、先生に薦められた本と個人的に興味を持った本（中村先生の著作も含まれる。中村先生はなぜか、自身が書いた本を読めとは一度も言わなかった）だけを引き取り、後は処分することに決めた。

バイタルの反応が完全に無くなった時、詠美は「長い間お疲れ様でした」と動かなくなった身体に語りかけた。

「先生のおかげで、社会のことや政治経済のことが、とてもよく理解できるようになりました。本当にありがとうございました」

経済学者としては異端の人だった。経済のことが好きではないから経済学の学位を取ったと公言し、皆を驚かせた。だから、主流派の経済学者とは一線を画する考え方を持っていた。とはいえ、主流派よりも中村先生の考えに共鳴する人間も少なくなかった。詠美もその一人だ。

「先生の教えをさらに深めるため、これからも精進してまいります。著作のすべてを読ませていただきます。どうか、安らかにお眠りください」

一九六〇年生まれの八十歳。奥さんに先立たれ、子供はいない。六十歳の詠美を娘のように、二十一歳のルクサーナを孫のようにかわいがってくれた。

せめてもの慰めが、先生がルクサーナの末路を知らずに旅立ったことだろう。

中村先生が帰らぬ人となって間もなく、都内の街角で例の活動家を見かけた。おなじみのピンクのポロシャツに白いズボン姿で、ひっくり返したビールケースの上に乗り、演説をしていた。たくさんの人だかりができているところから、彼の根強い人気がうかがえた。

「そうだ！　その通りだ」

群衆の中から声が上がった。

「ありがとうございます！　非力ではありますが、公平な社会実現のためこれからも頑張っていきたいと思います」

男性が答えた。

「そのためには皆さまの協力が必要です。どうかわたしに、皆さまの力をお貸しください」

もうすぐ解散総選挙と噂されているが、どうやら彼はまた立候補するらしい。

「応援します！」

思わず声が出た。

「おれも応援するぞ」

「頑張ってください」

「あんたがおれたちの気持ちを一番よくわかってる」

群衆が詠美に続いた。男性が深々とお辞儀をする。

その時だった。

大きな爆発音が轟《とどろ》いた。爆風に煽られ、詠美は転倒した。鼓膜がやられ、キーンと耳鳴りがしている。辺り一面に白煙が広がり、火薬の臭いがした。シャツの裾で口と鼻を押さえた。

誰かが爆弾を仕掛けたのだ。

幸いにも肘を擦りむいただけで、他に怪我はしていないようだった。耳鳴りが治まると、人々の悲鳴やうめき声が聞こえてきた。

詠美は立ち上がり、ゆっくりと煙の中を歩いた。どちらに向かっているかは定かではなかったが、いつまでも寝転がっているわけにはいかない。怪我人の手当をしなければ……。

何かにつまずいて、危うくまた転倒しそうになった。人だ。人が目の前に横たわっている。未だ晴れない白煙を扇ぎながら、膝を折った。顔を近づけると、たった今元気に演説していた男性が、あおむけに倒れていた。胸に耳を押し当て鼓動を確認した。心拍が伝わってこない。

「誰か、救急車を呼んで！　早く！」

叫びながら、人工呼吸を行った。

優しかった母。慢性心不全を患っていた真鍋さん。そして、尊敬する中村先生。肉体は死んでいないが、心が死んでしまったルクサーナ……。

もうこれ以上人が死ぬのはたくさんだった。

詠美は必死に心臓マッサージを行った。この人だけは死なせてはいけないと、どこかで声がしたような気がした。

次の瞬間、目の前が暗くなり、詠美はその場に倒れ込んだ。

第一章　遠雷

1

潮の香りがする。

子どもの頃、海水浴に行った記憶が蘇った。ビルは海で泳ぐより、岩場でカニを採る方が好きだった。バケツ一杯にワサワサうごめくカニを父親に見せに行くと、「戻してこい」と冷たく言われた。

だがここは、家族連れがいるビーチではない。人気《ひとけ》のない埠頭だ。夜の帳《とばり》が降り始める時刻。首都高を走る車の灯りが、チカチカと輝いている。

頭に珍奇なバンダナを巻いた男が、たばこに火を点けた。焦げくさい臭いが、鼻をつく。せっかく懐かしい潮の香りを嗅いでいたのに、このバカが台無しにしてくれた。

「さて、そろそろ始めようか」

バンダナ男は、火を点けたばかりのたばこをポイ捨てし、エンジニアブーツの踵で踏み潰した。

「ちゃんと吸えよ」

ビルが言った。

「あっ？」

バンダナ男が眉をひそめる。

「まだ吸えただろう」

たばこなど大嫌いだが、ほとんど吸われず、靴底で磨り潰されるのを哀れに思った。

「何ふざけたことぬかしてんだ、ゴラ」

バンダナ男が顔面を近づけた。その汚いひげ面を、ビルは無表情で見下ろした。背後に控えた功《いさお》が、おろおろしながら様子を見守っている。

五秒ほどにらみ合いが続いただろうか。突然狂暴だった男の瞳に、恐怖の色が宿った。男はあとずさり、左右に仲間がいることを確認すると、再び眉を吊り上げた。仲間の数は四人。全員が仲良く同じバンダナと、Tシャツを着用している。Tシャツには卍のマークがプリントされていた。近ごろこういう輩が増えた。

渋谷でこいつらに拉致された。知り合いの功が、因縁をつけられているところに偶然出くわしたのが発端だった。

功がビルを認めるや、パッと瞳を輝かせた。そして困り顔に戻り、バンダナの集団に軽く顎をしゃくった。

「なんだ、てめーは？」

腕に観音様のタトゥーを入れたリーダーらしき男が、功の視線に気づき、ガンを飛ばしながら近づいてきた。

「いったい何があったんだ」

ビルが臆せず質問した。

「おめーの知ったこっちゃねーだろ。誰だよ？」

「友達だ」

フンとバンダナ男が鼻を鳴らす。

「こいつが無断で、パーティー券を売ってたんだよ」

「パーティー券は禁止なのか？」

「禁止じゃねえ。おれらに挨拶があればな」

じゃあ、挨拶しろよ、功、と友人を振り返った。

「ふざけてんのか、お前！」

「挨拶すればいいんだろう」

通行人が立ち止まり、こちらを見ていた。バンダナ男が舌打ちし、「付き合ってもらうぜ」とビルと功を急き立てた。

車高の高い４ＷＤに乗せられた。後部座席の真ん中に座らされ、両脇には、わざとらしくバタフライナイフをちらつかせる男たちがついた。二台の車に分乗させられたビルと功は、渋谷から大井埠頭に連行された。

そして今、五人の卍メンバーとケリをつけるため、潮風の中に立っている。

「コンクリート詰めして、東京湾に埋めたろうか？　ゴラ」

観音様のタトゥー男が、巻き舌でまくし立てた。

「いったいおれたちが何をした？」

素直な疑問だった。こいつらは、何でこんなに腹を立てている？

「おれたちのシマを荒らしただろうが！　この落とし前、どうつけるつもりだよ」

そんなことを言われても、答えようがなかった。ビルも功も黙っていると、バンダナリーダーが、しびれを切らし「五百万用意しろ！」とすごんだ。

そんな金などあるわけがない。引き続き無言でいると、リーダーが小さく深呼吸した。

「おめえら、まだ学生っぽいよな。じゃあ五百万は無理か。なら、二百万に負けてやるよ。おれは、こいつと同じで優しいからな」

自らのタトゥーを指でつつきながら言う。

「二百万でも無理だ」

リーダーの瞳に、先ほどのような恐怖の色が走った。しかしそれも一瞬のことで、後ろを振り返り、一人の仲間を呼んだ。一番ガタイのいい男だ。横幅はあるが、背はビルより低い。ビルの身長は一八八センチある。

男が無表情で近づいてきた。来る、と身構えた時にはすでに遅かった。ノーモーションの右フックを食らっていた。拳闘の経験があるらしい。

しかし、痛みはほとんど感じなかった。切れの悪いパンチだったわけではない。ビルは無痛症なのだ。

まったく効いた様子を見せないビルに、男は瞳を見開いた。焦ったに違いない。次に来たパンチの軌道は簡単に読めた。左腕で拳をブロックし、男の眉間目掛け、頭突きを食らわせた。狙いは少し外れ、鼻っ柱に命中した。男が倒れ、悶絶した。鼻血を噴き出していた。

バンダナたちが、互いの顔を見合わせた。一人が警棒を伸ばすと、次々にナイフやら木刀を取り出し、身構えた。誰も倒れた男を助けず、かといって先陣を切って攻撃する勇気もないようだった。

「やっちまえ！」

観音様のタトゥー男が、仲間の尻に蹴りを入れた。押し出された男が、顔面を引きつらせながら警棒を振り上げる。ビルは素早く警棒を奪い、男の胸元に突き付けた。

「いい加減にしろよ。もっと怪我人が出るぞ」

遠くのほうでサイレンが聞こえてきた。首都高を複数のパトカーが走っている。サイレンは刻々と近づいてきた。明らかに、ここに向かっていた。誰かが通報したのだ。

「覚えてろよ！」

リーダーが「行くぞ！」と号令を掛けるや、子分たちの顔に安堵の表情が広がった。引き揚げようとする男たちの背中に、功が「逃げてんじゃねえよ、バーカ！」と中指を突き立てる。真っ赤に染まったティッシュの鼻栓をして、仲間たちに遅れまじと、ビルが頭突きを食らわせた男が、よろよろ付いていった。男の脚がもつれたので、ビルが駆け寄り、肩を貸そうとした。

「悪かったよ。痛むか？」

男がビルの腕を振り払い、駆け出した。男たちが逃げて行った反対の方向から、三台のパトカーが迫ってきた。

「やっべえ――」

逃げ出そうとする功の腕を摑んだ。

「何で逃げる。おれたちは被害者だぞ。逃げたら同類だと思われるぞ」

「そうだけどよ〜」

功が渋々従った。功が他人には言えないことを、裏でやっているのは薄々知っていた。

警官たちに任意同行を求められ、付いて行った。警察署で色々質問され、調書を取られた。とはいえ、警察はビルと功を被害者と認定したようだ。

「きみたち、気をつけなよ。あまり遅くまで盛り場をフラフラしないほうがいいぞ」

と警官に諭され、解放された時にはすっかり夜も更けていた。


ビルという名前は本名ではない。

よくハーフと間違えられるが、純粋な日本人だ。ビル・クリントンに似てるから、ビルなのか？と質問されたことがある。あんなに優等生っぽい顔をおれがしてるか？　と逆に質問した。笑顔がそっくりと言われた。そして身長も。クリントンは背が高い。

昔から名を名乗るのがこそばゆかった。西洋人はよく、初対面の人間と握手を交わしながら「アランだ」とか「ケイトよ」とか言うらしいが、日本人にこれが馴染むとは思えない。

ゲーセンで知り合った功が、ビルと呼び出した。格闘ゲームをしていたところ、後ろから声を掛けてきたのが功だった。知らない人間としゃべるのは好きじゃないのに、ガンガン話しかけてくる。距離の取り方が滅茶苦茶なやつだったが、不思議と嫌悪感は湧かなかった。

「仕事、何やってんの？」

功に質問された。

「ビルの管理」

「じゃあビルだな。おれ、功」

ビル管理をやる男だから、ビル。この呼称がなぜか広まり、仕舞には会社の上司まで「おい、ビル」と呼ぶようになった。

ビル管理は、年寄りがやる楽な仕事というイメージがあるらしいが、そんなことはない。特にビルが担当している設備管理には、それなりの専門知識が必要である。日々の保守点検だけではなく、クレーム処理や、電球の交換など雑用もこなす。

ビルはどんな要求にも迅速に対応した。トイレが詰まっている、水道が出ない、空調が動かない――。最初のうちこそ、専門業者を呼んでいたが、そのうち簡単な修繕なら自分でこなすようになった。

目立つ外見だったこともあり、ビルはテナントの間でたちまち有名になった。「ビルさんをお願いします」と名指しで、依頼をするところも出てきた。そのうち設備管理だけではなく、警備の手伝いにも駆り出されるようになった。職場は繁華街にあり、テナントの中には飲み屋も多かったので、酔っ払い同士の喧嘩が絶えなかった。警備員はおじいちゃんばかりで、こういう時には頼りにならない。「ビル、悪いがちょっと来てくれ」と切迫した声で頼まれた。

ビルが現れると、大抵の酔客はおとなしくなった。中には喧嘩を売ってくる猛者もいたが、ビルがりんごを握りつぶして見せると、正気に戻り「すんませんでした」と退散した。飲み屋の店主は、警察沙汰を嫌う。だから揉め事が起きると、真っ先にビルを呼んだ。ビルがいれば、逮捕者も出ず、報道もされず、スマートに事が解決する。

仕事終わりにビルがふらりと立ち寄ると、どの店でも一杯奢ってくれた。飯もただで食わせてくれた。薄給のビルにとっては、ありがたいことだった。

店のスツールで独りビールを飲んでいる時、パリっとしたスーツを着込んだ、二十代後半くらいの男に声を掛けられた。学生か？　と訊かれたので、ここのビルの管理業務をしてます、と答えた。

「ビルの管理人というより、用心棒ですよ。この人は」

カウンターの奥でグラスを磨いていたマスターが口を挟んだ。マスターは、この間も代金でもめた酔客の前で、電話帳を破るパフォーマンスを見せてくれましたよ、と自慢気に語った。

「酔いが一遍で醒めた顔をしてましたね。で、金を払ってさっさと出ていきました」

男はマスターに用心棒代はいくら払ってる、と質した。マスターはビル管理費なら払ってますけど、と言葉を濁した。

「給料いくら貰ってる?」

男が今度はビルに質問した。新人だから最低賃金しか貰ってない、とビルは答えた。男がうちで働かないか?と誘った。

「きみだったら、月に五十万、いや、百万出してもいい」

丁重にお断りした。どうせ、やばい仕事だろう。そもそも自分はそういうタイプではないのに、勘違いした輩が界隈には多い。このように誘われるのも、今回が初めてではなかった。残念だな、と言い残し、男は去って行った。


その日、ビルはいつも通りのルーティンをこなしていた。

水道メーター、電流値の検針。冷凍機、ボイラーのチェック。配管から水漏れしてしてないか、空調機から異音はしていないか。残留塩素の測定……。

「おい、ビル」

背後から声を掛けられた。振り向くと先輩社員だった。張り詰めた表情をしている。

「お前に客が来てるぞ」

「客?　誰ですか?」

「知らんよ。真っ当な連中には見えんがね」

事務所に戻ると、先日因縁をつけられたバンダナの集団が、ビルの上司である管理課長を取り囲んでいた。ビルが現れるや、バンダナたちが目を皿のように見開いた。困惑顔の課長が、咎めるような視線をビルに向ける。

「うちのテナントさんを、貸し切ったのはお前か」

「なんのことですか？」

一枚の書類を見せられた。契約書のようなものらしい。テナントとして入居しているライブハウスを、一晩管理会社に貸し切るという契約に、ビルの本名で署名がなされていた。

「なんですか、これ——。こんなものに署名した覚えはありません」

誰かがビルを騙《かた》って、契約をしたのだ。

「まさか、こんなところでまたお前に会えるとはなー。驚いたよ」

観音様のタトゥーを入れた男が、目を細めた。

「いろいろ話す前に、この間の礼を言わせてもらうぜ。ホント、世話になったからなー。こいつも会いたがってたんだぜ」

ビルが頭突きを食らわせた男が、タトゥー男の背後から首をもたげた。鼻っ柱に肌色の絆創膏を貼っている。

「このライブハウスでイベントがあったらしいが、飲み物はせこいし、司会進行はデタラメだし、予定のバンドとは違う、素人同然のやつらが演奏してたしって、ばんばんクレームが来てるんだよなあ。おまけに、貸し切り代金、未払いだって？　そうなんでしょう？　課長さん」

「テナントさんから連絡があったよ。今月は、貸し切り代金を差し引いた管理費を払うからって」

課長が答えた。

「おれじゃないです。誰かがおれの名前と会社名を使って、勝手に契約したんです」

「誰かって、誰だ？」

ビルは口ごもった。署名の字体には見覚えがある。しかし、まさか……。

「会社は関係ないんですね、課長さん」

タトゥー男が尋ねる。

「ああ、まったく関係ない。うちは不動産管理会社だ。イベント会社じゃない。うちのテナントさんを貸し切って、若者向けのイベントを主催するなんてありえない。そんなノウハウもないし」

「じゃあ、こいつが個人的に会社の名前を利用して、副業をしたってわけだ」

「そうなのか？」

課長がビルを質した。

「いえ、違います。おれにだってイベントの主催なんか、できません。これは偽の署名です」

「名刺を配った誰かに、名前を使われたんじゃないか。心当たりは本当にないのか？」

「それは……」

ビルは再び口ごもった。課長が眉をひそめる。

「上司の前では言えないことでもあるのかなー。課長さん、実はこいつ、知り合いなんです。ここじゃ話したくないみたいなんで、おれたちの事務所で話訊こうと思います。ちょっと借りていいですか？」

課長はビルを一瞥すると、うなずいた。

「ちゃんと誤解を解いてくるんだぞ」

男が出口の方向に顎をしゃくった。仕方なくビルは、男たちに従った。お揃いの卍Tシャツとバンダナ姿の、明らかにヤンチャな男たちに小突かれながら、通りを歩いていると、通行人たちが皆振り向いた。

「喧嘩かしら?」「焼きを入れられるんじゃないか?　あのでかいのが」「可哀そう」「警察に連絡しろ」「早まるな。まだ何も起きてないだろう。集団で歩いてるだけだ」……。人々がひそひそと噂した。

バンダナたちが、見るなとばかりにメンチを切ると、人々は目を伏せ、速足で通り過ぎた。だが、一人だけこちらを凝視している人影があった。若い女だ。ビルと同い年くらいか、もっと下。白いワークシャツにすり切れたジーンズを穿いている。女の顔に見覚えはなかった。

女は距離を置いて付いて来た。しかし、ビルが車の中に押し込まれるのを見るなり足を止め、その場に立ち尽くした。ビルを乗せた4WDは繁華街を出て、都心環状線に乗った。宝町で降りると、八丁堀方面に向かい、とある建物の地下駐車場に入った。

駐車場はがらんとして、人気がまるでなかった。ここなら何をしようが、誰にも気づかれることはなさそうだ。車を降りるや、男二人に両腕を取られた。タトゥー男が振り向きざまに、ビルの顔面にパンチを放った。蚊が止まったようなパンチだった。こちらより向こうのほうがダメージが大きかったに違いない。その証拠に拳を押さえ、しきりに痛みを堪えている。

「おれらのシマを荒らすなって、言っただろうが!」

男が今度はキックを放った。まるで痛くはなかったが、洗ったばかりのワークパンツに汚い靴跡をつけたのは許せなかった。

「お前なんだろう。お前が、イベントを仕切ってたんだろう？」

イベントの仕組みには疎かったが、興行には違いないので、こういうカラーギャング崩れが介入してくるらしい。

ビルは口をつぐんでいた。タトゥー男が目配せした。鼻に絆創膏を貼った、あの屈強な男が前に進み出た。改めて見ると、弁当箱のように四角い顔に、太い眉をしている。きんきんわめくタトゥー男とは対照的に、口を真一文字に結んだままだ。

男の重い拳が、ボディにめり込んだ。これは効いた。うつむいた顔面に今度は膝蹴りを食らう。鼻血が床に飛び散った。暗い照明の下で、飛沫はタールのように黒く見えた。鼻の奥が、煮えたぎるように熱かった。蟬が一斉に鳴いているような、耳鳴りがする。

もう一発来るかと歯を食いしばったが、四角い顔の男はビルの顔面を覗き込み「フン」と鼻を鳴らして、一歩引いた。

「おい、もういいのかよ」

タトゥー男が言うなり、バタフライナイフを取り出し、切っ先をペロリと舐めた。

「じゃあ今度は、鼻の穴にこいつを突っ込んでやろうか」

クルクルとナイフを回す姿は様になっている。はったりではなく、本当に生身の人体を切り刻んだことがあるのかもしれない。

「それとも目ん玉のほうがいいかな」

目の前に鋭利な切っ先が迫った。外科医が使うメスのように細身の凶器。切れ味もいいに違いない。もがくと、さらに二人が加わり、四人がかりで無理やり押さえ付けられた。

「お前がはっきり罪を認めないからいけないんだぞ」

「なんの罪だ。誰だって自由にイベントができるんじゃないのか」

「それは世の中の仕組みを知らねえ、ガキの台詞《せりふ》だ」

額にスッと切り込みを入れられた。温かい血が鼻の脇を伝わり、ぽたぽたと床に落ちる。

「この場で土下座して、謝れ。もう二度とこんな真似はしませんと誓え。でなきゃ、今度は目ん玉にこいつを突き刺すぞ」

もしかしたら本当にやるかもしれない。この男の瞳の奥には狂気がうかがえる。だが、ビルは相変わらず口をつぐんだままだった。

「――ってのは流石《さすが》に冗談だけどよ。お前の鼻血、もう止まってるな。もう少し、景気よく出して欲しいよな」

切っ先が鼻孔に触れた。止めろ、と口を開きかけた時、振動音が響いた。男が面倒くさそうに尻ポケットから携帯電話を取り出す。画面を確認すると、耳に当てた。

「……はい。そっす。今ここにいます。ええ、八丁堀の――」

男がビルをチラリと見やった。

「えっ？　はい……でも……はい――」

わかりやした、と男は電話を切った。不満気な表情をしていた。

「おい。放してやれ」

男が仲間たちに言った。束縛が解かれると、ビルはポケットから携帯タオルを取り出し、顔をぬぐった。タトゥー男が言っていたように、すでに鼻血は止まり、額の傷も大したことはなかった。

「行けよ」

何が起きたかは不明だが、解放されるらしかった。

「さっさと行けよ！　何、ぼ〜っと突っ立ってるんだよ」

タトゥー男が吐き捨てた。


人事に呼び出され、今月いっぱいで仕事は終わりだと通告された。昨今の不況により、会社は人員整理に入ったのだという。管理社員だけではなく、事務職や営業の連中もリストラ対象になっていると人事課長は言った。

「雇ったばかりなのに、本当に申し訳ないんだがね。どこも今は厳しくてさ。でも君ならまだ若いし、独身で身軽だし。すぐにもっといいところが見つかるよ。なにもこんな、年寄りばかりの地味な会社にいることはないよ」

人員整理というのは本当なのだろう。しかし、自分が整理対象になった理由は、想像がつく。社内で良からぬ噂が流れているのは知っていた。イベントを主催していないことは信じてもらえたが、ヤンチャな連中と付き合いがあると思われている。

「……顔、痛そうだけど大丈夫かね」

鼻の周りに青たんがまだ残っていた。弁当箱顔の男の膝蹴りは、久しぶりに効いた。

「うっす。大丈夫です」

その晩、ビルは功のアパートを訪ねた。住所は知っていたが、訪れるのはこれが初めてだ。ビルができ立ての名刺を渡した際、功が「おれ、そういうの持ってねーから」とナプキンの裏に連絡先を記した。意外な達筆で驚いた。

インターフォンを鳴らしても返事がない。近くの電話ボックスで、功の携帯に連絡を入れてみたが、留守電になっていた。着信拒否されているのかもしれない。

アパートの前に腰を下ろし、待つことにした。小一時間ほどすると、ぺちゃくちゃと楽し気にしゃべる男女の声が、路地の向こうから聞こえてきた。ビルはむっくりと立ち上がり、路地を塞いだ。功は髪をオレンジ色に染めたガングロ女と一緒にいた。ビルを見るなり顔面を引きつらせた。

「話したいことがある」

功が悲壮な表情で女に「今日は帰れ」と耳打ちする。事態を察した女は、二つ返事で、来た道を小走りに戻った。

アパートの中に入るや、ビルが、懐から例の貸し切り契約書を取り出した。ナプキンの裏に記された連絡先と同じ流麗な書体で、署名が成されている。

「……金が必要だったんだ。借金あったし——顔、大丈夫か？」

「またあのバンダナ連中だ。やつらのシマなんだろう。この界隈は」

「シマなもんか。勝手に仕切ってるだけだ」

「おれを利用したのか」

功が押し黙った。一歩前に踏み出ると、功があわてて顔面を防御した。そんなことをしなくても、殴るつもりなどなかった。

「どうして相談してくれなかった」

功のせいで暴行され、仕事まで失った。功が膝をつき、頭を床に押し付けた。

「すまなかった。許してくれ……」

後頭部を見下ろしていると、着メロが鳴った。功の携帯だ。功は無視して頭を下げ続けた。

「出たらどうだ」

功がおずおずと顔を上げる。尻ポケットから携帯を取り出し、画面を確認するや、保留ボタンを押した。

「女だ。さっき一緒にいた。ああ、おれってホント馬鹿。こういうことになるの、分かってたんだ。だけど、やっちまった。ホント、悪かった。もう二度とこんなことしない。怪我の治療費も、迷惑料も払う。だから見逃してくれ。逃げなきゃ。荷物まとめて、取り合えず今晩は女の部屋に泊まる。で、明日の朝早く一緒に街を出る。大阪とか神戸とか、行ったことないけど、できるだけ遠くに逃げる——」

堰を切ったように功が話し始めた。

「どうして夜逃げなんかするんだ」

「だって、おれも同じ目に遭うだろう。お前はデカくて頑丈だけど、おれは普通の人間だから。病院送りだよ。関西に越して、ほとぼり冷めた頃、またこっちに戻ってくる」

「その必要はない。お前だってことはバレてないから」

「何でだ……？　しばかれたんだろう？　吐かなかったのか？」

「吐かなかった」

「どうして？」

自分でもよく分からなかった。別に功を庇《かば》おうと思ったわけではない。強いて言えば、暴力により強制的に従わされるのに、抵抗を覚えたからだろうか。

功がビルの両手を握り、深々と頭を下げた。

「……ビル。ホント済まなかった。あいつらに金せびられなかったか？　もし払ってたら、言ってくれ。おれが返済するから」

「金は要求されてない。誰かから電話があって、解放された」

「何も取られずにか？」

「ああ。無罪放免だった。理由は分からん」

2

山崎一郎《やまざきいちろう》は、信号待ちしている間、何気なく隣にいた若者の携帯電話を覗き込んだ。

画面に文字や記号が映っている。Ｗｅｂページのようなものだろうか。なるほど、これがｉモードってやつか、と一郎は独りごちた。機械オンチとはいえ、腐っても通産省の官僚だ。ＮＴＴドコモが携帯電話端末で、電子メールやＷｅｂの閲覧ができるサービスを始めたことは知っている。

視線に気づいたらしい若者が顔を上げ、こちらを振り向いた。あわてて目をそらすや、信号が青に変わったので、これ幸いとばかり、早足で交差点を渡った。

内ポケットから振動音がした。あたふたと携帯電話を取り出し、耳に当てる。中村正章《なかむらまさあき》からだった。

「すみません、山崎さん。十分ほど遅れてしまいそうなんです。実は――」

正章が遅刻する理由をつらつらと論《あげつら》った。会議が長引いた上、学部長に捕まり、あれこれ質問されたらしい。正章とは今晩、蒲田の居酒屋で会う約束をしている。今まさに、そこに向かっている最中だった。

遅れるという連絡だけくれれば、理由などどうでもよかった。人込みで電話をするのは、居心地が悪い。雑踏が耳障りだし、電波状況が悪いのか、相手の声もよく聞こえない。

「了解。わかったから」

ぞんざいに電話を切った。携帯電話など持つつもりはなかったが、仕事で持たされた。使ってみると、待ち合わせなどでは非常に役に立つ。直ぐに連絡を取りたい相手を、捕まえるのにも便利だ。しかし、一郎は未だ携帯電話に馴染めない。だからオフィスにいる時は、迷わず固定電話を使う。

なじみの赤提灯の暖簾をくぐるなり「えらっしゃい！」と威勢のいい声に迎えられた。予約したテーブル席に着き、おしぼりで顔をぬぐっていると、流行りの楽曲が有線から聞こえてきた。宇多田ヒカルという新人歌手だ。母親の藤圭子譲りの歌唱力と、完璧な英語で、今日本中の若者を虜にしているらしい。

ビールを飲みながら歌に聞き惚れていると、小柄な男が店に入ってきた。

「遅れて申し訳ありません。会議でつるし上げられて、もう大変だったんですよ」

席に着くなり中村正章がぼやいた。正章は経済学部の助教授だ。身長が百八十を超える大柄な一郎と、百七十に満たない痩せた正章。凸凹な二人はビールで乾杯した。

「まあ、はっきり言って、ぼく、嫌われ者ですからね」

乾杯の後、ビールをごくごくと勢いよく飲んだ。五月になったばかりだというのに、今日は梅雨時のように蒸し暑い。

十歳年下の正章とは、産官学の交流会で知り合った。隣の席にいた正章と何気ない会話をした際、出身大学が同じということがわかった。地方の地味な国立大学だったので、東大やら早慶出身者が幅を利かせる会の出席者の中では、珍しい存在だった。

学者にしては珍しく、専門外のジャンルに精通している男、というのが第一印象だった。一郎が執心する西洋美術や建築にも詳しい。日本人に人気の印象派ばかりでなく、十七世紀のクラシック絵画などにも通暁《つうぎょう》していたので話が合った。

昨年妻と行ったヨーロッパ旅行では、ルーブル美術館で、人の腕の血管まで子細に描写する宗教画を、ため息をつきながら何時間も眺めていた一郎である。バチカンでは、サン・ピエトロ大聖堂に一日中籠って出てこなかったと、妻に呆れられた。

正章とはその後もプライベートで何度か会った。話せば話すほど、博学な男であることを知った。二人の専門である現代日本の政治経済の話はあえてせず、異国の宗教や思想などを語りながら、杯を酌み交わした。正章と語り合うのは本当に楽しかった。

その日も、ゴシック建築や宗教裁判の話で、大いに盛り上がった。

「趣味や教養の話では、これだけ気が合うのになあ……」

三杯目の焼酎を飲み干した正章の目が、珍しく据わっていた。

「何？　どういうこと」

一郎が尋ねた。

「やめましょう。せっかく上手い酒なのに」

「気になるじゃないか」

「いや、やっぱりやめましょう。山崎さんは天下の通産官僚、しかも産業政策局の課長さんですからね」

「そんなに偉い人間じゃないよ。その証拠に、こういう店で飲んでるじゃないか」

東大だらけの周囲の中で、マイナーな大学出身の一郎は最初からハンデを背負っていた。だから人一番努力した。それが認められ、課長に昇進した時は、飛び上がるほど喜んだ。

「言いたいことがあるなら、はっきり言ってくれ。おれときみの仲だろう」

一郎が懇願した。では、と正章がグラスを横に退け、一郎と向き合った。もう酔った目はしていなかった。

正章は橋本元総理が行った一連の改革は、間違っていたのではないかと切り出した。

「消費税を5％に上げたのは、時期尚早ではなかったですか。バブル以降、せっかく経済が上がり基調になってきたのに、これでまた奈落の底に突き落とされてしまいました。さらに追い打ちをかけるように社会保障費の国民負担。ちょっと乱暴過ぎないかなあ」

「きみのいうこともわかるが、バブルが弾けて税収が激減した。財政はひっ迫しているから仕方がなかったんだよ」

「まあ、それに関しては言いたいことがありますけど、今回は止めておきましょう。ところで、金融機関が破綻してしまいましたね」

「拓銀や山一のこと？　あれは仕方なかった。放漫経営が招いた結果だ」

「彼らが破綻したのは自明の理という意見もあります。ぼくは決して大企業の味方をしているわけじゃない。ですが規制を緩めれば、もう大丈夫というのは本当なんでしょうか」

正章は金融ビックバンのことを言っているらしかった。金融ビックバンとは規制を撤廃して金融自由化を進める改革のことだ。東証をニューヨークやロンドンのような国際市場に変えたいとする意図があった。

「きみの口からそういう言葉が出るとは意外だね。もっとリベラルな発想の持ち主かと思っていたが」

「もちろん、ゴリゴリの保守ではありませんよ。新しいもの、好きですしね。でも、これはイデオロギーの話じゃないんです。いらない規制は撤廃すべきでしょうが、盲目的にアメリカやイギリスに倣《なら》えばいいんだという考え方は、危険ではないかと」

「そうかな。金余りの銀行がろくな審査もせず、融資をしまくったから、バブルの引き金となったんだろう。そういう体質を放っておいた大蔵省、というよりぼくら国の人間にも責任がある。そもそも護送船団方式がいけなかったんだ」

護送船団とは、力の弱い船を強い軍艦が守って、航行する船団をいう。つまり一番弱い船のスピードに合わせ、弱い船が沈没しないように航行するということだ。だから長年日本の金融機関には、競争がないと言われてきた。

「こういう親方日の丸体質の金融機関が、どっちの方向を向いているのかといえば、顧客ではなく当局だ。これじゃダメだろう。大多数の国民が、そう思ってる。違うかね」

「そうだと思います。その点、異論はありません」

「では、改革のどこが不満なんだね」

自分の声が少々尖《とが》っていることも厭《いと》わず、一郎が質した。正章がしばらく考えた末「やはり時期じゃないかと思います」と答えた。

「時期？」

一郎が大げさに眉を吊り上げた。

「時期というのは、つまり今はやるなということかね。ではいったいいつやればいいんだ」

「景気が回復してからです」

「おいおい——きみは、景気が自然に回復するまで、この状況を野放しにしろと言ってるのか。大蔵官僚と癒着し、小口の顧客なんか鼻くそほどの存在としか見ていなかった尊大な銀行を、放漫経営が祟って今や不良債権にまみれた銀行を、このまま放置しておいてもいいっていうのか。おかしいだろう、それは」

大声で言ったので、周りのテーブルにいた人間がこちらを振り向いた。

「彼らがバブルの元凶なんだぞ」

一郎が声をひそめた。

「もちろん国の責任だってある。大蔵省の改革派の官僚は、皆それを認めてるよ。だからこそ金融ビックバンなんだ。金融機関に欧米と同じ競争原理を適用しない限り、この国に未来はない。何の反省もなければ、再びバブルが起こるぞ。そんな国でいいのか」

バブル時代の日本は、異常だった。質素で厳《おごそ》かだった日本人が、いつの間にやら金の亡者に変わってしまった。ヤッピーならぬ、ジャッピーという言葉が生まれ「これからはいかに生産するかの時代ではない。いかに消費するかの時代だ」などとメディアは嘯《うそぶ》いた。

親の脛をかじった大学生が、高級外車を乗り回し、一流ホテルで彼女とクリスマスイブを過ごすような時代だった。ＢＭＷが「六本木のカローラ」などと揶揄されていると聞き、一郎はこんな状況が長く続くはずがないと身構えた。

そして案の定、バブルは弾けた。後に残ったのは不良債権の山と、資産を失った人々だった。

「もちろん、バブル時代の反省はしなければなりません。二度と再び、あんな資産インフレを起こしてはいけないと思います。ですが、それとこれとは別問題です。株価や不動産が急落して体力を失った日本の銀行に、外資に立ち向かう体力はありません」

「だったら外資の軍門に下ればいい」

一郎がきっぱりと言い放った。

金融ビックバン、正式には金融システム改革法のキャッチフレーズは「フリー」「フェア」「グローバル」である。長年日本の金融市場は閉鎖的であると、批判されてきた。護送船団方式を止め、規制を緩和して市場メカニズムに任せることが、日本の銀行が唯一生き残れる道なのだ。

「こういうことを言うと、日本的な村社会にどっぷり浸かった既得権益者たちは猛然と反発するが、まさかきみもその一員ではないだろう」

「もちろん違います。ぼくにそんな才覚があるなら、貧乏学者なんかやっていませんよ」

「規制を撤廃して、自由な競争をさせれば、お上じゃなく顧客重視の姿勢に変わる。サービス合戦が始まって、預金金利は高くなり、貸出金利は安くなるだろう。送金手数料なんかも下がるんじゃないか。国民は大歓迎だろうよ」

「しかしこれ以上邦銀がつぶれたら、社会が混乱するでしょう」

「長銀や日債銀は、潰れたというより公的管理だよ」

経営悪化していた日本長期信用銀行と、日本債券信用銀行は、金融再生法により昨年十月から国有化された。

「ですが実質破綻でしょう。株券は紙くず同然になりましたから」

「不良債権隠しや粉飾決算を行った銀行は潰れてもやむを得ない。多くの国民はそう思ってるだろう。ダメ銀行が淘汰されて一時的に社会が混乱しても、甘んじて受け入れてくれる」

「そうでしょうか。橋本首相を敬愛されている山崎さんの前で恐縮ですが、去年の参院選で自民党が大敗したのは、経済悪化や金融不安が高まったからではないですか」

「民主党なんかも、ダメ銀行はたとえガタイがデカくても潰せと言ってただろう。むしろ国民は政府が銀行にまだ甘いと思ったから、野党に投票したんじゃないのか」

橋本政権の後を継いだのが、小渕政権。小渕首相は改革の後始末に追われていた。

「長銀や日債銀は、今後どうなるでしょうか？　まさかずっとこのまま公的管理が続くわけではないでしょう」

「もちろん。いずれ民間に売却されるだろうね」

「外資にですか？」

「さあ、それはどうかな。いずれにせよ、フリー、フェア、グローバルをモットーとする金融機関が選ばれるだろうね」

「何か、嫌な予感がするんですよね」

「さっきから聞いてると、きみはことごとく政府の政策には反対なようだな」

「いえ、そんなことはありませんよ」

「どうかな。もう、この話はやめよう。どんどん酒がまずくなる」

絵画や音楽に話題を変えてみたが、もう以前のように会話が弾むことはなかった。

正章との会食にしては珍しく、その日は早々に切り上げ、帰路に就いた。


「ニッポンの未来はＷｏｗｗｏｗｗｏｗｗｏｗ♪、世界がうらやむＹｅａｈｙｅａｈｙｅａｈｙｅａｈ……」

居間のテレビからこんな歌が流れてくる。一郎は嫌いではなかった。まだバブルの痛手から回復していないのに、これほど能天気に日本を謳《うた》われると、こちらまで元気になってくる。

そうだ。日本はいい国だ。

だけど、もっともっといい国にするよう、おれは頑張るぞ。

居間に行き、リモコンを手に取ると、テレビのボリュームを上げた。ソファーに座っていた娘の美里が、たちまち眉根を寄せる。

「どうして大きくするの？　うるさいよ」

「モーニング娘、好きなんだろう？」

「嫌い。だんご三兄弟のほうがまだマシ」

ならなんで、こんな歌番組なんか観てるんだ、とツッコミたかったがやめた。難しい年ごろだ。美里が鼻歌を歌いながら立ち上がった。相変わらず短いスカートを履いているが、注意はしない。以前「スカートが短かすぎやしないか」と小言を言ったところ「いやらしい。どこ見てんのよ」とにらまれ、三日間口をきいてもらえなかった。

美里がピンクのバッグを手に、玄関へ向かった。

「どこへ行くんだ、美里」

「どこでもいいでしょう。友達のところだよ」

「何時ごろ帰ってくる?」

「晩御飯、いらないから」

「どうして」

「ママだって今晩はお食事会でしょう。あたしも外で食べてくるから」

十七歳になったばかりの娘に外食癖はつけさせたくなかった。それに今日は、久しぶりにゆっくりできる週末だ。娘のためにカレーライスでも作ってやろうと、張り切っていたのに。

「あまり遅くならないようにしろよ」

美里は返事をせず、バタバタと出かけて行った。誰も居なくなった家の中で、一郎は小さなため息をついた。妻の佳江も近ごろ外出が多い。夫婦の会話も少なくなった。家庭を顧みず、仕事に没頭する自分にも責任があるのはわかっている。だから休みの時は家族とのコミュニケーションを図ろうとしているのに、皆協力するつもりはないらしい。

冷蔵庫から冷えた白ワインを取り出した。日が落ちるまでまだ時間があるが、知ったことではなかった。ソファに深く腰掛け、ＣＤプレーヤーでモーツァルトを聞きながら、ゆっくりとグラスを傾けた。

橋本政権から小渕政権に変わり、一郎は秘書官の役務を解かれ、古巣の通産省に戻っていた。

小渕首相は着任早々、「財政構造改革法」の凍結を宣言した。事実上の橋本改革の否定だ。確かに参院選で自民党が惨敗したのは、景気後退が大きな要因だっただろう。しかし、日本経済を立て直すためにも痛みを伴う改革が必要なことは、国民も理解していたはずだ。

案の定マスコミは、小渕の姿勢を「改革後退」だと批判した。橋本政権では「改革の失敗」と指弾していたので、マスコミや国民は「改革の成功」を望んでいるのだとわかる。改革を凍結してはいけない。進めなければならないのだ。

ニューヨークタイムズが小渕のことを「冷えたピザ」と酷評しても、日本のマスコミや国民たちは冷笑しているだけだった。それほど人気のない首相なのだ。

景気が回復しないのは、確かに橋本政権の弱点だった。だから緊縮財政ばかりではなく、十六兆円の景気対策もした。しかし、小渕はさらに二十四兆円ものばらまきを行った。

公共事業や減税の実施は、ばらまきと揶揄されようが、分からないわけではない。だが、地域振興券というのは天下の愚策だと一郎は思った。地域振興券とは、地域でしか使えない期限付きの商品券のことだ。十五歳以下の子供がいる世帯は子供一人につき二万円、住民税が非課税の六十五歳以上の高齢者には、二万円が支給された。こんなことをしたって、景気対策になるとは思えない。マスコミもこぞって批判した。

ワインを飲み干すと、一郎は小さなため息をついた。

——また仕事のことを考えてるな。今日は仕事を忘れて、家族とゆっくり過ごそうと思ったのに……。

しかし、佳江は朝食を食べ終わってしばらくすると、派手なメイクをして出かけて行った。友達とランチの後、午後は観劇だという。

「終わるのが五時ごろだから、晩ご飯も食べてくるかもしれない」

「五時なら、帰ってきてうちで食べろよ。美里も寂しがるじゃないか」

一郎が言うと、佳江がぷっと噴き出した。

「みーちゃんはもう十七よ。ママが恋しい年ごろじゃないわよ」

「恋しくない。好きなことすればいいじゃん」

夫婦の会話を聞いていた美里が口を挟んだ。そして美里も、好きなことをするため、家を出て行った。おそらく帰りは遅いだろう。

グラスを置き、書斎に行った。本棚の奥から一冊の本を取り出し、パラパラとめくる。『男のレシピ』という料理本だ。「ピリ辛本格カレーの作り方」の章には付箋がたくさんついている。専用の食材も昨晩そろえ、冷蔵保存していた。だが、佳江も美里もまったく気づいている様子がなかった。

料理本を書棚に戻すと、一郎はキッチンに向かった。そして棚からカップ麺を取り出すと、薬缶に水を入れ、強火にかけた。

3

「ビルさん。また来月やりますよ。インカレイベント。場所、お願いできますか」

ビルが独りカウンターで飲んでいると、学生が寄ってきた。磯部の大学の後輩、今井だ。今ではすっかりビルに懐《なつ》いている。

「OK。どこがいい？　キングダムにするか？　それともインディシティ？」

知っている巨大クラブの名を二、三挙げた。

「インディシティでお願いしたいです。ビルさんから紹介していただいた、化粧品会社も協賛してくれます」

「おれの紹介じゃない。磯部さんだよ」

「そうですか。ともかくまたたくさん人が集まりますよ！　がっぽがっぽ稼げます」

今井はイベントサークルのリーダー。近ごろのサークルは大学別ではなく、インターカレッジだ。今井が「チケットを捌《さば》け」と指令を出せば、配下の学生が必死になって売り捌く。多く売ればサークル内での地位も上がり、その分女にもモテる。

しかし、いくら今井が巨大サークルのトップとはいえ、箱屋を通さなければ大規模な会場は確保できない。ビルは箱屋の総元締めだった。若者が憧れるような流行りの箱は、すべてビルが押さえている。磯部のおかげである。

一介の管理技士だった頃、「きみだったら月五十万、いや、百万出してもいい」と誘ってきた男が磯部だった。そして、八丁堀の駐車場でカラーギャングに暴行を受けた際、救ってくれたのも磯部だ。ビルが拉致されたことを知り、ギャングのリーダーに電話を掛け、解放してやれと命令した。

磯部は箱屋のヘッドとして、知る人ぞ知る存在だった。誰もが知っている一流大学の学生だった頃は、今井のようにイベサーの頭をやっていたらしい。単なる同好会だった当時のサークルを、企業から出資させるまでの大イベントに成長させた中心人物である。

大きなイベントにはその筋の横やりが入る。とはいえ、彼らに相応の取り分を与えれば問題はない。イベサーを金づるとして利用できると分かれば、箱の確保やトラブル処理にも手を貸してくれた。磯部の登場により、好き勝手に行われていたイベントの開催が、秩序を持って行われるようになった。

大学を卒業した磯部は、イベントで縁合《えんあい》ができた大手の広告代理店に就職した。社会人になったので、イベントプロデュースは後輩に委ねたが、箱屋として彼らの上に君臨し続けた。イベサーは箱屋を通さなければイベントが開けない。磯部は箱屋業務を円滑に進めるため、会社を設立した。最も本業はあくまで広告マンで、辞めるつもりはないらしい。堅実な男なのだ。

磯部がなぜビルに興味を示したのかといえば、助手を探していたからだった。副業の仕事柄、強面の連中に会うことも多いので、ごつい男が良かった。ビルの噂を聞きつけ、是非雇いたいと思ったらしい。入れ込んだ理由は、外見だけではない。ビルが高校の後輩と判明したからだった。

「おれが受験した頃は、偏差値六十八だったけど、きみの頃は七十を超えてたはずだ。優秀なんだな」

二度目にビルを訪ねて来た時、磯部が言った。

「最近会社を興したんだ。一緒にやってくれる仲間を探してる。きみの噂は色々聞いてるよ」

磯部は、うちの系列にいる半グレが迷惑をかけたと詫びた。

「小さいイベントは、ああいう連中に任してたんだが、どうもガラが悪くてね。そろそろ切りたいと思ってるんだ。代わりをやってくれとは言ってない。きみにはもっとデカいビジネスを手伝ってもらいたい」

会社をクビになり、仕事を探している身の上である。早く次の仕事を見つけなければ、家賃も払えない。磯部の誘いに乗ることにした。

当面は磯部のカバン持ちをやった。スポンサー企業やケツモチをしてくれる暴力団事務所について行き、箱屋としてのノウハウを学んだ。業務自体はそれほど難しくはなかった。細かい実務より、人と人との繋がりが大切な仕事である。ビルは大企業の幹部にも、やくざの親分にも気に入られた。ペラペラ余計なことをしゃべらず、約束は必ず守ったからだった。

勤め始めて半年も経つと、磯部が本業で忙しい時は、ビルが一人で仕事を請け負うようになった。箱の手配だけではなく、スポンサーやケツモチたちの接待もこなした。彼らをイベント会場のＶＩＰルームに招き、今井が用意したサークルメンバーの女たちに接客させた。

メンバーの中には忍《しのぶ》という女がいた。ビルがよく飲みに行くバーで知り合った。管理人時代、担当していた店だ。酔客を何度か追い払ったことがあり、マスターとは仲が良かった。だから管理会社をクビになった後も、店には顔を出していた。

バンダナグループにやられた傷がまだ癒えない頃、一人スツールでビールを飲んでいると、話しかけて来たのが忍だった。

「それって、やっぱりあの時の傷？」

何を言ってるのかと眉をひそめたが、すぐに女の顔に見覚えがあることに気づいた。バンダナたちに連行された時、途中まで後を付いて来たあの女――。

「そうだ」

「大変だったんだね」

「大したことはなかったよ」

女がグラスワインを注文し、ビルの隣に腰を下ろした。随分馴れ馴れしいやつだと思った。もっとも、女から声を掛けられるのはこれが初めてではない。

「明誠《めいせい》だよね」

いきなり出身校名を言われ、驚いた。

「誰から聞いた？」

「誰にも。あたしも同じ高校だったから」

忍よ、と女は自己紹介した。

「あなた、高三の時三組にいた――」

忍がビルの本名を言った。

「そうだけど、同じクラスだったっけ?」

「ううん。同じクラスになったことはない。でも、あなたは有名人だったから」

「そうかな——」

ビルは残りのビールをあおった。まだ早い時刻だったので、カウンターに他の客はいない。

「そうよ」

「おれ、落ちこぼれだったぜ」

周囲にいたのは一流大学を目指す秀才ばかり。就職組のビルは異端のような存在だった。中学までは親の言いつけを守り、真面目に勉強した。その甲斐あって、都内でも有数の進学校に合格できたが、すぐに挫折を味わった。クラスには、今まで見たことのないような頭のいい奴ばかりが揃っていた。

「あたしだって落ちこぼれだったよ」

「今、何やってるんだ」

「一応、学生」

忍が大学名を言った。超一流ではないが、充分に有名校だった。

「あたし、すごく変な夢見たんだ」

「変な夢って?」

忍がビルをじっと見つめた。切れ長の大きな瞳。整った鼻筋。ややきつい印象を与えるが、そここの美形だ。こんな女が同じ高校にいたなんて、知らなかった。

「言わない」

半分しか飲んでいないグラスを置き、忍がマスターに勘定を頼んだ。

「もう行くね。予定あるから」

小さなバッグを肩にかけ、忍は去って行った。後ろ姿を見送りながら「あれはあんたに気があるね」と初老のマスターがつぶやいた。

「そうですかね」

「そうだよ。ああやって、思わせぶりな態度をとっているからね。だけどビルは、女にゃ苦労してないだろう」

「そんなことありませんよ」

「そうかな？　あんたモテるだろう。女にも男にも」

さっきも忍から、有名人だと言われた。有名とは思わないが、確かに知り合いは多い。探しているわけではないのに、人が寄ってきた。優等生グループ、不良、オタク、体育会系に至るまで、あらゆるタイプの人間がビルの周りに集まった。

「ビルには人間的魅力があるからさ。そういうの、生まれながらのものだから」

マスターがビルの広い背中をばんばんと叩いた。

それからもちょくちょく、忍は店に顔を出したらしい。いつも一人で来ては、グラスワインを注文するとマスターは言った。

「ビルのこともよく訊かれるよ」

「どういうことを訊かれるんですか」

「いろいろだよ。今何をやってるかとか、どういう奴らとつるんでいるかとか。安心しなよ。余計なことは言ってないから。ちゃんといい奴だって、宣伝しておいたから」

磯部に雇われ、箱屋としての修行を積んでいる頃だった。忙しくて店にもご無沙汰していた。久しぶりに店で再会した時、忍は不機嫌そうな顔をしていた。

「イベントサークルやってるの？」

「っていうより、サークルの手助けをしてる」

「イベントって面白い？」

イベントの仕事をしているが、イベントそのものを楽しんでいたかといえば、そうではない。今井やその仲間たちは、自らイベントを楽しんでいた。大音量の曲で踊り狂い、大酒を飲み、ナンパに精を出していた。ビルはやや白けた目で、これらを見ていた。

「まあ仕事だからね」

「嫌いってこと？」

「仕事だからきちんとやりたいってこと。給料もらってるし」

「真面目なんだ」

「普通だよ」

「あたしははっきり言って、イベサーとか嫌い。チャラチャラしてるし」

「確かにチャラチャラしてるな。でも、いい社会勉強になる。色んな人間が絡んでるし――」

一流大学の学生に一流企業の幹部、やくざや半グレ、たまに政治家などもイベントに現れる。彼らを見ていると、社会はこういう仕組みで動いていたのかと驚かされることが多い。

「へえ、そうなんだ――」

忍が興味深げにビルの話に耳を傾けた。

程なく忍がイベントサークルの会員になったと聞いた。VIPルームで、企業幹部と親し気に話している忍を見て、なんだかんだ言っても、派手なことが好きだったんじゃないかと苦笑いした。


そんなある日、ビルが仕切っている箱で事件が起きた。店内のスタッフルームで書類を読んでいたビルの元に切迫した様子の忍がやってきて、暴れている集団がいると告げた。

「お店に来て、いきなりテーブルをひっくり返したり、グラスを割ったりしだしたの。みんな怯えてる」

部屋から飛び出て、フロアーに向かった。いつもの喧噪とは違う、悲鳴や怒号が聞こえてきた。音楽が止み、ＤＪがしきりに落ち着けと声を張り上げている。

「見て、あそこ」

忍が指さす方向に、暴れまわっている若者たちがいた。

店の奥から、スーツ姿のごつい集団が出て来た。ケツモチのために雇っているやくざだ。スーツの男が若者の襟首をつかみ、引きずり倒した。これが合図で乱闘騒ぎが始まった。今井たちがイベント参加者を避難させている。ビルもフロアーに降り、彼らを非常口に誘導した。

幸いなことに乱闘はすぐに収まった。若者たちは、裏口から逃げて行った。彼らが去った後には、砕け散ったグラスやボトル、ひっくり返されたテーブルや椅子などが辺り一面に散らばっていた。

逃げ遅れた一人を捕らえたと、報告が届いた。奥の事務スペースに行くと、両目が大きく腫れた、土偶のような顔の男が、やくざたちに囲まれていた。

「お前ら、どこのモンだ？　逃げて行った野郎は誰だ」

やくざの放った前蹴りが、男の顔面に炸裂する。「やめて」と声がした。ビルの後について来た忍が、両手で口元を覆いわなわなと震えている。

「ご苦労様でした。後はおれがやりますから」

ビルが頭を下げた。

「いいのかよ。こいつ、まだ何も吐いてねーぞ」

「大丈夫です。ホント、助かりました。今、酒、用意させますから。ＶＩＰルームに移動お願いします」

スタッフがケツモチたちをＶＩＰルームに連れていった。事務スペースには男とビル、そして忍の三人が残された。忍が濡れタオルを持ってきて、男の顔面の血をぬぐった。ビルが男の正面に立った。

「おれを覚えてるか？」

男が顔を上げ、こちらを見た。腫れ上がった顔面のせいで、表情を読み取ることはできない。今はバンダナをしていないが、男はカラーギャングの一員だった。一番ガタイのいい、あの弁当箱のような顔をした男だ。

「何でこんなことをした」

「……おれは、止めたんだ」

だが、リーダーが言うことを聞かず、凶行に及んだという。磯部がついに、カラーギャングをクビにしたのだ。その腹いせに、イベントを台無しにしようと目論んだらしい。男がケツモチたちと揉み合ってる隙に、あのキンキン声で虚勢を張るリーダーとその取り巻きたちは、さっさとトンズラした。

「骨、折れてないか？　救急車呼ぼうか？」

大丈夫だと男は答えた。正直、大事にならないほうがありがたい。これだけの怪我だ。階段から落ちたという言い訳は通用しない。病院で治療を受ければ、警察を呼ばれる。暴力団との付き合いも公にされるだろう。湿布薬と痛み止めを与え、男を裏口から逃がした。

男を見送り、事務所に戻るとまだ忍がいた。放心した顔をしている。ショックから立ち直っていないのだ。

「今日は色々ありがとう。タクシーを呼ぶからもう帰れよ」

「あの人、あのままで大丈夫？　治っても顔とか、変形しちゃうんじゃないの」

「いや。平気だろう」

男は若く頑強だ。あの程度の腫れなら、三日もすれば引くだろう。忍がガタガタ震えだした。空調が利きすぎているのかもしれない。忍はノースリーブのドレス姿だ。

空調を落とし、着ていた上着を忍の肩にかぶせた。こちらに体重を預ける気配を感じ、思わず抱き留めた。しばらく、そのままの姿勢でいた。まるで時が止まったかのようだった。

忍の顎をクイと持ち上げ、顔を覗き込んだ。半開きだった瞳が、何かを思い出したように大きく見開かれた。次の瞬間、胸を両手で強く突かれた。

「寒くないから！」

脱いだ上着が投げつけられた。つかつかとヒールを鳴らし、部屋を出ていく忍の背中をビルは力なく見送った。


警察沙汰にはしたくなかったが、警察はやってきた。客の誰かが通報したのだろう。幸いにも騒ぎが一段落した後で、器物損壊はあったものの怪我人はいなかった。単なる客同士の小競り合いですと説明し、引き取ってもらった。

「警察にはチクらなかったけど、騒いでたやつらって、磯部さんが可愛がってた連中だよな」

一緒に応対したクラブの支配人が、警官を見送りながら、ぼそりとビルに言った。

磯部は事務所に顔を出さなくなった。

クラブのスタッフルームに間借りした事務所に、以前はちょくちょく顔を見せていたのに、今は週一で来ればいいほうだ。乱闘事件以降、磯部の株は下がり続けている。手下の暴挙を止められなかった責任を追及されたのだ。それ以前から「もう現場から離れた人」とレッテルは貼られていた。面倒なことは全部ビルに押し付け、自分は上前をピンハネしているだけと、批判も耳にした。

久しぶりに磯部から電話があり、「飲みに行こう」と誘われた。指定された店は、繁華街から少し離れた料亭の個室だった。こういうところなら仕事仲間に会うこともない。

「迷惑をかけてすまないな」

開口一番、磯部が言った。

「いえ。とんでもないっす」

「あいつらは、おれが学生時代からの付き合いで、当時は高校の不良集団だった。昔からあのまんまなんだよ。ちっとも進歩してない。だから切った。手切れ金も払ったんだが――おれも甘かったんだな」

磯部にしては珍しく、愚痴っぽく語った。散々冷酒をあおった挙句、据わった目で「今の仕事、面白いか?」と訊かれた。そもそも磯部に紹介された仕事だ。面白くないと言うのは憚《はばか》られる。とはいえ、責任感でやっているというのが本音だった。

「クラブとかイベントとか、そろそろ古くなってきたよな。これからは多様性の時代だし」

磯部が吐いたタバコの煙が、ゆらゆらと天井を舞う。実は上司と上手くいってないんだ、と磯部は切り出した。今までの上司は、イベサーだった学生の頃からの付き合いで、磯部のよき理解者だった。磯部の副業にも目を瞑《つむ》ってくれた。ところが最近、磯部はイベント・プロデュース部門から、本社の総務部へ異動となった。

「クリエイティブな仕事を求めて代理店に入ったのに、まるで役所みたいな部署なんだ。会議と決裁。書類と判子。前例のないことはやらない。相談なしに勝手に動かない。まあ、どこの会社でも管理部門ってのはこんなモンかもしれんけどな」

上司が箱屋の噂を聞きつけ、「当社の社内規定では副業は禁止だよ」と釘を刺した。

「会社からはダメ出しを食らったし、クラブでもおれはもう用済みと思われているらしい。お前がいるしな」

「とんでもないっす」

一人で箱屋を切り盛りできる自信はまだなかった。

「イレギュラーなことが起きたら、おれひとりじゃ対処できません。磯部さんが必要です」

「そんなことはないだろう。この間の乱闘騒ぎだって、お前ひとりで片づけたじゃないか。マスコミにも騒がれなかったし。大したモンだ。まあ、これからも取るモン取らしてもらうが、悪く思うなよ。仕組みを作ったのはおれだしな」

「はい」

「お前が気張ってくれなきゃ、系列の連中は皆食いっぱぐれるから。企業も学生も、やくざも半グレもな。全員お前が養ってるようなモンだ。まあおれも今や、お前に養ってもらってるけどさ、ハハハ」

磯部がタバコを大きく吸い込んだ。

先ほど、イベントなども古いと言っていた磯部は、すでに箱屋を見限って、新たなビジネスを模索しているのかもしれない。磯部は鼻が利く。

「ところで、今井とはうまくやってるか？」

「問題ないですけど」

今井とはそつなくやっている。

「この間、やつとしゃべったんだが、なんか、お前が心を開いてくれないってぼやいてたぞ」

「そんなことはないと思いますけど。まあ、やつは学生だし、おれは箱屋で昼間はほとんど顔を合わせませんから。たまにイベントで会っても、向こうは盛り立て役、こっちは裏方で、交わることもないし」

「だから、それがいけないんだよ。あいつ、お前のこと慕ってるぞ」

「でもおれとあいつ、タメですよ」

「そうは見えねーんだよ。どう見てもお前の弟分だ」

と言っても、向こうの方が弁が立つし、社交性もある。

「もっと一緒に遊んでやれよ。ビジネスパートナーなんだから」

一緒に遊べというのは、今井のように自らイベントを楽しめということだろうか。確かに箱屋がイベント嫌いではいけない。

次のイベントの企画で事務所を訪れた今井を、飲みに誘った。

「それならおれ、いい店、知ってますから。今晩行きましょう」

今井が瞳を輝かせた。連れて行かれたのは六本木のキャバクラ。オープンショルダーのミニドレスや、深いスリットの入ったチャイナドレスで着飾った派手な女たちに迎えられた。皆ジャイアントパンダかアライグマのようなアイメイクをしている。今井は常連のようで、ちゃん付けで呼ばれていた。着席するなり、注文もしていないのにドンペリが運ばれてきて全員で乾杯した。隣に座っていた女が一気飲みし「いえ〜ぃ」とVサインするや、全員が奇声を上げた。正直、このノリについて行くのは苦痛だった。そんな心情を知ってか知らずか、女たちはべらべらと話しかけてきた。

「筋肉凄そう。日本人じゃないみたい」

ベタベタと胸や太ももを触られ、これじゃどっちがサービスをしているのか分からない、と苦笑いした。酔っ払った今井が、チップだとキャストの胸元に万札を突っ込んだ。学生とはいえ、イベサーは羽振りがいい。

「おいおい。ただじゃねーぞ。おれ、それほど気前よくねーから」

今井が胸を揉むと、キャ〜ッとわざとらしく悲鳴を上げ、女たちが身をよじる。そろそろ潮時かなと思い、ビルは席を立った。今井が、しなだれかかった女を押し戻し「もう、行くんすか」と声を上げた。

「すんません。はしゃいじゃって。店、合わなかったっすか？」

上着に袖を通しながら今井が言った。

「二軒目は、もっと落ち着いたところに行きましょう」

もう帰ると言ったが、今井は「まあまあ、まだ早いですから」とビルをタクシーに押し込んだ。

次に連れて行かれたのは銀座のクラブ。確かに六本木の店よりは落ち着いた雰囲気だ。ホステスの年齢も総じて高い。学生のくせに、よくこんな店を知っていると驚いた。今井はここでもはしゃいだが、年上のホステスたちから、うまくあしらわれていた。それでも満足そうにしているのは、滑稽だった。今井はともかく女好きらしい。

4

公的管理されていた日本長期信用銀行が、民間に売却されることになった。

「リップルウッドってところだ。地名か人名かって噂されたほど得体のしれない企業だったんだぜ」

大蔵省に勤める友人が、いち早く一郎に耳打ちした。

「やっぱり買い手は外資なんだな」

恐らくそうなるだろうと、一郎は予想していた。

「長銀の国有化も、アメリカからの圧力があったからだからな」

友人が眉をひそめた。

リップルウッドはプライベート・エクイティという呼ばれる投資会社だと友人は説明した。プライベート・エクイティの概念はまだ日本では知られていなかったため、一郎は興味を持った。

「まあ平たく言えば、スタートアップ企業や、破綻した事業に投資する会社だよ。投資だけじゃなく、経営にも深く関与して、企業価値を高めた後に売却することを目的としている」

伝統的な金融機関ではなく、そんな新興企業が戦後の産業を支えてきた国策銀行たる日本長期信用銀行を買い取るとは、時代の趨勢を感じずにはいられなかった。

「社長のコリンズって男はクリントン大統領や、ブッシュとも親しいらしい。ともかく粘り強いというより、しつこい男だよ。おれみたいな下っ端のところにも、あいさつに来た。長銀を再生できるのは自分しかいないと、熱く語っていたよ」

「お前のところに？　まだ大蔵がからんでるのか？」

一郎も官僚だが、自由競争を標ぼうする金融ビッグバンに、大蔵がいちいち口出しするのは趣意が違うのでないかと疑問だった。

「いや正式な窓口は金融再生委員会だよ。で、彼らが選んだアドバイザーがゴールドマン・サックスだ」

ゴールドマン・サックスはアメリカの大手金融機関だ。外資の金融機関が邦銀売却のアドバイザーをするなど、以前では考えられないことだった。

買収価格が十億円と聞き、一郎は目を見張った。

「安いな。長銀にはかなりな額の公的資金が注入されていたはずだが」

「ああ、七兆九千億だ。そのうち預金者保護に使われたのが三兆とちょっとだけどな」

預金者保護は仕方ない。しかしこれからは、預金者も収益力のある金融機関を自ら選べる目を養わなければならないだろう。長銀がこんなことになってしまった背景には、株主への違法配当や関連ノンバンクへの不正融資、リゾート開発会社への過剰融資など、一流銀行にはあるまじき不祥事があった。


十億円で、七兆九千億もの公的資金を投入し、総資産が二十兆円もあった長銀を売ったことには当然批判が集まった。おまけに売買契約には「瑕疵担保特約《かしたんぽ》」というものが含まれていた。

瑕疵担保特約とは平たく言えば、長銀が保有する債権が不良債権であることが発覚した場合（評価額の二割以上下落）日本政府がその損害を補償するというものだ。まるで車か家の売買契約のような条項を銀行売却で適用するなど、画期的だと一郎は思った。

確かにリップルウッド側にいいようにやられたと思う。しかし、これが自由競争というものなのだ。リップルウッドはこのプロジェクトに参加してくれた投資家の利益の最大化を図るため、ハードネゴをしたに過ぎない。日本政府が不甲斐なかっただけではないか。

この後、新生銀行と名前を変えた旧長銀は、瑕疵担保特約を行使し、複数の問題企業の債権を国に引き取るよう要求した。企業を破綻に追い込んだと散々批判されたが、一郎は逆に、よくぞやってくれたとエールを送った。

破綻に追い込んだ企業の中には「そごう」があった。そごうは国内外の不動産を爆買いした挙句、不良債権の山を作り、新生銀行に債務免除を要求してきた。

そごうの水島社長は「わたしが担保だ！」と豪語するような、カリスマ的人物だった。しかし、社長のカリスマ性だけを担保に融資を行うなど、あってはならないことだ。このような異常な融資があちこちで黙認されていたため、バブルが起こり、そして弾けた。ここで甘やかしたら、何の反省もなく、また同じことが繰り返されるに違いない。

他の債権者（金融機関）がそごう再建に動き始めても、新生銀行だけは頑として受け付けなかった。そして、そごうの債権を瑕疵担保特約に則《のっと》り、日本政府に買い戻させた。

野党の鋭い追及もあり、政府はそごうを救済することを断念。こうしてそごうは民事再生法の適用となった。

新生銀行にはいろいろと問題もあるが、少なくとも銀行業界に蔓延していた古い体質を一掃し、市場が求める正常な状態に戻すことに寄与していることは明らかだった。これぞ、橋本政権が掲げた金融システム改革の正鵠《せいこく》である。

後に小泉首相はリップルウッドの批判が起きるたびに「何も悪くない。彼らはリスクを取った。日本企業はどこも危ない橋を渡ろうとしなかったじゃないか」と擁護したという。

一郎もまったくその通りだと思った。

突然の訃報が流れた。小渕首相が逝去したのだ。脳梗塞だという。後任には森喜朗《もりよしろう》が選ばれ、第一次森政権がスタートした。

小渕政策の継続を表明した森首相だったが、緊縮財政を実行。さらに日銀は利上げに踏み切り、その結果二万円台までに回復していた株価は急速に下落し、年末には一万三千円台にまで戻った。

翌年二月、森首相の進退を問う事故が起きた。ハワイ沖で日本の水産高校の練習船えひめ丸がアメリカ海軍の原子力潜水艦に衝突されて沈没し、高校生九名が死亡したのだ。事故の一報が流れた時、ゴルフ中であった森首相はプレーを続行したため、各方面から非難の集中砲火を浴びた。これが引き金となり、森首相は辞任に追い込まれた。

巷では「ハリー・ポッター」が大ベストセラーになり、ミレニアムの幕開けが、こんな作品で始まるのは不幸だと批判された「バトル・ロワイヤル」が絶賛上映されている頃、橋本内閣の行革会議で決まった省庁再編が実施された。縦割り行政による弊害をなくし、内閣機能の強化、事務および事業の効率化を図るため、一府二十二省庁が一府十二省庁に再編される大改革である。これにより、一郎が勤める「通商産業省」は「経済産業省」と名称を変えた。

通産省内の反対はそれほどでもなかったが、大蔵省（後の財務省）では「大蔵」という大和朝廷由来の伝統的な名称を改められ、金融行政も内閣府に奪われたことから、大きな反発が起きたらしい。

とはいえ、省庁の中の省庁と謳われた大蔵省の力が削がれたのは、歓迎すべきことだと一郎は個人的に思っていた。

そんな折、姉から電話がかかってきた。母の病状が芳《かんば》しくないらしい。今年喜寿になる母親は半年前から痴呆症（現在の認知症）を患い、歩行も困難になってきた。

父は五年前に亡くなり、二人の子どももとっくに独立しているので、母は現在一人暮らしである。電車で十分の距離に姉が住んでいるので、面倒は姉に任せきりだった。

「今年から介護保険が始まったし、訪問介護なんかも利用できるんじゃないのか」

一郎が言うと、受話器の向こうから大きなため息が聞こえてきた。

「役人って、そういう発想しかないの？　自分の母親の介護を、他人任せにしていたら世間はどう思うかしら。あたしは専業主婦だし、比較的時間があるし、おまけに近所に住んでるから、お母さんの面倒を見るの、当たり前とは思ってるわよ。だけどやっぱり、そろそろきつくなってきた。だって、誰も手伝ってくれないんだもの」

訴えはもっともだった。二人しかいない姉弟なのに、親の面倒をずっと姉任せにしている。とはいえ、霞が関は激務だ。帰りが終電になることも珍しくない。おまけに今は省庁再編で、あちこちゴタゴタしている時期である。

姉によると、母は姉夫婦との同居を頑なに拒んでいるという。

「本当は一緒に住んでくれたほうが楽なんだけど、まあうちはマンションだから狭いし」

一郎の家もマンションである。通勤に便利な都内のマンションなので、価格の割に居住面積は狭い。

「いっちゃんが忙しいのはわかってる。でも、佳江《よしえ》さんはどうなの？　あたしと同じで専業主婦なんでしょう。美里ちゃんももう大きいから、放っておいても一人で家のことできるんじゃない？」

「うん……いや、そうだけどね……」

姉は佳江に介護を手伝わせろと言っているのだ。ただでさえ近ごろすれ違いが多い佳江に、姑の世話をしてくれというのは気が引けた。やはり自分が手伝うしかないのかもしれない。しかし、平日は無理だ。土日でも仕事が詰まっている時もある。

職場でも知らず知らずのうちに、悩ましい表情をしていたのだろう。上司が「大丈夫か？」と声を掛けてきた。

「元気がなさそうだな。何か気になることでもあるのか」

「いえ、仕事じゃないんですが」

母親の病状のことを知らせた。

「そりゃ大変だな。奥さんに頼むしかないだろう」

六歳年上の上司は、きっぱりと言った。

「我々は日々重要な政務を担っている。多忙だから、家のことはどうしてもおろそかになる。それを承知の上で、奥さんは結婚したんだろう。きみのお陰で一生安定した生活が送れるんだ。舅や姑の面倒を見るのは当たり前じゃないか。ひと昔前だったら、こんなことは俎上にさえ上らなかったぞ。びしっと言ってやれよ」

びしっと言えるかどうかはともかく、やれ観劇だ、食事会だと遊びまわっている佳江に、それほど暇を持て余してるなら、ちょっと助けてくれと頼んだって罰は当たらないような気がした。

こうして一郎は、ある晩、佳江に母親の介護のことを話した。

「わかった。で、いつから始めるの」

「いつからって、手伝ってくれるのか？」

「だって、それしかないんでしょう」

抑揚のない声で、佳江が言った。

「まあ、早いほうがいいかな。姉貴も助かるし」

翌日すぐに佳江は姉と連絡を取り、ローテーションを組んだようだ。家から母の住む実家までは、ドアｔｏドアで一時間半ほどかかる。往復三時間の行程だが、そのくらいの時間をかけて通勤している人間は山ほどいる。


森首相が辞任し、自民党総裁選挙が行われることになった。立候補者は麻生太郎、橋本龍太郎、亀井静香、小泉純一郎の四名。小泉の圧勝に終わった。

小泉首相は「自民党をぶっ壊す」と言って登場した。森前首相とは打って変わってマスコミの受けもよかった。

小泉政権は「痛みを伴《ともな》っても改革」と、改革路線を強く打ち出した。「改革なくして成長なし」というスローガンに、正にその通りと一郎は首肯した。

新政権で一郎は大臣官房付きになり、経済財政諮問会議を担当する審議官に就任した。小渕、森政権時代、どちらかといえば脇役だったので、この大抜擢はうれしかった。

「お父さんはな、国政を担う重要な仕事を任されたんだぞ」

大人気ないと思いつつ、美里の前でついこのように口を滑らせた。久しぶりに定時に仕事が終わり、同僚と軽く一杯引っかけた後だったので、酒の勢いもあった。

「へえ、凄いんだ」

美里はさして興味がなさそうに、レトルトを電子レンジに入れた。

「あれ、今晩お母さんは？」

時計を見るともうすぐ八時だった。

「まだおばあちゃん家でしょう。火曜日はおばあちゃんにご飯食べさせて、お風呂に入れる当番だから。知らなかったの？　お父さん」

そうだった。佳江には母の介護を手伝ってもらっていたのだ。すっかり忘れていた。

「それよりお前、大学のほうはどうなんだ」

美里は今年、調布にある女子大に合格した。

「うん。それなんだけどさあ、ちょっとお父さんに相談があるんだ」

家を出て、大学近くのマンションに住みたいという。キャンパスまで、家から電車で一時間十五分。さほど遠い距離ではない。とはいえ高校時代、美里は家から歩いて行ける距離の高校に通っていた。

「女子寮はないのか」

「あるけど、満杯だし。もし空きができても、あんな狭くてカビ臭いところはいや。マンションがいい」

「ダメだ」

途端に美里が眉を曇らせた。

「だって、朝なんかもの凄い混雑なんだよ。途中で気分が悪くなって電車降りたこともあったし」

「お前は今まで一度も、通勤・通学ラッシュを経験したことがないからつらいだろうが、そのうち慣れるよ。もしどうしてもダメなら、時差通学すればいい。五時台だったら電車は空いてるぞ」

「そんなに早く校門は開いてないよ。それにあたし、低血圧だから早起きできない体質だし」

「ともかく一人暮らしはダメだ」

「どうして」

「未成年の女の子が一人で暮らすなんて、危険だろう」

「お父さん、考えが古いよ。大学の友達に、一人暮らしの子なんてたくさんいるから」

「地方から出て来た子たちだろう。お前は都内在住じゃないか」

「でも遠い」

「遠いのは、お前が頑張らなかったせいじゃないのか」

美里が通っているのは、もともとは第三志望の女子大である。第一志望だった家からほど近い大学は、学力が落ちて来たので断念した。そして第二志望から第一志望に昇格した、電車で二駅のところにある大学を受験したが、敢え無く不合格。結局、第三志望から第二志望に繰り上がった今の大学しか受からなかった。大事な時期に勉強を怠り、友達と遊び惚けていたツケが回ってきたのだ。

「ともかくダメだ。一人暮らしは二十歳過ぎて社会人になってからだ」

美里は無言でダイニングから出て行った。「わかったな」と背中に話しかけても返事はなかった。

とある企業が主催した立食パーティーで、正章とばったり出くわした。蒲田で会食して以来、連絡を取っていなかったのでほぼ二年ぶりの再会だ。

「ご無沙汰してます」

先方から話しかけてきた。相変わらず瘦軀《そうく》で、仕事のしすぎなのか目の下に黒い隈ができている。

「よう。なかなか連絡できなくて済まないね。何しろ忙しくてさ。ころころ政権は変わるし、省庁再編もあったりしてね」

とはいえ、会う時間など作ろうと思えば作れた。正章とは根本的に考えが違うことが分かったので、連絡をためらっていただけだ。

新しい名刺を渡すと、正章がわざとらしく口笛を吹いた。

「審議官ですか。しかも大臣官房付き。政権の中枢を担う仕事ですね。ご栄転おめでとうございます」

「ありがとう」

「橋本さん。総裁選で負けちゃいましたね」

「ああ。残念だが、仕方ないよ」

「山崎さんは橋本さんに心酔してましたよね」

確かにいくつもの大改革に果敢に取り組んだ橋本元首相を、尊敬している。

「橋本さんが総裁選に立候補した際、何と言ったか覚えているでしょう」

一郎は無言で肩をすくめた。覚えているが、この場で復唱したくはない。橋本は、自らの財政政策が間違っていたことを認めたのだ。

「日本の金融機関にこれほど力がないことが分かっていたら、金融ビッグバンなどやらなかったと後悔していたそうじゃないですか。恐れながら、あんぐりと口を開けてしまいましたよ。えっ？　知らなかったんですか？　嘘でしょう？？　というのが素直な感想です」

一郎はわざとらしく腕時計をチラチラ見ながら、手にしていた水割りのグラスを飲んだ。

「失礼を覚悟で言いますが、護送船団で散々甘やかされた、肥満体の子どもみたいなモンだったでしょう、我が国の銀行は。おまけにバブルの後遺症で、体力もかなり落ちていた。そんなところに、ハゲタカ外資が攻めてきたんです。勝てるわけないじゃありませんか。彼らも事情をよく理解していて、虎視眈々と日本の金融機関を狙っていたはずです。なのに政治家もマスコミも世論も、外資、特にアメリカの金融機関には甘かった。彼らが日本の古い金融システムを一掃し、まともな状態にしてくれると淡い期待を寄せた。結果、長銀や日債銀を始め、多くの金融機関が二束三文で外資に売られてしまったじゃないですか。違いますか」

「それが資本主義というものだよ。橋本さんにも後悔なんかして欲しくなかった。だから、迷わずに改革路線を突き進む小泉さんが選ばれ、橋本さんは敗退したんだよ。改革はまだ半ばだ。日本には改善すべき点が山ほど残っている。失礼、挨拶に行かなきゃならんのでね」

顔見知りの議員を見つけたので、一郎は足早にその場を離れた。

5

クラブでも、ビルは積極的に表に出るようになった。

フロアーで皆と踊ったり、VIPルームで客や接客係のサークル女子としゃべったり。新しい発見も沢山した。やはり食わず嫌いはよくない。

女子も交えて招待客と歓談している時、忍がすぐそばを通りかかったことがある。ビルと目が合うなりプイと横を向いた。女子の一人が「しのぶちゃ〜ん」と呼んだ。忍は仏頂面をして、ビルとは離れた席に腰を下ろした。


このような事件が起きたのは、当然といえば当然だったのだろう。

ナンパはイベントの恒例行事のようなものだ。セクシーに着飾った若い男女が密閉空間に集まり、酒を飲んで踊り狂うのだから、当然そういう雰囲気になる。奥まった席で抱き合うインスタントカップルなど、まだ行儀がいいほうで、トイレを占拠して交じり合う猛者もいた。多少強引でも、許容された。異性を求めないなら、こんな場所に来なければいい。とはいえ、嫌がっているのに無理やり、はさすがにNGだ。それも集団で一人をターゲットにしたら、完全に犯罪行為である。

今井とその配下が、サークル女子をイベント後の二次会に誘っていることは知っていた。誘われた女子たちが、翌日から姿を見せなくなったという噂も耳にした。

イベントが引けたある日の晩、今井のグループが泥酔した様子の女性を一人、タクシーに乗せるところを目撃した。ちょうどビルもタクシーを停め、帰宅するところだった。

「前のタクシーについて行ってください」

思わず運転手に告げた。初老の運転手がうなずき、発進した。今井たちは、古い雑居ビルの前でタクシーを降りた。男三人。女が一人。女は両脇を抱きかかえられ、引きずられるように歩いている。アルコールだけで、あのように正体を無くすほど酔っ払うのか。それとも何かを混ぜた酒でも飲まされたのか。

今井たちがエレベーターに乗ったのを見計らって、タクシーを降りた。建物に入り、エレベーターの階数表示を確認すると、四階で止まっていた。案内板によれば、事務所が三つ入居している。その中の一つ「ハイランダー」は、今井が仕切っているイベントサークルだ。

エレベーターに乗った。ハイランダーのオフィスは、四階の一番奥まったところにあった。インターフォンを鳴らしたが、返事はない。しつこく鳴らし続けた。しばらくすると「うるせーな、夜中に誰だよ」と男の声で訊かれた。中に入れろと命じた。ドアを開けた若い男は、ビルのことを知らない様子だった。玄関には脱ぎ棄てられたロングノーズの男靴に交じって、ピンクのピンヒールが転がっていた。「警察を呼ぶぞ」と凄む男を押しのけ、土足のまま中に入った。マンションの一室のような事務所だった。

「おい、今井、いるか？」

奥の部屋に入った。女の上に、尻を丸出しにした今井が覆いかぶさっていた。もう一人の男も、股間にぶら下げたものをしごきながら順番を待っていた。裸にされた女の意識は、未だ朦朧としている様子だった。

「何をしてる？」

今井がゆっくりとこちらを振り返り、雷に打たれたように跳ね起きた。

「う、うっす。お疲れ様です、ビルさん。いらしてたんですか」

女がうめきながら、寝返りを打った。

「服を着せろよ」

「い、いや。合意の上でやってるんすよ」

「嘘をつけ」

合意の上で輪姦される女なんて、いるわけがない。

「ビルさんも、どうっすか。今年の準ミス・キャンパスで――」

「いいから早く服を着せろ！」

男たちが三人がかりで服を着せた。ブラがおかしな具合によれ、パンストは伝線していたが、何とか見られる形になった。

「二度とこんな真似するな。もしやったら、もう箱は貸さねえぞ。お前は終わりだ」

今井に顔面を近づけ、ドスの利いた声で言った。今井が目元を引きつらせ、うなずく。女を抱き上げ、事務所を出た。エレベーターで一階に降り、走ってきたタクシーを停め、女と共に乗り込んだ。「どちらまで?」と運転手が尋ねた。さて、どうしたものかと思案した。女がどこに住んでいるか分からない。

「取り合えず、渋谷方面に」

しばらく走っているうちに意識が戻るかもしれない。タクシーが発進した。女は相変わらず、うつらうつらしている。おい、と呼んでも、反応がない。

あの場で警察を呼ばなかったのは、不祥事を隠したいからではなかった。呼べば、強姦されそうになった事実が明らかになる。公にしたくないと、本人が思うかもしれない。世にたくさんの泣き寝入りがあるのは、このためだ。警察に通報するか否かは、女自身が決めることだ。

うめいていた女が、目覚めた。ハッとした顔になり「ここ、どこ?」とつぶやく。

「タクシーの中だよ」

ビルのほうを振り向くなり、女は悲鳴を上げた。

「ここで、降ろしてください!」

運転手がミラー越しにビルを見た。

「大丈夫だ。心配するな。家まで送るよ」

「降ろしてください!」

女がブラウスの襟を両手で締めながら叫んだ。タクシーが路肩に停まるや、女が転げるように飛び出した。

女は警察に被害届を提出した。

これがきっかけで今井のグループが、サークル女子を散々食い物にしていた事実が明らかになった。被害者はなんと十数人に及ぶという。アルコール濃度九十六度のポーランド産ウォッカを混ぜたサワーを無理やり飲ませ、泥酔させた挙句、犯行に及んだらしい。今井たちは「合意があった」と弁解したが、誰も信用などしなかった。

ビルも警察に呼ばれ、事情聴取を受けた。幸いにも、助け出した女は朦朧とした意識の中でも、事の経緯は覚えていたらしい。ビルは加害者ではないと、証言してくれた。かといって簡単に無罪放免というわけにはいかなかった。犯行をほう助した疑いは当然かけられた。今井たちとは協力してイベントを行う仲だ。そのイベントが、正に強姦の巣窟となっていた。

何度も任意の取り調べが行われ、やっとのことで容疑が晴れた。ビルを知っている女子たちが「あの人は、そんな人じゃない」と証言してくれたらしい。

今井は逮捕され、現在は拘置所にいる。輪姦を目的とする、高度に組織的な犯罪集団のトップと見なされ、執行猶予なしの厳しい判決が下りるのではと噂されていた。一流大学に入った秀才なのに、何が彼をここまで変容させたのか。それとも今井は元々、こういう人間だったのか。

事件を契機に、自粛ムードが漂い、イベントの採算が取れなくなってきた。やがてイベントは、スポンサーもケツモチもつかない、かつてのような、学生同士の小さな集まりに戻っていった。

ビルは再び無職となった。

そんなビルに声をかけてきたのは、またもや磯部だった。ビルを料亭に誘い、新しいビジネスの話を切り出した。広告代理店を辞めた磯部は、なんと消費者金融、というよりヤミ金に手を染めていた。

当時磯部が親しくしていたのが、港区に本部を置く指定暴力団系の組長だった。その組長の肝いりで、傾きかけていたヤミ金を手伝うことになったのだという。

「磯部さん、企業舎弟になったんですか」

いや違うと、磯部は首を振った。

「企業舎弟は組員だ。おれは組員じゃない。まあ、堅気かどうかはグレーだけどな」

組員に誘われたことはあったが、断ったという。にもかかわらず、組長は磯部を可愛がった。磯部は一流大学出のインテリだが、オラオラ体質を隠し持っている。だからやくざとも違和感なく付き合えるのだ。とはいえ、計算高いので、自分にとってメリットがないと思えば、安易に杯を交わしたりはしない。組長はそんな磯部のよき理解者だったのだろう。そして磯部の商才を見込んでヤミ金を任せた。

磯部がヤミ金のシステムを話し始めた。用意するのは、飛ばしの携帯、第三者名義の銀行口座、それに多重債務者（カモ）のリスト。無審査を謳い、少額の金をカモに貸し付ける。

「二万円の三万返しか、三万五千返し。一週間で返すか、十日で返すかの違いだな」

そんな金利を払う奴がいるのかと驚いた。

「いや、すぐに返させないほうがいいんだ。どうせ、ギャンブルで擦って、返す金なんてない。そこで、同じヤミ金の別部隊が、返済する金を貸し付ける。その金を持って返済に来た債務者を『いよいよいよ、まだ返さなくても』と言って追い返す。で、債務者はその金でまた賭け事をする。で、また負ける。また金を借りに来る――」

まさに無間《むげん》地獄だ。骨の髄までしゃぶり尽くすのが、ヤミ金らしい。最後は生命保険に強制加入させ、死亡保険金でもせしめるつもりだろうか。

クライアント相手にプレゼンをするように、淡々と磯部は説明した。ビルに店を任せ、貸し付けと取り立てをやってもらいたいと言う。

「せっかくですが、お断りします」

磯部が焼酎をぐびりと飲み、首筋を伸ばした。

「お前、職にあぶれてるんだろう」

「磯部さんにはお世話になりました。箱屋の時は大きな仕事を任せてくれて、給料も信じられないくらい頂いて、ホント、感謝してます」

だがしかし、自分にとっては箱屋が境界線だった。これを超えると、グレーどころかブラックな世界に行ってしまう。自分は本来そんな人間ではない。犯罪に手を染めたくはない。

「そうか……」

黙ってビルの言うことを聞いていた磯部が首肯した。

「お前の言うことは分かるよ」

「ならどうして磯部さんは、そっち行っちゃうんですか？　せっかく大手の広告代理店にいたのに。なぜ辞めちまったんですか」

磯部がメビウス・ライトに火を点け、まずそうに煙を吸い込んだ。

「いずれにせよ、独立しようとは思ってた」

「なら、堅気の世界で起業すればいいじゃないっすか」

「そうだけどな……だけど、昔から裏世界のシノギには興味があった。なにせ、扱う額がハンパじゃない」

やはり磯部と自分は違う。自分だったら、ギャンブル依存症の人間を食い物にしようなんて思わない。

「おれは母子家庭で育ったんだよ。おれと兄貴と母親の三人。母親が女手一つで苦労しておれら兄弟を育ててくれた、って言いたいところだが、実際はそんなことはなかった。おふくろは、酒を飲んでは男たちと情事を重ねた。昼間はパチンコばかりしてたな。パチンコする金がなくなると、兄貴の財布からくすねてた。七つ違いの兄貴が、おれの学費を払ってくれたよ。高卒で就職して、週末は道路工事のバイトをして、おれを大学まで入れてくれた。お前は頭がいいから、勉強を続けろって言ってな。だけど死んじまった。過労で。労災は下りなかった。あちこちで副業してたからだ、会社は副業を禁止してるのにって社長は得意顔で釈明してたよ。よく言うぜ。月に八十時間近いサービス残業させてたくせによ。おれは堅気の世界なんて信じちゃいない。ギャンブラーも大嫌いだ。しゃぶり尽くされたって自業自得なんだよ」

忍と話すのは、あの乱闘騒ぎがあった晩以来だった。

ずっとガン無視されていた。なぜ彼女は、こんな態度を取ったのか。あの晩は、いい雰囲気になりかけた。しなだれかかってきたのは向こうのほうだ。だから肩を抱いた。ところが次の瞬間、強く拒絶された。まったく女心は分からない。

行きつけのバーで酒を飲んでいる時、久しぶりに忍が姿を見せた。忍はビルを認めるなり、真っ直ぐに近づいて来た。隣のスツールに座り、グラスワインを注文して「久しぶり」と目を細める。今まで避けていたのが嘘のようだった。

ビルは無言で小さく顎を引き、ウイスキーを舐めた。

「強いお酒も飲むんだ」

「失業中だからな」

「やけ酒?」

「そうじゃない」

忍がトートバックの中からノートパソコンを取り出した。起動させ、キーを操ると、画面をビルに向けた。今井たちの記事が表示されていた。


被告人らは、本件各犯行において、野獣が群がるかのように次々と各被害女性の貞操を蹂躙するなど、凌辱の限りを尽くしているのであり、こうした、各被害者の人格や心情を一顧だにすることなく、単なる自己の性欲のはけ口ないし、快楽を得る道具としてのみ扱うような本件の各犯

行態様は、いずれも冷酷非道というほかなく、被告人らのすさんだ精神状態を如実に示すものである。


「一審の判決文だって。ホント野獣だよね。ここまでひどいとは思わなかった」

首班の今井には懲役十年の実刑判決が下ったという。

「知ってたのか？」

「サークルに入ってから知った。今井には近づかない方がいいって、女の子たちが教えてくれた。大学違ったし、雲の上の存在だったから、幸いそんな機会はなかったけど。ナンであんなやつと付き合ってたの？」

「付き合ってたわけじゃない。ビジネスパートナーだ」

「だから付き合ってたんでしょう？　パートナーなんだから」

「違う。人から紹介されただけだ。あんなやつだと知ってたら、箱屋の仕事なんて引き受けなかった」

「本当に？」

「本当だよ。もしかして、今までおれにガン飛ばしてたのは、ああいうやつらの同類と思ってたからなのか？」

マスターが耳をダンボにしているのに気づいたのか、忍が「ねえ、向こうの席で話さない」と囁いた。奥まったボックス席に移動するなり「ガンなんか飛ばしてないよ」と文句を言われた。

「そうかな？　近くを通っても、挨拶すらしなかったじゃないか。ずっと前のことは、謝るよ。勘違いをしたようだ。別にお前に特別な感情、持ってねーから」

「あんたが本当にあたしが考えてるような人間なのかって、ちょっと疑問に思っちゃったから」

「お前が考えてるような人間って、どんな人間だ」

「お前お前って呼び捨てにしないでよ。嫌いだからそういうの」

「じゃあ、何と呼べばいい」

「名前で。ぜんぜん好きな名前じゃないけど」

「おれに対して、妙な先入観か偏見があるみたいだけど、お前——いや、忍はおれのことなんかまったく知らないだろう」

「さあ、それはどうかな。あたしは、あんた——ビルが思ってるより、実はビルのことを知ってるんだよ」

　ビルが眉をひそめた。何を言ってるんだ、この女は——。

「まあ、それはともかく、あたしのところにも警察が来たよ。被害者の女の子のことは直接知らなかったけど、同じインカレのサークルだったからね。で、今井だけじゃなくて、ビルのことも訊かれた。はっきり言っておいたから。ビルは、あんなことする人間じゃないって。あたしだけじゃないよ。ビルの潔白を証明する子、いっぱいいたから」

「そうか。ありがとう。おれが無罪放免になったのは、みんなのおかげだったんだな」

「イベサー、潰れちゃったけど、これでよかったんだよ。こんなのいずれ、潰れちゃうの、分かってたモン」

「なら、なんでサークルに入ったんだ」

忍は答える代わりに、これからどうするつもり？　と質した。

「どうするかな？　おれみたいな高卒じゃ、まともな仕事はないだろうな。就職氷河期っていうし」

「大丈夫だよ」

妙に自信に満ちた口調で忍が言った。

「あんたは、有名人になるから」

6

小泉首相は、橋本元首相の改革路線を引き継いだ。

「改革なくして成長なし」「改革を止めるな」「聖域なき改革」「民にできることは民に」……。分かりやすい言葉を駆使し、人心をとらえた細身のダンディな首相は、改革の旗手としてもてはやされた。

小泉改革では、さまざまな改革が実現した。利権と無駄の温床だった道路公団が民営化され、橋本政権下では不十分だった郵政民営化も成し遂げた。

中でも特筆に値するのは、未だ存在する銀行の不良債権処理を徹底させたことだった。銀行はまだまだ不良債権を隠していると一郎も踏んでいた。

小泉首相とタッグを組んだ、竹中経済財政担当大臣兼、金融大臣は、大銀行といえども容赦しないスタンスで、取り組んだ。周囲の雑音には一切耳を傾けず、ダメな企業は退出するのが資本主義のルール、と正論を述べる竹中大臣に一郎はエールを送った。この人の下で働くことに誇りを感じだ。

竹中大臣は、留学経験のある経済学者である。実は一郎も、留学にあこがれた時期があった。アメリカ式の市場経済学を学びたいと思っていたのだ。とはいえ、日本を数年間留守にすることが気がかりだった。自分はマイナー大学出身の傍流官僚。早く上司に認められ、本流に合流したいという焦りがあった。

悩んだ末、留学はあきらめることにした。留学し学位を取って凱旋帰国する同僚や後輩たちを尻目に、人一倍業務に没頭した。その甲斐あって、審議官にまでなれた。自分の選んだ道は、やはり間違いではなかったと今では思っている。

留学組はほぼ例外なく、アメリカ式の市場主義、新自由主義の信奉者である。留学こそしなかったが、一郎の思いは彼らとまったく同じだった。

サッカーのワールドカップが初めて日本と韓国で開催された頃、一郎の仕事は多忙を極めた。何よりも心配なのは、株価がバブル崩壊後の最安値を更新し続けていることだった。銀行がまだ隠しているに違いない、不良債権の徹底的なあぶり出しは、マスコミや国民にも好意的に捉えられているはずだ。バブル崩壊からまだ間もない頃、住友銀行が異例の赤字決算をしたが、株価は上昇した。不良債権処理が順調に進んでいると、市場が判断したためだ。なのに今回は逆の動きを見せている。

──痛みを伴う改革は国民にも支持されたはずだ。皆、何を心配している？　金融機関や借り手の企業が健全経営に戻れば、景気は良くなるんだぞ。

イライラしながら道を歩いてると、誰かにぶつかった。二十歳ぐらいの背の高い若者だ。ふわっとした鶏冠《けいかん》のような頭髪をしている。こんなヘアスタイルが流行っていると、何かの記事で読んだ覚えがあった。ソフトモヒカンとかいうやつだ。ハリウッドスターを凌ぐ人気のサッカー選手、デビッド・ベッカムがしている髪型らしい。

若者は一郎を一瞥した後、無言で立ち去った。

──何だ、すみませんもなしかよ。ったく近ごろの若い奴は……。

考え事に没頭し、前方不注意だったことは棚に上げ、一郎は毒づいた。

──ああいう子どもを生んだ親が、株を売りまくってるんじゃないのか。自分のことしか考えていない連中だ。

久しぶりに早く家に帰ると、妻の佳江が居間でテレビを見ていた。

「今帰ったよ」

佳江がゆっくりとこちらを振り向いた。

「近ごろ忙しくて死ぬ思いだったから、今日は早めに失礼させていただいた。もう年だからね。若い頃のようにはいかん。腹が減った」

「ごめん。ご飯作ってないわ。食べてくると思ってたから。レトルトしかないけど、いい？」

「いいよ」

佳江が台所に立ち、何やら電子レンジで温め始めた。一郎が好物のマーボー丼だ。一郎は冷蔵庫の扉を開け、ビールを取り出した。

「お前も一杯どうだ」

グラスを二つ手に持って、妻を見やった。

「いい」

佳江が、ガーと音を立てて過熱している電子レンジから目を離さず、答えた。いつもなら「そうか」と引き下がるところだが、今晩はもう少しだけ粘ってみたかった。せっかく早く帰ってきたのだ。

「そういわず、久しぶりに一杯付き合えよ」

「近ごろビールがなんだかまずいのよ」

佳江が、ドンとマーボーのどんぶりをテーブルに置いた。

「じゃあ白ワインは？　冷えてるだろう」

「いい。疲れてるからもう部屋で休む。食べ終わった食器はシンクに置いておいてね」

休むといってもまだ七時になったばかりだ。とはいえ、母の介護を任せていることを思い出した。疲れるのも無理はない。

そういえば母親とは半年ほど会話を交わしていなかった。電話ぐらいかけなくてはと思いつつ、忙しさにかまけて連絡を怠っていた。

携帯電話を取り出し、実家の番号にかけた。留守録になっている。なかなか会いに行けなくてごめん。仕事が一段落したら見舞いに行くから、と簡単なメッセージを残した。

バタンと寝室の扉が閉まる音がした。もう随分前から寝床は別々だ。きっかけがあったわけではない。自然とこうなった。一郎は書斎のソファーベッドで寝ている。寝返りを自由に打てるので、眠るときは一人のほうが気楽でいい。

マーボー丼を掻き込み、ビールを空けた。三百五十ミリでは足りないので、もう一本飲もうか迷ったが、結局もっと強い酒を飲むことにした。スーパーニッカを舐めながらテレビのニュースを眺めていると、見知った痩せた顔が映っていた。

中村正章だ。

コメンテーターをやっている。いつの間にやらテレビに出ているなんて知らなかった。反体制色の強い、左寄りの局である。

株価の暴落について、キャスターに意見を求められた正章は、したり顔で言う。

「銀行の不良債権処理と、緊縮財政を一遍に行うのはよくありません。緊縮財政が企業経営を圧迫し、さらなる不良債権を生みます。それをまた処理していたら、日本経済は致命的な打撃を受けます。株価が下がるのは当たり前ですよ」

ウイスキーを一気に飲み干し、チャンネルを変えた。別の局のニュースでは株価ではなく、ワールドカップを話題にしていた。何でも日本の「島唄」がアルゼンチンで大ヒットし、サッカーアルゼンチン代表チームの応援歌になったのだという。

二杯目のスーパーニッカを飲んでいると、意識が朦朧としてきた。若い頃は何杯飲んでも大丈夫だったのに、やはりもう年だ。知らず知らず、一郎は舟をこぎ始めていた。

ソファーの上で目覚めた。ちゃんとパジャマを着ている。昨晩の記憶はなかったが、どうやら何とか寝床にたどり着けたらしい。

時計を見ると、もうすぐ出勤の時刻だ。慌てて風呂場に行き、シャワーを浴びた。普段は朝シャワーなどしないが、酒臭さが残っているような気がした。

風呂から出て、ばたばたと服を着た。台所に行くと、佳江が洗い物をしていた。

「飯はいい。時間ないから」

「そう」

インターフォンが鳴った。運転手が迎えに来たのだ。審議官には専用車がつく。黒塗りの車に乗り込み、霞が関に向け出発した。

午前中は会議の連続だった。メインの議題はいかに株価を回復させるか。このままだと政権支持率も下降の一途をたどるばかりだ。

様々な意見が出たが、結局何も具体的に決まらないまま昼休みを迎えた。オフィスに戻り、携帯電話を確認すると姉から着信があった。至急コールバックして欲しいという。

「いったい何を考えてるのよ」

電話口から怒りに満ちた声が聞こえてきた。

「どうしたんだ？」

「どうもこうもないわよ」

佳江とはローテーションを組んで母の面倒を見ているが、ある日、偶然実家の近くまで来たので寄ってみると、佳江の代わりに見知らぬ女性がいたのだという。

「訪問介護の人なんだって。頼んでないって言ったら、山崎さんに頼まれたって。いっちゃんなんでしょう。佳江さんに文句言われたの？　もう姑の介護なんかしたくないって？」

「いや、おれじゃないよ」

「本当？　じゃあ佳江さんが独断で頼んだのかしら」

「だろうな」

「あたしやいっちゃんに一言も相談がないなんて、随分失礼な話じゃない。介護って家族がやるものよ。専門業者に頼むのは、本当ににっちもさっちも行かなくなった時。うちはまだそんな状況じゃなかった。おまけに、訪問介護の人は佳江さんの穴を埋めただけなのよ。あたしはちゃんとお母さんの面倒見てるのに、佳江さんは他人に任せて遊んでるのよ。許せないでしょう、こんなの」

「うん……まあ、そうだね」

「いっちゃん、奥さんの尻に敷かれてるんじゃないの？　ピシッと言ってやらなきゃダメよ」

仕方なくその日の晩、家に帰るなり、佳江を捕まえ真偽を確認した。

「ええ、その通り。あたしが頼んだ」

悪びれもせず、認めた。

「姉さんかおれに、事前に相談してくれてもよかったんじゃないか」

「義姉さんに相談してもダメって言われるの、分かってたし。あなたは仕事で忙しそうだったし、邪魔したくなかったから」

「そりゃ忙しいけど、親の介護の問題だから、一言相談して欲しかったな」

「お義母様の家に一度も来たことがないのに？」

いつもはポーカーフェイスの佳江の顔が、一瞬だけ歪んだ。

「こういう時のために貯金しておいたお金を使ったから、誰にも迷惑はかけてないわよ。家計は大丈夫だから心配しないで」

給与は自分の小遣い分を懐に入れ、残りは佳江に預けている。金銭感覚はあるほうなので、細かいことに口出ししたことはない。

「そうだろうけどさ。姉さんお冠《かんむり》だし、あまり波風立てて欲しくないんだよ」

「じゃあ、契約を解除すればいいのね」

「いや、そんなことは言ってないよ」

介護は身内がやるものという考えは古いと一郎は思う。介護のプレッシャーから、心身ともに疲弊してしまう家族が後を絶たない。だから一昨年、介護保険制度が施行された。国民の共同連帯の理念に基づき、必要な保健医療サービスや福祉サービスに係る給付を行うためだ。

「姉貴の分も、介護士を雇ってればよかったんだがね」

「うちで負担していいなら、そうする。だけど、お義姉さん、介護は家族がするものだって意見だから」

「うん……まあ、そうなんだけどさ」

「そろそろお風呂入りたいんだけど」

会話を切り上げ、腰を上げようとする佳江を「待ってくれ」と呼び止めた。

「今後は、事前に相談して欲しい」

「わかった」

義母の介護をするのは、やっぱり嫌か？　と口元まで出かかったが、飲み込んだ。まず、自分はどうなのか、と自問しなければいけない。

佳江がシャワーを浴びている間、姉に電話をかけ、事情を説明した。最初は納得していなかった姉も、最終的には折れた。

「姉さんも辛かったら、専門の介護士に頼んだらどうなの？　費用はうちで持ってもいいから」

「そのくらいのお金なら、うちにだってあるわよ。お金の問題じゃないの。そういう偉そうなことは、お母さんのオムツを交換してから言いなさい」

ガチャリと乱暴に電話が切られた。ため息をつき、冷蔵庫に行って飲み物を漁っていると、美里がいつも飲んでいるスムージーが、一パックだけ残っていることに気づいた。

――そういえば美里にしばらく会ってないな。忙しかったからな。

冷蔵庫を閉め、美里の部屋に向かった。ドアは閉まっていた。中から物音は聞こえない。一つ息を吸い、ドアを叩いた。返事はなかった。

「美里。お父さんだ。入るぞ」

ノブに手をかけた。鍵はかかっていなかった。

中は暗かった。電気を点けると、まず、きっちりとメイクされたベッドが目についた。高一の春に買った無垢《むく》材の机の上は、きれいに整頓されている。

まだ帰っていないのか？　もう十時だぞ。

何かが欠けているような気がした。何だろうと考えているうちに、ひらめいた。ノートパソコンだ。ローズゴールドのＭａｃが、いつも机の上にあった。それがない。

「何やってるの？」

振り向くと、タオルを頭に巻いた佳江が立っていた。

「美里はどうしたんだ？」

「引っ越したわよ。知らなかった？」

「引っ越した？　いつだ？　聞いてないぞ」

「だから今言ってる」

「今言ってるじゃないよ。どこに行ったんだ」

以前美里は、大学近くのマンションに越したいと言っていた。父親として断固反対したが。

「女子寮に空きができたんだって」

女子寮と聞いて、少しだけ冷静になった。女子寮ならば管理人がいて、不審者の出入りは、厳しくチェックされるだろう。門限だってあるはずだ。

「美里が直接、お父さんには言ったと思ったけど」

「いいや。聞いてない。いつ越したんだ」

「先週の火曜日だから、もうかれこれ一週間くらい前の話じゃないかしら」

そんなに前だったのか。一週間も娘が家にいないことに、気づかなかったのか……！

「お父さん、マンションには反対だけど、女子寮はOKだったんでしょう」

――OKした覚えはないぞ。いや、したか？　記憶は曖昧だ。

「あたし、もう寝るね」

佳江があくびをしながら立ち去ろうとした。

「おい、ちょっと待てよ。そんな重要なこと、なんで事前に相談してくれなかったんだ」

佳江の腕を引っ張った。

「さっきも同じこと言ってたわね。義母さんの訪問介護のことで」

佳江が醒めた目で一郎を見つめた。

「だってあなた、家にいないじゃない。家庭のこととか、あまり興味ないんでしょう」

「いや……そんなことはない」

フンと鼻を鳴らすと、佳江は腕を振り切り、寝室に引き上げていった。

7

仕事にあぶれたビルにコンタクトしてきたのは磯部だけではなかった。付き合いのある暴力団員からもオファーがあった。お前なら大物になれると、肩を叩かれた。なぜか彼らに同類と見られてしまう。丁寧にお断りした。もうこういう世界からは足を洗いたかった。

またビル管理に戻ろうと、不動産会社の募集に応募したが、ことごとく蹴られた。巷は思っていたより不況だった。クラブの中だけが別世界だったのだ。

新宿を歩いている時、スカウトから声をかけられた。このように声をかけられるのは、初めてではない。以前なら無視して通り過ぎたが、その日は面接を受けた会社から、不採用通知を受け取ったばかりだった。話だけでも聞いてみようと、スカウトの男に付いていった。

スタバでコーヒーを飲みながら、話を聞いた。映画の配役オーディションを受けてみないかという。昭和の時代の不良高校を舞台に、ツッパリたちが抗争を繰り広げる映画の企画があり、ガタイのいい見栄えのするやつを探していると男は説明した。演技などやったことがないと言ったが、大丈夫だと男は答えた。

「主人公を取り巻く不良グループの末端の役だから、台詞なんかないよ」

やや肥満気味の男が、ミルクのたっぷり入ったコーヒーをすすり、言った。

家に持ち帰って考えると答えたものの、心は決まっていた。どうせ失業中の身の上。チャンスは活かすに越したことはない。翌日男に連絡し「よろしくお願いします」と頭を下げた。

都内のスタジオで簡単な演技テストをさせられ、長机に並んだひげ面の、いかにも業界人と思しき審査員たちから質問を受けた。

「きみってハーフ？」と一人の審査員に訊かれた。

「いえ。よく言われますけど、純粋な日本人です」

「日本人にしてはいい身体してるね。仕事は何してたの」

クラブでイベント関係の仕事をしていたと答えた。

「じゃあ、やんちゃしてたわけだ」

そうではないと言いたかったが、苦笑いするにとどめた。翌日、合格した旨の連絡をもらった。そんなに早いのかと驚いたが、どうも最初から内定していたらしい。弥生人顔が多い不良グループの中でアクセントをつけるため、バタ臭い顔を探していたのだと、後になって知らされた。

ビルはスカウトの男、吉田が勤める茂木プロという芸能事務所に所属することになった。

そして撮影の日――。

台詞といえば「おー！」だの「ざけんなっ」だの「ぶっ殺す」だのしかなかった。乱闘シーンは好きなように本気でやれと言われたので、けが人が続出した。端役《はやく》が鼻血を出したり、顔に青たんを作ったりする度に「いいぞいいぞ！　リアルで」と監督は喜んだ。反対に主演の人気イケメン俳優の顔は絶対に傷つけてはならなかった。主演俳優は常に取り巻きに囲まれ、撮影が終わるとビルたちには見向きもせず、一番大きな控室に引きこもった。ビルたちは倉庫のような大部屋に閉じ込められ、そこで着替えやメイクをした。貴重品を預けるところなどなく、各人で管理しなければならなかった。

三日間の撮影で様々なことを学んだ。自分が序列の一番下という現実を嫌というほど味わわされた。芸能界には相撲のような番付がある。横綱には付き人がたくさん付き、大きな楽屋が用意され、ギャラも破格だ。一方ビルのような序の口は、人間として扱われているのかどうかすら怪しかった。ならば自分もいずれ横綱になってやる、と野心が湧いた。

茂木プロは、茂木社長の下、吉田のようなスカウト兼マネージャーが三名、事務アシスタントが二名しかいない小さな所帯である。所属するタレントは三十名ほど。そのうちの数名は、ビルも知っている有名人だが、残りの人間は正直見たことも聞いたこともなかった。皆テレビや映画より、舞台での活動がメインらしい。舞台では特に演技力を問われると、物の本に書いてあった。

事務所で吉田に、演技を学びたいと直訴した。吉田は、先輩の背中を見て学べと答えるなり、すぐに出て行ってしまった。しばらく所在なく立っていると、爽やかな雰囲気の痩せた男が入ってきた。いざなぎ春斗《はると》という先輩タレントだ。

「すみません」と声をかけた。春斗が振り向き、なんだ？　という風に顎を上げる。ビルは自己紹介し、稽古を見学させて欲しいと申し出た。

「新人？」

「そうっす。『昭和つっぱりデスロード』でチョイ役やらせていただきました」

「ああ、あのひでえ映画。高校生が、日本刀とかチェーンソー振り回して乱闘するやつだろ。あんなんじゃ演技なんか学べねーよな」

「事務所で演技指導してくれると思ってたんですが」

甘い甘い、と春斗が首を振った。

「ここはまだ良心的なほうだぜ。他の所なんか、研修生って名目で演技指導料取るからな」

タレントを夢見る若者を、食い物にする芸能事務所は多いらしい。どう見てもデビューできそうにない若者たちから、大金をむしり取ることで生計を立てているという。

春斗が出演する舞台に、裏方として参加することになった。

雑用をこなしながら、役者たちの稽古風景を盗み見た。舞台での演技は一言で言えば、オーバーアクションである。日常会話なのに、まるで演説するように喋る。ひそかに持ち込んだＩＣレコーダーに録音し、家に帰って彼らの口調を真似てみた。最初はこそばゆかったが、やっているうちに徐々に慣れてきた。

映画出演で貰ったギャラは、ファミレスで食事をしたら消えてしまう額だったから、相変わらず金欠状態にいた。そんなビルを不憫に思ったのか、例のバーのマスターが、バイトをしないかと持ち掛けてきた。

「もうこの年になると、深夜帯はキツくなって来たんだよ。よかったらビルに受け持ってもらいたい。遅い時間だから時給も割増しになるしね」

断る理由などなかった。マスターに礼を言い、その日からバーテンダーとして勤め始めた。滞納していたアパートの家賃も、これでやっと払える目途がついた。

春斗の付き人をしながら、バーテンダーまでこなすのはきつかったが、ビルは頑張った。そして映画出演から二ヶ月ほど経ったある日、二度目のオファーが来た。

死体の役だった。目を見開いたまま、死んでいてくれという。ビル演じる雑木林に捨てられた他殺体の近くで、刑事とやくざがバトルを繰り広げるというシーンである。撮っている間、瞬きせず息も止めていろと命じられた。十二月の早朝ロケで、辺り一面霜が降りていた。そんな中、震えることも呼吸することも許されず、ひたすら「死体」に徹した。格闘を演じる役者二名が揃って下手糞で、何度もNGが出た。やっとOKが出たころには、日が西に傾きかけていた。撮り終えた映像を見ると、格闘シーンのアップばかりで、死体が映ったのはわずか二秒だけだった。

次に入った仕事は、舞台。カエルの着ぐるみを着せられた。

ゲロゲロゲロと鳴きながら舞台を飛び跳ね、トラックに轢かれてぺしゃんこになるという役だった。大人は無言だったが、小さな子どもはゲラゲラ笑ってくれた。

その次は学園ドラマの友人Aの役。

台詞があると聞いたので喜んでいると、台本が届いた。「うわっ、うんこ漏れそう！」と、尻を押さえ、便所に飛び込むだけの役だった。なぜうんこが漏れそうなのか監督に訊くと、そんなことは自分で考えろと怒鳴られた。

バーでグラスを磨いていると、しばらく会っていない顔が入ってきた。忍だった。久しぶり、と言いながらスツールに座る。止まり木に他の客はいなかった。

「様になってるね」

バーテンダーのことを言っているらしい。メールで連絡は取り合っていたので、互いに近況は知っている。忍は大学を卒業し、契約社員として働いていた。忍がいつものようにグラスワインを注文した。

「どう？　役者のほうは？」

「なんともいえないな」

「大変なの？」

「大変っちゃ大変だけど……」

箱屋をやっていた頃は、大枚を稼いでいた。しかし、今は貧乏役者だ。ビル管理をやっていた時も、今よりは潤っていた。

「役者の世界は貧富の差が激しいんだよ——」

トップは一等地の豪邸に住み、高級外車を何台も乗り回す。一方ド底辺の役者は道端の雑草を食《は》みながら生きている——。

「それは役者の世界だけじゃないよ」

忍が言葉を遮った。

「普通のサラリーマンだって同じ。っていうか、ますます酷くなってきてる」

世の中は、まだバブル崩壊後の不況から抜け出してはいないのだという。バブル期の記憶はビルにもあった。中学生くらいまでの日本は、金持ちだったはずだ。一億総中流といわれ、皆幸福そうにしていた。ところがいつの間にやら、格差が叫ばれるようになった。はしゃぎ過ぎた罰が当たったのだろうか。

「確かにバブルのころの日本人は酷かったよ。お金さえ持ってれば、後はどうでもいいと思ってたし。そもそも日本人ってのは、貧しいながらも、清く正しく美しくを好む国民だったはずなのに」

昭和初期のドラマを見ると、主人公は真っ当に生きる貧乏人で、鼻持ちならない悪役は皆金持ちだった。ところがバブル期は立場が逆転し、金持ちのおしゃれな若者が活躍するトレンディドラマが主流となった。

「いつまでこんな状況が続くんだろうな」

ビルが言った。

「いつまでも続くと思う。このままじゃね」

「どうしたらいいんだろう」

「ビルはどう思うの？」

忍にジッと見つめられた。相変わらず切れ長のきれいな目をしている。

「やっぱりおれたち、っていうよりバブル期に大人だった上の世代がはしゃぎ過ぎたんだろうな。そのツケをおれたちが払わされてる。頭に来るけど、仕方がない。箱屋なんかやって、あぶく銭稼いでる場合じゃなかった。真面目に働かんとな。芸能界が真面目かどうかは意見が分かれるけど、少なくともおれは真面目に役者をやろうと思ってる。弱音を吐いちゃダメだ。今厳しい状況に置かれているのは、誰のせいでもない。自分自身の責任なんだ」

政府も自己責任論を振りかざしている。こんな状況だからこそ、強く生きなければ。

「あんたの考えは間違ってない。でも、それだけじゃいけないと思う」

忍が何を言わんとしているのか、よく分からなかった。

「そういえば、忍は確かおれが有名人になるって言ってたよな。おれが芸能界で成功するってことか？」

「それもあるけど――まあ、ビルはもっと経験を積まないとね」

ワインを空け「じゃあまた」と、忍は去って行った。

――もっと経験を積まないと……か。

思い切り上から目線の物言いだ。とはいえ、しばらく会わないうちに忍は随分と大人びたような気がする。社会人になって、いろいろ苦労しているのかもしれない。

8

近年の合弁・統合で新たに生まれた四つのメガバンクが、そろって巨額増資に踏み切った。過小資本で国有化される事態を防ぐためだ。

さらに国はりそな銀行に二兆円の資金を投入し、国有化することに決めた。大銀行といえども厳しく、がモットーだったが、この方針を百八十度変え救済を実行したのだ。

メガバンクの巨額増資や、りそなの公的資金注入により、銀行株は高騰した。銀行だけではなく株式市場そのものに活気が戻った。小泉首相と竹中大臣はこれを「改革が進んだおかげだ」と自賛した。

新型コロナウイルスSARSがアジアや北米で猛威を振るっている頃、自民党総裁選が行われ、小泉純一郎が再選された。一時は、再選は危ういとささやかれたが、株価が上がり、景気も回復したのが追い風となった。

内閣改造が発表された時、竹中大臣は留任し、引き続き金融、経済財政政策を担当した。内閣府付きの審議官という一郎のポストにも変化はなかった。

ある晩、久しぶりに早く帰宅しようと机の上を整理していると、同僚が近づいてきた。同じ小泉・竹中派の官僚仲間だった。

「いやあよかったですね。竹中さんも留任が決まって」

反竹中を掲げる人間は、党内にも官僚の中にもいた。国民ではなく、アメリカの方を向いて政治を行っていると、彼らは竹中を批判した。

「久しぶりにどうですか、一杯？」

一郎より四歳年下で、国交省から出向している、酒付き女付きで、銀座のクラブにも頻繁に出入りしているという噂の男である。

「いや、今日は遠慮しておくよ」

「そう言わずに、乾杯しましょうよ。第二次小泉改造内閣発足祝いに」

「わかった。遅くならないならいいよ」

なじみの銀座の小料理屋に行った。個室に入り、シャンパンで乾杯すると、男が改革路線は成功に向かっている、と切り出した。

「一時は危うかった株価も上がってますしね。国民が改革を評価してくれた証です」

「うん。まあ、そうだな」

と答えたものの、引っ掛かる点が無きにしもあらずだった。そもそもなんでりそなにだけ、公的資金を注入したのか。ダメな金融機関は潰すのも辞さない、が改革の要諦だったはずである。株価が上がったのは、改革のおかげというより、りそなへの資金注入が市場を安心させたからではないのか。それに、二兆円という破格な額は、どうみても多すぎる。りそなの監査法人の担当会計士が、自殺するという不可解な事件も起きた。

外資系ファンドが、資金注入前のりそな株式を大量購入し、莫大な利益を上げたという噂もちらほら聞こえてきた。インサイダーの疑いがあると責められても、仕方のないような話だ。

「どうしたんですか、山崎さん。元気ありませんねえ」

べらべらしゃべる同僚を尻目に、一郎は寡黙に杯を傾けるばかりだった。

「そろそろ、河岸《かし》を変えますか」

「いや、おれはもう失礼するよ」

「そんなこと言わないで。もう一軒付き合ってくださいよ。山崎さん、仕事のしすぎじゃないですか？　たまには発散しないと身体によくないですよ。さあ、行きましょう」

急かされて席を立った。次に連れて行かれたのは、銀座ではなく六本木の高級クラブだった。こういう店に来るのは久しぶりだ。

「いらっしゃいませ〜」

深いスリットの入ったドレス姿の女性たちに迎えられた。皆、娘のような年齢だ。

「ひーちゃん、久しぶり。元気にしてた〜?」

ひーちゃんとは同僚のことらしい。苗字が日垣だから、こう呼ばれているのだろう。日垣が「元気だよ〜」と鼻の下を伸ばした。

店内すべてを見渡せる奥まった席に案内された。VIPルームらしい。

「この人は偉い人なんだぞ、なんたって小泉政権の——」

おい、と日垣の言葉を遮った。余計なことはしゃべって欲しくない。

「大丈夫ですよ〜、山崎さん。ここは場末の安キャバクラじゃありませんから。皆、秘密は守ってくれます」

日垣が眉尻を下げた。しかし、一郎はもはや、日垣の言っていることなど聞いていなかった。少し離れたテーブルに座っている、真っ赤なミニドレスを着た女性が気になって仕方なかったからだ。

「おっ、好みの女の子、見つけましたか」

日垣が目ざとく反応した。

「かれんちゃんですね。あの子、若いし、可愛いからねー。ここに呼びますか?」

隣に座っていたホステスが訊いた。一郎は答えず立ち上がり、女性に向かって歩いていった。

「えっ？　ダメですよー。今、接客中ですから」

無視して女性に近づいた。女性が気配を感じ、一郎を振り向いた。驚きと恐怖の色が顔に宿る。ポーチを持って女性が立ち上がった。化粧室に逃げ込むつもりだろう。一郎は足早に後を追った。そして、女子トイレのドアを開けようとしていた腕を取った。

「やめてよ」

女性が抵抗する。

「どうしましたか？　何か問題でも？」

振り向くと、サングラスをかけた大柄な男だった。盛り上がった肩や胸の筋肉のせいで、着ていたスーツがはち切れんばかりである。

「ああ問題だね」

男を睨みつけながら答えた。タッパでは一郎も負けていない。

「これはおれの娘だ」


本当はこの場で美里を家に連れ帰りたかったが、一郎は良識ある大人だ。そんなことをしたら、美里のメンツが潰れ、店にも迷惑がかかる。

「今週末、家に来い。いろいろ説明してもらうからな」と言い残し、美里を解放した。その代わり、早々に自宅に引き揚げ、すでに床に就いていた佳江を起こして、事情を説明した。

佳江は無表情で聞いていた。当然驚くだろうと思っていたのに、反応が鈍い。小さくあくびをされ、ついに一郎の怒りが爆発した。

「おい、ちゃんと聞いてるのか？　お前まさか、知ってたわけじゃないだろうな」

「知らないわよ」

「だったらもう少し、取り乱してみせろよ。娘がホステスをやってたんだぞ」

「ホステスがいるような店にはよく行くの？」

「何を言ってるんだ。今そんな話をしてるんじゃないだろう。生活費も与えてるのに、なんであんなことをしてる？　まさか、大学をやめたわけじゃないよな」

「大学はやめてないわよ」

「お前、やっぱり何か知ってるんじゃないのか」

佳江が小さなため息をついた。

「あの子、ワンルームマンションに住んでるのよ。だから家賃が大変なんじゃない？」

「マンションだって？　許した覚えはないぞ」

「あの子はもう二十歳になったのよ。好きにやらせてあげればいいじゃない。家賃だって自分で払ってるんだから、大したものよ」

「ホステスで稼ぐのが、大したものなのか」

「あなた、夜の仕事をしている女性に偏見でもあるの？　っていうより、女性全般に偏見があるのよね。どうせ女なんかって、心の底では馬鹿にしてるんでしょう。あたし自身、いつも見下されてるの、知ってたから。高卒だし、バレリーナ崩れだし」

　佳江がこんなにはっきり物を言うのは初めてだった。今まで溜まっていたものが一気にあふれ出たように、佳江は喋り始めた。

「あなたは優秀で努力家で、官僚試験にも受かって、黒塗りの車でお迎えが来るまでに出世したんだから、それはすごいわよ。周りからも、こんな偉い人の奥さんで、鼻高々でしょう、羨ましいわって散々言われたわ。でも、あたしは自分自身が羨ましいなんて思ったことは、一度もなかった。決めるのはすべてあなたで、あたしは決められたことをただ実行するだけ。一人前の人間とは見なされていないような気がした。おまけにあなた、決めた事にはすぐ興味を失うでしょう。そもそも、家庭のことになんか、関心がないのよ」

「――いや、そんなことはないよ」

　佳江とは見合い結婚だった。父親の仕事仲間から、おれの娘をお前の息子にどうだ、と紹介された。もう二十五になるっていうのに、フラフラしてばかりで世間体が悪いと、後に義父になる男性はこぼした。佳江は、小さい頃から舞踊をやっていて、高校卒業後、とあるバレエ団に入った。ところが、なかなか芽は出なかったらしい。本人も限界を感じているようだった。

　そこに見合い話が持ち込まれた。バレリーナと聞いて、自己主張が強いタイプかと思ったが、そうではなかった。容姿も悪くなかったので、前向きに考えた。先方も一郎を気に入ったようだった。こうして二人は、知り合って一年後に式を挙げた。

　一九五〇年生まれの一郎には、女性は家庭を守るものという固定観念があった。五歳年下だし、自分のほうが高等教育を受け、世間のことにも詳しい。イニシアティブを取るのは当然と思った。

別に佳江を見下していたわけではない。むしろ守ろうとしていた。余計なことで頭を痛めないよう、配慮してやったつもりでいた。佳江もそういう関係を望んでいると思っていた。

それを根底から覆され、ショックだった。

「あなたは優秀な人よ。何にでも目標を立てて、努力して達成できる人。でも、みんながみんなそうじゃないの。自分と同じようにすることを人に強要しても、無理なのよ。だから太一は家を出て行ったんじゃない」

山崎家の長男、太一は高校卒業と同時に、家を出て行った。もうかれこれ四年以上会っていない。美里より三歳年上だから、二十三になっているはずだ。

「太一は元気にしてるのか」

息子が母親や妹には、ちょくちょく連絡を入れていることは知っていた。

「ええ、元気よ。でも、そんなに取ってつけたように訊かないでね」

「何でもっと早く言ってくれなかったんだ」

「何を？」

「さっきお前がさんざん批判したようなこと、すべてだよ」

佳江が大きなため息をついた。

「どうして言わなければ分からないの？　そんなに頭がいいのに、どうしてこういうことは気づかないの。だからあなたはダメなのよ」

きっぱりと否定され、一郎は返す言葉もなかった。

9

春斗のビルに対する態度は、どんどんエスカレートしていった。

タバコや缶コーヒーを買いに行かされたり、肩を揉めと言われたり――。

「お前さあ、取り柄は身体がでかいだけなんだよ。台詞棒読みだし。もっと本気出せよ」

人前で聞こえよがしに説教をし、先輩風を吹かせるのも得意だった。「はい」と神妙に聴いたが、春斗が決して器用な役者でないことは見抜いていた。

二歳年下の春斗から何を言われようが、黙って従っていたビルだったが、ある日、ついに堪忍袋の緒が切れる出来事が起きた。

閉店間際の時刻、春斗が仲間を引き連れ、ビルが勤めるバーにやってきた。春斗たちは既に泥酔していた。カウンターにいたビルを認めるなり、春斗がゲラゲラと笑い出した。

「お前、その蝶ネクタイ、ダッセー」

テキーラをボトルで持ってこいと命じられた。塩とライムとショットグラスと共にボトルを持っていくと、春斗がボトルを奪い、ラッパ飲みした。下品な飲み方はして欲しくなかった。ここはカクテル好きが集まる大人の店だ。男たちは次々にボトルの回し飲みを始めた。一人がむせて鼻から酒を噴き出すなり「きったね〜な！」と大騒ぎする。他の客たちが次々に席を立ち、店を出て行った。

春斗が大きなジェスチャーで何か言った拍子に、グラスがなぎ倒された。派手な音を立て、破片が床に飛び散り、近くのテーブルにいた女性が「きゃっ」と叫びながら飛び退いた。

もう黙っているわけにはいかなかった。

ツカツカと春斗たちのテーブルに歩み寄り、他の客に迷惑がかかるから騒ぐのは止めてくれと告げた。春斗たちは無視して騒ぎ続けた。今度はもっと大きな声で「騒ぐのは止めてください。さもなくば、出て行ってもらいます」と命じた。

「お前、おれにそんな口利いていいの？」

春斗が立ち上がり、顔面を近づけた。

「こいつ、おれの付き人なんだぜ。おれが色々世話してやってるんだぜ」

春斗が仲間を振り返り、言った。

「それとこれとは関係ないです。騒ぐなら出て行ってもらいます」

「なんだと、この野郎」

春斗が眉根を寄せた。普段は乱暴な言葉を使う男ではない。かなり酔っているのと、仲間の前でメンツを保ちたいという気持ちもあったのだろう。

「出て行ってやるよ！　こんなきったねえ店、二度と来るか」

男たちが立ち上がった。帰り際に春斗がテーブルの脚を蹴った。飲みかけのグラスや皿、テキーラのボトルが床に落ち、砕けた。

ワイシャツのポケットに札が突っ込まれる。春斗が「取っとけ」と言い、背を向けた。

「これじゃ足りません。割れたグラスや皿の代金も、お願いします」

「わざと落としたわけじゃねーよ。足がテーブルに引っかかっただけだ。大目に見ろよ」

「待ってください」

立ち去ろうとする春斗の肩に手を置いた。

「おれに触るなよ」

「代金をお支払いください」

「しつけーんだよ、お前」

「支払ってもらわないと、おれがオーナーに弁償しなければいけません」

「だったら弁償すりゃいいだろう」

背を向けようとする春斗の腕を摑んだ。

「触るなって、言ってんだろう！」

振り向き様にパンチを食らった。蚊が止まったくらいの衝撃だった。一方春斗は苦悶の表情を浮かべていた。中途半端に握った拳だから、突き指でもしたのだろう。

「代金をお支払いください」

ビルはもう一度、低い声で申し立てた。

「困るんだよねー」

マネージャーの吉田が、眉をひそめた。

「いざなぎは、わが社のトップだからさー。傷物にしちゃったらダメだよ」

傷物といっても、右手の指を骨折しただけだ。それもビルの額を殴ったからこんなことになった。反撃しなかったこちらのほうが被害者ではないか。

「あれじゃアクションシーンもできないし。ともかく、お前はしばらく謹慎だな。社長もすんごく怒ってるぞ」

勝手にしろ、と思った。春斗はトップクラスではないが、ドラマの準主役などをこなし、それなりに知名度もある。事務所の稼ぎ頭というのも頷ける。その春斗が怪我のせいで休養を取っている。事務所としては大きな損失だ。

事件から一週間ほど経ったある日、偶然街中で春斗とすれ違った。右手にはまだ包帯を巻いていた。自分のせいではないといえ、罪の意識を感じ、謝ろうと春斗に近づいた。こちらに気づくなり、春斗の顔色が変わり、逃げるように去っていった。

吉田からの連絡はぷっつり途絶えた。実質クビの状態だった。何度か電話をかけ、伝言を残したが返事はなかった。

演技の基本がわかり、仕事が面白いと感じている時期だった。事務所を変えることも考えたが、よほどうまくやらなければ芸能界を永久追放されるリスクがあった。

そんな折、一人の女がビルを訪ねて来た。同じ事務所に所属する、愛花《あいか》というグラビアアイドルだ。何度か会話を交わしたことがあるが、特段親しくしているわけではなかった。

「ビルさんって、頼りになりそうだから、相談に乗ってもらいたいと思って——」

社長から事務所移籍を勧められているという。同じ系列の、もっと大きな事務所だ。

知名度のある事務所に行けば、それだけ仕事の幅が広がる。芸能界ではタレント本人の実力以上に、事務所の力が大きく作用する。

例を挙げれば、バーターと呼ばれる取り引き。英語のバーターは本来「物々交換」のことである。ところが芸能界では「抱き合わせ出演」を意味した。バーターとはBarterではなく「束《たば》」を逆さまにした「バーター」なのだ。力の強い事務所であれば、所属の人気タレントとのバーターで、売り出したい無名の新人をゴリ押ししてくれる。こうして新人の知名度はアップしていく。

「いいじゃないか。チャンスは生かすべきだよ」

事務所を変えたいと思っているビルからすれば、羨ましい話だった。日本の芸能界はまだまだ野蛮な世界だ。下手に商売敵に移籍したら、前の事務所から「あいつだけは使うな」とお達しが届く。前の事務所のほうが力があれば、テレビ局も制作会社も従わざるを得ない。

「だけど、ナンだか臭うんです」

先日、先方の事務所社長と面談をさせられたという。

「あたしの胸ばっか見てたし。いえ、見られるのは慣れてるんですけど。なんか面倒なこと、起こりそうだし」

つまり、枕営業をさせられるということか。愛花はどちらかと言えば天然系だから、与《くみ》しやすく見られるのかもしれない。

「だったら断ればいい」

「う〜ん。そうなんですけど〜。このまま今の事務所にいても、売れないグラドルのままババアになりそうだし。あたし、やっぱ将来女優とかやりたいんで。女優なら息が長いし」

それからもちょくちょく愛花はバーに顔を見せた。相変わらず、悩んでいた。もう余計なことは言わず、黙って愛花の話を聞いた。そしてある晩、酔った愛花を介抱している拍子に唇が重なった。客が退けた後で、店には二人以外誰もいなかった。愛花は自分からブラウスのボタンを外した。フルカップブラに包まれた大きなバストが露わになると、ビルも急いでズボンを下ろした。着衣のまま二人は交わった。まるでアメリカンドラマのような展開だった。

「あたし、やっぱり事務所変えることにした」

事が終わると、何事もなかったように愛花が言った。

翌日愛花は、茂木社長に移籍に同意する旨を伝えた。社長は喜んで愛花を新事務所に送り込んだ。本人も知らないところで、移籍金が支払われていたのかもしれない。

事務所を変えるや否や、愛花の露出は劇的に増えた。写真集を出し、少年漫画誌の表紙を飾り、深夜のバラエティにも出演するようになった。ＳＮＳのフォロワーは数十倍に増え、イベントにもファンが押し寄せた。

一躍有名になったにもかかわらず、忙しい合間を縫って愛花は会いに来た。狭いアパートに入るなり、待ちかねたように服を脱ぎ、ビルにむしゃぶりつく。情熱的な子だった。

ある日、いつものようにアパートに来た愛花は、珍しく浮かない顔をしていた。あいさつ代わりの軽いキスをするなり、ベッドに腰を下ろし「は〜」とため息をつく。どうしたのか尋ねると、社長とのアポをすっぽかして来たのだという。

「だってホテルのレストランでディナーだよ。上に部屋取ってるに決まってるし」

愛花によれば、新藤という社長と二人きりで食事をするのは、これで二度目。最初の食事の際、社長は愛花を事務所総出で応援すると約束したらしい。そのおかげで、愛花は今や有名人だ。表を歩くときはサングラスとマスクが欠かせない。

「手を握られて、『きみがブレイクした時は、二人で乾杯しよう。大丈夫、おれはきみのためなら何でもするから』って——もう、何求められてるか分かるでしょう。確かに社長は約束守ってくれたから、ありがたいけど——だけど、あたし、そういうの好きじゃないし。事務所の力だけじゃなくて、あたし自身の努力だってあったはずだし」

テーブルの上に置いてあった愛花のスマホが振動した。すっぽかされた社長からだと愛花は見向きもしなかった。ビルが画面を確認すると、「茂木プロ」と表示されていた。

「違うよ。茂木社長のほうだ」

愛花がスマホを耳に当てた。「はい、はい」と返事をし、しきりに「すみません」と頭を下げている。

「はい……でも、あたし、そういうのじゃないんで……大人になれないのは分かってます。すみません。新藤社長にはすごく感謝してます。でも、それとこれとは……はい、すみません。あたしにお金がかかってるのも知ってます……」

愛花が救いを求めるようにビルを見た。彼氏としては黙っているわけにはいかない。愛花のスマホを奪い、名を名乗った。

「なんだお前か？　愛花と何をしてる？　愛花は今仕事中なんだぞ」

茂木社長ががなり立てた。

「仕事って、ナンの仕事です？　事務所の社長とホテルで二人っきりになるのが仕事ですか？」

「いいから愛花に替われ」

「本人は嫌がってます。だからプライベートで会うのは控えるよう、社長の方から先方にお伝え願えませんか」

「お前、自分を何様だと思ってるんだ」

「一応、愛花と付き合ってます」

「何？　商売品に手を出したのか？　売り出し中の大事な時期なんだぞ」

「商売品じゃありません。人格を持った人間です」

「お前なんかクビだ！」

ブツリと電話が切れた。クビと言われても実質クビの状態が続いていたから、痛くも痒くもない。


翌日早朝、マネージャーの吉田から電話があった。吉田とは春斗の一件以来喋っていない。今日の三時に愛花の事務所に行け、と命じられた。

「二人でですか」

　ビルはまだベッドで眠っている愛花をチラ見した。

「馬鹿野郎！　一人で行くんだ」

　一緒に朝食を取ると愛花は帰って行った。今日はオフなので、原宿で買い物をするという。ビルの勤務は午後六時からだったので、三時のアポに問題はなかった。

　愛花が所属する芸能事務所は、新宿西口の雑居ビルの中にあった。扉を開けると、広いオープンスペースで、ラフな格好をした人々があわただしく仕事をしていた。誰もビルに目も留めないので、近くにいた女性に、アポがある旨を伝えた。女性は面倒くさそうに受話器を握り、確認を取ると、ビルを奥の応接室に通した。開いた穴からスポンジがはみ出した、合成皮革のソファーが置いてある茂木プロの応接室と違い、一目で高級仕様と分かった。ビルはふかふかのソファーに腰を下ろした。

　部屋に入ってから一分も経たないうちに、ドアが乱暴に開かれた。入ってきたのは、ビルもよく知っているタイプの男たちだった。

「お前か？」

　スキンヘッドで眉毛のない男が、目の前に仁王立ちした。ビルはゆっくりと立ち上がった。ビルのタッパに驚く様子が伝わってきた。一瞬ひるんだスキンヘッドだったが、すぐ眉間にしわを寄せ、顔面を近づけてきた。こめかみには、コブラのタトゥーが彫ってあった。後ろに控えた仲間は、ホストのような髪型をした目の細い男だ。こちらも、はだけたシャツからタトゥーを覗かせている。二人ともビルより若く見えた。

「うちのタレントに手ぇつけたんだってなー。いい根性してるよ、お前」

——自己紹介もなし、名刺も差し出さず、いきなりこんな応対か……。

残念ながら芸能界もイベント業界と同じように、こういう連中と縁が切れないらしい。十代の頃の自分だったら、こいつらと遣り合っていたことだろう。しかし、そんなものはもうとっくに卒業した。

「今後いっさいうちのタレントに近づくな」

スキンヘッドが凄んだ。ビルは無言だった。

「おい、聞いてんのかよ、お前！」

後ろにいたホストが怒鳴った。よく見ると貧相な身体をしている。前衛にスキンヘッドがいなかったら、これほど威勢よく物が言えたかどうか。ビルは相変わらず沈黙を守った。とはいえ、おびえているのではないことを示すため、スキンヘッドの目を見つめ続けた。ここにリンゴでもあったら、握り潰して見せてやれるのだが——。

スキンヘッドは、戸惑っていた。このままでは、話が進まない。かといって拳を振るえば、反撃されてしまうかもしれない。相手はガタイがいい。とはいえ、ここで引き下がったら男が立たない。舐められたら終わりだ——。

「しかたねえなあ……」

スキンヘッドが最悪の決断をした。胸倉を摑まれたのだ。

「おれを舐めると承知しねえぞ、ゴラ」

──しかたねえのはこっちだ。

脅されているし、二対一だし、正当防衛が成立するだろう。もうこんなことはしたくなかったが、血の気が多すぎるこいつらが悪い。ビルが胸倉を摑み返した。そのまま腕に力を込めると、スキンヘッドの身体がゆっくりと浮き上がった。恐怖を湛《たた》えた小さな瞳に、ビルが映っていた。

「遅れてすみません」

もう一人男が入ってきた。大柄な男だった。ビルが力を緩めると、スキンヘッドが着地し、ゲホゲホと咳をした。

「何か問題がありましたか」

きちんとスーツを着込んだ男が質した。どこかで見たことがある顔だと思った。先方も同じことを思ったのだろう。男二人に、もういいから席を外せ、と命じた。スキンヘッドが「でも田中さん、こいつは……」と言いかけるや、男は先ほどまでの紳士的な態度から一変し「いいから、とっとと出て行け」とドスの利いた声で命令した。

田中と呼ばれたごつい男の鼻柱に、数年前頭突きを食らわせたことがあった。イベント会場で大暴れしていた時には、こっそり裏口から逃がしてやったこともある。

「驚いたな」

「それはこっちの台詞だ」

田中が名刺を差し出した。統括マネージャーと書いてある。カラーギャングを卒業し、芸能事務所に就職していたのには驚いた。

「まあ、おれの場合は正規ルートじゃないけどな」

田中はケツモチとして事務所に雇われたが、そのうち日常業務も手伝うようになったという。結婚を機に、まともな職に就きたかったし、芸能事務所の仕事は性に合っていた。メキメキと実力を発揮し、チンピラにも睨みが利く田中に、社長は全幅の信頼を寄せるようになった。

「よかったじゃないか」

本心からそう思った。腕に観音様のタトゥを入れたバンダナリーダーの下にいた頃の田中は、はっきり言って哀れだった。腕っぷしが強いから、切り込み隊長としていいように使われていた。田中が捕まっても、リーダーは助けにさえ来なかった。それでも田中は、チームに忠誠を尽くした。

リーダーが仲間の妹に手を出したのを境に、目覚めたという。妹はまだ中学三年生だった。妹から相談を受けた兄は、リーダーに詰め寄った。リーダーは、五千円札を兄に握らせようとした。その手が「ふざけるな!」と払いのけられた。次の瞬間、兄の鼻っ柱に拳が飛んだ。倒れた兄を執拗に踏みつけながら、中指を突き上げるリーダーを目の当たりにし、田中は拳を固く握り締めた。

「今までナンでこんなやつの手下をやってたんだって、情けなくなったよ」

田中はリーダーの後襟をつかんだ。振り向き様に、渾身の右フックをぶち込んだ。リーダーは三メートルほど吹っ飛び、動かなくなった。幸いにも死んではいなかったらしい。

その後田中は、自分のチームを作った。そして事務所のケツモチを任されるようになり、現在に至った。

「まさか、あんたとこんなところで再会するなんて、思わなかったぜ」

田中が言った。ビルは、ここに呼ばれた経緯を説明した。田中は余計な口は挟まず、じっと聞いていた。話し終えるや「なるほどな」とため息をついた。

「この件、おれに預からせてくれるか」

「どうするつもりだ」

「お前の女なんだろう」

「まあ、そうだけど」

「だったら社長に手を引くよう言うよ」

「大丈夫なのか？」

「問題ない」

新藤社長は、有名な女好きなのだという。アプローチをかけているのは、愛花一人ではないらしい。

「だから、大丈夫だ」

しかし、無理なテコ入れをしたら、愛花が干されてしまうのではないか。

「心配するな。こう見えてもおれは、今や社長の右腕なんだ。そんなことはさせねえから。お前には借りがあるしな」

田中が約束した通り、新藤社長は愛花から身を引いた。出演していた番組を降ろされることもなく、グラビアの仕事も減らなかった。愛花はビルに抱き着き、何度もキスをした。

「ビルならやってくれると思ってた。ほんと、あんたサイコーだよ」

「そうか」

背中がこそばゆかった。

「パッと見はやんちゃに見えるけど、ビルってすんごく優しいの、あたし最初から知ってたから。だからいつかあんたの彼女になりたいって、ずっと思ってたから」

確かに子どもの頃は、そこそこやんちゃをしていた。しかし、弱いものいじめをしたことは一度もなかった。むしろ弱者のために戦った。

初めて取っ組み合いの喧嘩をしたのは、小学五年の時。クラスには東山という男子がいた。ガリガリに痩せ、魚の瞳のように外斜視《がいしゃし》だった東山は、女子より体力がなく、九九《くく》もろくに暗唱できないほど成績が悪かった。噂を聞きつけた六年生のやんちゃグループが、東山にちょっかいを出し始めた。「やめてくれよ～！　何でこんなことするんだよっ」と泣きながら訴えるのが面白いのか、上級生のいじめは日に日に残虐さを増していった。

ある日の放課後、上級生たちが、東山の背中にストーブで熱した文鎮《ぶんちん》を入れようとしているところに出くわした。東山は悲鳴を上げながら抵抗した。ビルは「やめろ！」と声を上げ、駆け寄った。上級生は全員で五人。ビルを無視していじめを続けた。

文鎮が襟の内側に落ちるなり、東山はジャンプをしながらのたうち回った。ゲラゲラと馬鹿笑いが起きた。ビルが一人の上級生の後襟を摑み、力任せに引っ張った。すてんと尻もちをついた拍子に、後ろにでんぐり返った上級生は、何が起きたのか理解できない様子で天井を見つめていた。

皆の顔が引きつった。六年生とはいえ、ビルより大柄な少年はいない。どこからか棒きれを持ち出した一人が、雄叫びを上げ、ビルに襲い掛かった。他の男子たちも続いた。棒の一撃をガードすると、ビルは無我夢中で両腕を振り回した。気が付いたら五人とも床に伸びていた。あばらが折れた男子もいたらしく、病院に搬送されていった。

教師による事情聴取が行われ、親が呼ばれた。最終的に、クラスメートを救うため、五人の上級生と取っ組み合いをしたビルに非はなかったという結論に至った。この件をきっかけに、東山に対するいじめはピタリと止んだ。

小・中学生の頃の成績は良かった。だから高校は、都内でも有数の進学校に進んだ。ところがここで、人生初の挫折を味わった。周囲にいたのは秀才ばかりだったからだ。一年の時に受けた学力試験では、下から数えたほうが早いような成績に落ちた。これをバネに猛勉強すればよかったが、ビルは十六歳にして早くも燃え尽きていた。

うるさい親の言いつけを守り、必死に勉強してここまでたどり着いた。もうこれ以上は限界だ。少し休みたい——。

父親とうまくいっていない時期でもあった。学力試験の結果を報告するなり、父は烈火のごとく怒りだした。

ビルは自分と同じようにドロップアウトした仲間とつるむようになった。授業をサボって盛り場をうろつき、チーマーたちと遣り合ったこともあった。とはいえ、クラスで浮いていたわけではなかった。ビルの周りには常に人がいた。秀才にもオタクにも体育会にも、ビルは好かれた。学年トップのやつに、進路について相談されたこともある。ビルは、相手の立場に立って物事を考えることができる人間だった。

大学には進まず、卒業と同時に家を飛び出した。先輩のアパートに転がり込んでバイト生活を送っていたが、たまたま目についたビル管理会社の募集広告に応募し、三ヶ月の見習い期間を経て正社員として採用された。

「進学校だったんでしょう。大学行けばよかったのに。もったいない」

愛花が言った。

「まあそうだけど、あの頃は早く家を出て自分で稼ぎたかったんだ。それにおれ、能力の限界感じてたし」

「あたしの行ってた高校は底辺だったけど、去年現役で東大に受かった人が出たんだよ。そんなに頭いいのに何で偏差値四十の高校にいたんだって、ネットで話題になってた。ホント、謎だよね。だけど、これってもしかして、人間その気になれば何でもできるってことの証なのかもしれない」

「そうかもしれないな――」

元々勉強が嫌いではなかった。だからいずれ機会があれば、また始めたいと思っている。しかし、当面の目標はまず役者として身を立てることだ。

第二章　蠕《せん》動《どう》

1

「泣くな！　くじけるな！　まだまだ行けるぞ。さあ、一緒に走ろう！」

言うなりビルは、春高バレーの初戦で敗退したチームメンバーを率い、グラウンドを疾走した。その姿をテレビカメラが追いかける。いいシーンが撮れれば途中でカットし、休んでもいいのだが、ビルたちはグラウンドをきっちり十周した後、汗まみれになってへたり込んだ。

走り込みが終わり、今度は選手たちと熱く語るシーン。ビルが叱咤激励すると、全員が涙ぐんで頷いた。厳しい口調だが、根底には優しさがある。悪いところははっきり指摘するも、フォローは忘れない。だから生徒たちはきちんと聴く。明日への活力を得、再び試合に挑んでゆく。

撮影が終わるや、田中が親指を立て、首肯《しゅこう》した。ビルが部活の場に赴き、部員たちを励ます「熱血助っ人コーチ」は人気番組「情熱スポーツ王国」の中でも一番人気のコーナーだ。

きっかけは、田中の独立だった。新藤社長が暖簾分けに同意してくれたのだ。自分の芸能事務所を持つことは、田中の長年の夢だった。事務所設立を機に、「うちに来ないか」と誘われた。茂木プロは実質クビ状態だったので、ありがたい申し出だった。

「だけどおれなんか雇って、問題はないのか？　新藤から嫌がらせされたりしないか」

「大丈夫だよ。おれが育て上げた人気タレントを、大勢置いて行くんだから。円満独立だ。今度はお前をスターにしてやるよ。お前には、人を惹き付ける何かがある。それを引き出せなかった茂木は無能だ。おれに任せろ」

田中は次々に仕事を取ってきた。ドラマや舞台だけではなく、バラエティやパチンコ営業まで、ビルは実に多様な経験をさせられた。

ブレイクのきっかけとなったのは「芸能人運動王決定戦」という、身体能力に自信のあるタレントを集め、ナンバーワンを決めるという番組だった。競わせる種目は、徒競走や幅跳びなどの陸上系に、跳び箱、鉄棒などの体操系、それにバスケ、サッカー、相撲、綱引きも加えたバラエティに富んだものだった。

パワー系競技ではビルは断トツのトップだった。しかし球技で苦戦し、体操ではビリに転落。まさか優勝はないだろうと誰しもが思ったが、幅跳びで巻き返し、徒競走ではボルト並みの俊足を見せた。僅差で優勝したビルに、ネットでは「やらせではないか」と憶測が飛んだ。番組の公式ＨＰで、やらせは一切ないと明言したにもかかわらず、噂が絶えることはなかった。

テレビ局は、番組をやり直すことを正式決定した。これほど盛り上がっているのだから、高い視聴率が取れると見込んだのだ。しかしこれは、ビルにとって大いなる試練だった。

「今度も絶対に優勝しろよ」

田中に命令された。

「でなきゃ、お前はペテン師にされるからな」

本番までの一ヶ月。苦手なバスケや跳び箱を夜中まで練習し、ジムでは限界までバーベルを上げた。田中が本番前の二日間、安静にさせるため強制入院させたほど、ビルは日々肉体を痛め続けた。

そして撮影の日。集まったメンバーを見て、背筋が凍てついた。前回はいなかった、元トップアスリートのタレントが、二人も混じっていたのだ。一人は世界レスリングでベスト8に残った男。もう一人はオリンピック体操の銅メダリストだった。いじめのような配役である。

この二人は自分の専門以外でも異能を発揮した。特に銅メダリストのドリブルやシュートのうまさには、皆が目を見張った。とはいえ、猛特訓と強制入院のおかげで、万全のコンディションで臨んだビルも、負けてはいなかった。玉の汗を掻き、歯を食いしばるその姿には鬼気迫るものがあった。

序盤からビルとアスリートタレント二人が優勝を争う展開となった。中盤、銅メダリストが、他の二人を大きく引き離した。誰しもが優勝はこの男だろうと予想した。

ところが終盤、アクシデントが立て続けに起きた。銅メダリストが徒競走で転倒し、最下位となったのだ。そして、跳び箱の着地に失敗したビルは、足をくじいた。銅メダリストは、無念のドクターストップ。ビルも棄権を迫られたが、かぶりを振った。残る競技は鉄棒と相撲のみ。相撲はともかく、鉄棒なら足首をテーピングし、着地にさえ注意すれば、何とか行けそうだった。

結局決勝戦に残ったのは、元レスラーとビルだった。田中が「準優勝でもお前の汚名は晴らされる。棄権しろ」と詰め寄った。

「いや。続ける」

「馬鹿か。相手はレスラーだぞ。レスラーと相撲取って勝てるわけがないだろう。おまけにお前、足をくじいてるんだぞ」

田中が目の玉をひん剝いた。

「だが、相手はおれより小さい。体重もおれのほうがある。賭けてみたい」

プロフィールによれば、元レスラーはビルより身長が十センチ低く、体重は五キロ少なかった。

「勝手にしろ。何が起きても、おれは知らんぞ」

スパッツの上から廻しを締め、土俵に上がった。露わになった相手の上半身は、まるでギリシャ彫刻のようだ。引退してからも、日々のトレーニングを欠かさないからだろう。

相撲は、行司の合図で始めるものではない。お互いの呼吸が合えば、立ち合う。

立ち合いには0コンマ1秒遅れた。気づいた時にはすでに懐に入り込まれ、廻《まわ》しを握られていた。「はっきよい、残った！」と甲高い行司の掛け声が、鼓膜を震わせる。

投げられる、と思った。

身体が浮き上がった瞬間、足を相手の軸足に巻き付けた。敵も負けてはいなかった。驚くべきパワーで、無理やりビルを投げ捨てようとする。敵に抱き着き、必死に堪えた。くじいた足首に、錐《きり》で穴を空けられているような激痛が走った。とはいえ、幸いにも手足はこちらのほうが長い。しばらくそのまま硬直状態が続いた。いったん向こうが力を緩めたので、ビルも呼吸を整えようとした。その瞬間、廻しに力が込められた。油断した隙に、投げようという魂胆だ。

――そうはさせるか！

再び足を絡めようとしたが、すでに遅かった。身体が弧を描き、落下していく。すんでのところで本能が働いた。自分でもよく分からないやり方で、身体をねじった。ビルの大きな身体が敵に覆いかぶさる。不意を突かれた敵は、土俵に背中から落ちた。

軍配はビルに上がった。

割れんばかりの歓声が轟いた。


ネットでは「メダリストがこけたのはやらせ。相撲もやらせ」という声が上がったが、少数派だった。多くの視聴者は、ビルの頑張りを認めた。「決勝の相撲はガチにしか見えなかった。凄かった」と称賛してくれた。

二度の優勝のおかげで、プライムタイムの視聴率では一、二を争う体育会系バラエティ「情熱スポーツ王国」の「熱血助っ人コーチ」のコーナーを任されることになった。熱血助っ人コーチのキャラは皆に愛され、ビルの知名度は全国レベルに上り詰めた。


「だから、有名人になるって言ったでしょう」

しばらく音信不通になっていた忍から届いたメールにこう書いてあった。久しぶりに会わないか、と返信した。

一年近く会っていなかった忍と、料亭の個室で再会した。忍はグレーのパンツスーツ姿で現れた。今は、お受験専門の家庭教師をやっているという。

「凄いところだね。やっぱり有名人は違うね」

忍が個室の中を見回しながら言う。普段はこんな店など来ないが、近ごろ街中を歩いていてもサインを求められるようになった。ゆっくり話ができるところといえば、こういう場所しかない。

「おれ、連絡したんだぜ」

しばらく前に、近況報告のメールを送ったが、返信はなかった。

「そうだっけ？」

忍が嘯《うそぶ》いた。

「そうだよ。覚えてないのか？」

忍はゴクリとビールを飲むと、居住まいを正した。

「だって、ビル、彼女ができたんでしょう」

以前バーテンをしていたバーで、マスターから聞いたのだという。

「本業が忙しくなったから、もうここでは仕事してないって言われて、帰ろうとしたら、ちょっと言いづらいけど、一応言っておいたほうがいいと思うからって前置きしてから、マスターが教えてくれた」

「もう別れたよ」

正確には捨てられたと言うべきか。愛花は泣きながら、別に好きな人ができたと告白した。愛しているし、結婚したいという。引き留めても無駄だった。ビルは「幸せになれよ」と笑顔で送り出した。結局愛花とは半年も続かなかった。

風の便りによれば、今はその彼氏とも別れ、別の男と付き合っているらしい。恋多き女なのだ。

「じゃあ今は彼女、いないの？」

「ああ」

とはいえ、忍が彼女になってくれるとは思わない。忍には一度拒絶されている。

「ところで芸能界は、どう？　水が合ってる？」

忍が話題を変えた。

「まあ、世話になってるから悪く言いたくはないが、色々理不尽なことが起きる業界だな」

未だに古い体質が抜け切れていない。独立すれば干されるし、反社会的勢力との癒着も相変わらずだ。不透明な経理。理不尽なピンハネ——。

ギャラに関しては、相場の額を貰っているので不満はなかったが、田中は未だ半グレややくざと付き合いがある。「ああいうやつらがバックにいたら、弱小事務所のおれたちが舐められることはねーからな。安心安全のために仕方ねーんだよ」と田中は言う。分からなくはないが、そんな業界で果たしていいのか。

「そういえば今、田中ってやつの事務所にいるけど、忍も知ってる男なんだぜ」

クラブで田中たちが暴れていたのを知らせに来たのは忍だった。忍は、やくざにボコボコにされた田中を、こっそり裏口から逃がしてやった時も一緒にいた。

「あの時の大柄な人でしょう？　うん、覚えてる。へ～え。今では芸能事務所の社長さんなんだ。意外な才能があったんだね」

「相変わらずやんちゃ体質からは抜け切れていないけどな」

「あたし、アメリカの芸能事情について調べたことがあるんだよ。きっかけは、年次《ねんじ》改革要望書《かいかくようぼうしょ》。アメリカは何でもグローバルスタンダード、つまりアメリカンスタンダードに合わせろって言ってくるのに、日本の芸能界にだけは手をつけないんだよね。もっともハリウッド俳優が、日本で活躍してもあまり意味がないと思うけど」

いきなり忍がこんなことを言い出すので驚いた。年次改革要望書？　グローバルスタンダード？

「年次改革要望書ってのは、成長のための日米経済パートナーシップとかもっともらしい理屈をつけてるけど、要は日本はもっと市場を解放して、アメリカ人に儲けさせろって要望書のこと。ほら、郵政民営化とか、日雇い派遣の解禁とかあったでしょう。ああいうのはみんな、アメリカからの要望だったんだよ。日本の市場に参入しやすくするためのね」

「へえ」

「でも要望書の中に、芸能のことは書いてなかった。だから、日本の芸能事務所はまったく変わってないの。みんなアメリカのことを批判するけど、こと芸能に関しては向こうの方が民主的だよ。日本も見習うべきだと思う」

アメリカには日本にはない芸能人の労働組合があり、タレントの不当な扱いは、厳しく規制されているという。日本の独占禁止法に当たる反トラスト法というものもあり、タレントエージェントと映像制作会社は厳密に分けられているらしい。

「だって利益相反が起きるじゃない。エージェントとタレントにとっては、出演ギャラは高い方がいいわけでしょう。だけど映像制作会社は、制作コストを安く上げたいから、ギャラは削りたいはず。吉本興業は所属タレントを使って自社でお笑い番組を制作してるみたいだけど、そんなこと、アメリカでは許されないから」

そういえば、お笑い芸人はよく、吉本はギャラが安いとギャグ混じりにぼやいている。しかし、テレビ局をも黙らせるほど強大な吉本に、本気で闘いを挑む者はいない。

「他にも確かタレント・エージェンシー法ってのがあるよ」

忍がトートバッグの中からノートパソコンを取り出し、検索にかけた。

「えっと……ほら、これだ。道徳的に問題のある人物をエージェントから排除するため、ライセンス制度を設け、ライセンスを持たない者をエージェントとして活動することを禁じる法律――」

ビルも一緒に画面を覗き込んだ。解説にはカリフォルニア州の例が載っていた。


エージェントライセンスの申請者が「善き道徳人」であるか、あるいは申請者が法人の場合は「公正なる取引で好評を得ていること」を証明する、少なくとも二名の名士の宣誓書を添付しなければならない（第六項）。

認可は毎年更新されなければならない。申請者は認可と更新に先立ち、五万ドルの保証金を労

働長官に供託しなければならない。当該保証金は、エージェントがタレントにギャラを支払わない場合の違約金、あるいはエージェントに問題があった場合の損害賠償金の原資となる（第一五、一六項）。

事務所には売春婦、男娼、ばくち打ち、アルコール中毒者など素行不良者が出入りすることを禁ずる（第三五項）……。


「凄いなこれは。これじゃ日本の芸能事務所は全滅だ。アメリカじゃ、とてもじゃないけど商売できない」

「でしょう」

「日本の芸能界も変えていかんとな」

「もちろん芸能界は変えなきゃいけないと思うけど、それだけじゃ何だか小さいよね」

忍がパソコンを閉じ、意味深な瞳を向けた。

「ビルは、もっと大きな仕事をする人間になるんじゃない？」

久しぶりに会う忍からは、たくさんの刺激を貰った。

忍は実に様々なことを勉強している。いつの間にやら、自分の三歩も四歩も先を歩いていた。同い年にはとても思えなかった。

忍は「ビルは、もっと大きな仕事をする人間になる」と言った。以前にも、有名人になると言われ、その通りになった。忍の予言は当たる。ということは、自分は役者という枠には収まらないような活動を、いずれすることになるのだろうか。

2

戦争で混迷していたイラクでは、外国人拉致事件が頻発していた。そんな折、日本人のボランティアやジャーナリスト男女三名が現地の武装勢力に拉致されるという事件が起きた。武装勢力は人質解放の条件として、サマワに駐屯《ちゅうとん》していた自衛隊の撤退を要求した。

ブッシュ大統領とは良好な関係にある小泉政権としては、当然飲めない要求だった。一郎も官吏としては、毅然とした態度を取るべきと思った。テロに屈してはならない。しかし、一人の人間としては、彼らの安全を確保するため、最大限の努力を払うべきと考えた。拉致されたメンバーは、美里と年齢の変わらない未来のある若者たちだ。

しかし、世論は彼らに冷たかった。小泉政権発足以来、しきりに語られるようになった「自己責任論」のせいである。確かに拉致された若者たちは、イラク渡航自粛要請や、退去勧告を無視していた。しかし、自己責任論を葵《あおい》の紋章のように掲げ、本人やその家族までバッシングするネットの住民がいることに、一郎は薄ら寒いものを感じた。

幸いにも彼らは無事釈放されたが、同じ年の十月に拉致されたバックパッカーの若者は、政府が要求を飲まなかったため、武装組織に斬首《ざんしゅ》され、その様子がネットで公開された。このような凄惨な事件にもかかわらず、遺族は自ら自己責任論に言及する声明を出した。もし太一がこの青年のように斬首されたら、果たして自分も同じことをするだろうかと一郎は自問した。

日本社会から一億総中流という言葉が消えたのは、いつ頃であったろうか。おそらく橋本政権の末期からだ。そして小泉政権に代わったあたりから、格差社会がしきりに語られるようになった。自己責任を強要する人々の不寛容さも、格差社会と無縁ではなかった。昔の日本人は、もっと慈しむ心を持っていたはずだ。

このように、殺伐とした世相だったが、景気は回復していた。五パーセントを超えていた失業率も四パーセントに戻った。政府は例によってこれを改革の成果と喧伝《けんでん》した。無論、改革を否定するつもりはない。しかし米国や中国経済が好調だったため輸出が伸びたのも、景気回復の要因であることは明らかだった。

車で外出の帰り、一郎は運転手に「ここで降ろしてくれ」と告げた。

「タクシーで戻るから。待ってる必要はない」

偶然にも実家近くを通りかかったのだ。母とはかれこれ一年近く会っていない。電話を掛けたことはあるが、いつも留守電になっていた。姉からは意識はやや混濁しているものの、身体は元気と聞いている。

訪ねて行かなければと思いつつ、多忙を理由に足が遠のいていた。いや、本当は行くのが怖かったのかもしれない。ずっと義理を欠いていたため、母親に合わせる顔がなかったのだ。

昭和の時代に建てられた古い家の門をくぐった。門扉《もんぴ》の隣に植えられた柿の木の枝が、随分と伸びていた。子どもの頃はよく、成った柿をもいで食べたものだ。まだ元気だった母が、手際よく包丁を操り、くるくると皮を剝いていた姿を思い出す。

　インターフォンを鳴らしても返事はなかった。玄関の鍵は開いていた。

「一郎だよ。入るよー」

　声をかけ、引き戸を開けた。

　三和土《たたき》のところに見慣れたパンプスがあった。廊下の奥からバタバタと足音が響き、佳江が現れた。

「来てたのか？」

「あなたの方こそ。どういう風の吹き回し？」

「いや、近くまで来たものでね。今日は訪問介護、来ないのか」

　一郎が靴を脱ぎ、家に上がった。

「すべて介護士さんに任せてるわけじゃないから。お義母さん、今食事を終えたばかりよ。食欲、旺盛よ」

　居間に行くと、母がソファーに座ってテレビを観ていた。随分と小さくしぼんでしまったような気がする。

「母さん久しぶり」

　挨拶すると、母がこちらを振り向いた。一郎の姿を認めても、表情に変化はなかった。

「なかなか会いに来れなくて、ごめんな。何しろ仕事が忙しくてさ――」

「お義母さん。このブラウス、洗濯しておくね」

一郎の背中から佳江が顔を出した。無表情だった母の顔がぱあ～っと明るくなった。

「ああ、お願いね、佳江。その花柄、すごく気に入ってるから、色落ちさせないようにね」

「はいはい。大丈夫だから」

それから後も、母はヨシエ、ヨシエと呼びながら佳江の後を追いまわした。

「お義母さん、あたしのことを本当の娘と思ってるみたい。お義姉さんが長女、あたしが次女ってとこかしら」

「随分と好かれてるんだな。驚いたよ」

「それは献身的に介護してるからね。お義姉さんにはキチンと報告しておいてよ。介護士に任せっきりじゃないってことを」

「もちろんだ。ありがとうな、佳江」

そういえば、妻に礼を言うなど何年振りだろう。

「母さん」

佳江と一緒に洗濯機の中を覗き込んでいる母に声を掛けた。

「佳江とうまくやってるようで、嬉しいよ。困ったことがあったら、何でも言ってくれ」

母が息子の顔をまじまじと見つめた。靄《もや》がかかったような瞳をしていた。

「どなたさんですか？」

母がゆっくりと口を開き、尋ねた。

その晩、一人居間でウイスキーを飲みながら、色々なことを考えた。

バックパッカーの青年が拉致されたと一報が入った時、政府内には「またかよ」「どうして国のいうこと守れない」と、批判的な声が相次いだ。とはいえ、現地の有力者を通じて、水面下の交渉は行っていた。だが最終的には決裂し、青年は処刑されてしまった。

政府は国民からの非難を恐れたが、思っていたほど叩かれなかった。殺された青年の遺族自ら、自己責任論に言及したからだ。物分かりのいい遺族で助かったと、皆胸を撫で下ろした。

しかし、これはあくまで対外的なもので、遺族は心の奥底では張り裂けんばかりの悲しみに暮れていたに違いない。息子を見殺しにした日本政府を、さぞや憎んだことだろう。天国にいる青年は、決して親に見捨てられたわけではない。

――だけどおれは、見捨てられてしまったんだな。

一郎はぐびりとウイスキーを飲み干した。

「どなたさんですか？」と訊かれてしまった。佳江が「いやあねえ、お義母さん。息子の一郎でしょう」と笑ったが、納得した様子ではなかった。一度こういう風になったら、元に戻るのは難しいと聞いたことがある。母親は息子の存在に気づかぬまま、死を迎えることになるのだろうか。とはいえ、息子の代わりに、もう一人娘がいると思い込んでいるようだから、悲観的に考える必要はないのかもしれない。母は佳江といる時は、本当に嬉しそうだ。

グラスに注いだウイスキーに口をつけたが、薬品のような臭いがしたので、瓶の中に戻した。うまいと感じるのは、最初の一口だけだ。年を取るにつれ、酒に弱くなった。

「そもそもあなたは、家庭のことになんか、関心がないのよ」と佳江に言われたことを思い出した。確かにその通りだ。頻繁に母のもとを訪ね、面倒を見ていたら、こんなことにはなっていなかっただろう。

なぜか唐突に母の若い頃の姿が脳裏をよぎった。

一郎の好物だからねえ、とおはぎを作っている母の後ろ姿だった。

——母さん……。

止めどなく溢れる涙を、堪えることができなかった。


「バブル景気を超えた」好景気。

景気拡大は小泉政権から安倍政権、福田政権へと引き継がれた。遂にはいざなぎ景気を抜いたと言われたが、一般国民は、好景気の恩恵を受けているとは露ほども感じていなかった。景気がよいとしても、一部の金持ちだけが儲けを独占していると、皆思っていた。

トリノオリンピックで、荒川静香が華麗なイナバウアーを披露し、金メダルを取った頃、母が逝った。予想していた通り、母は最期まで一郎のことを息子と認識せず、息を引き取った。あれから定期的に母の元に通い、子ども時代の思い出を色々話して聞かせたが、徒労に終わった。

その年の秋、小泉劇場が終焉を迎えた。後継者には小泉内閣の官房長官を務めた安倍晋三が選ばれた。一郎は大臣官房から中小企業庁へ異動となった。つまり出世はこれで打ち止めになったということだ。

家に帰るのも比較的早くなった。家で本を読んだりテレビを観たりする機会も増えた。

近ごろ熱心に観ているのが、東都大学経済学部教授の中村正章がコメンテーターを務めるニュース番組だ。ことごとく政府を批判する、左寄りの番組だが、気が付くとなぜか熱心に見入っている。

その日正章は、景気と格差の話をしていた。

「──国民が好景気を実感できていないのは、賃金や消費に波及するのが遅れているからと政府は言い訳していますが、ぼくはそうは思わないんですよね」

「それは、どうしてでしょうか」

女性キャスターが質問する。

「日本企業のメンタリティが変わったんです。そもそも、企業の業績が上がったのは、大規模なリストラを行ったせいですよ。そして儲けは株主配当や、内部留保に振り分けられ、ちっとも労働者には回ってきません。非正規雇用があちこちで常態化していますから、経営者は皆、社員は使い捨てだと思っているんです」

一郎は憮然とした顔で、国産の赤ワインを飲んだ。ウイスキーはもう胃が受け付けないから、アルコール度数の低い酒を飲むようになった。

社員は使い捨てという気風が、日本企業の多くに蔓延していることは知っていた。就職氷河期と言われ、大学を卒業した美里も、なかなか勤め先を見つけられずにいた。その状況を見かねて就職先を紹介してやろうとしたが、にべもなく断られた。

「どうせ、お茶くみ専門なんでしょう。男女雇用機会均等法とか言ってるけど、口先ばかりで、女は出世なんかできないし」

一郎が紹介しようとしたのは、老舗の大企業ばかりだ。確かにこういう会社には、未だに男尊女卑の思想がはびこっている。とはいえ、安定しているし、給与も高い。未来の伴侶を見つけるのにも、理想的な環境だ。

「今の大学と学部。偏差値と見栄えだけで仕方なく選んだけど、後悔してる。社会学とかあんまり興味なかったし。あたし、専門学校に入り直そうと思ってるんだ。空間デザインを勉強したいの」

学費は自分で払うから心配するなという。バイトで貯めた金がまだあるらしい。

六本木のホステスは辞めたみたいだと佳江は言っていたが、怪しいものだ。

「お父さんたちが、こんな国にしちゃったからね」

美里にジロリとにらまれ、思わず瞳を泳がせた。

「でもまあ、あたしにとってはよかったのかも。だって、自分の人生を真剣に考え直すいい機会だったから。これからの日本は、専門知識を持ってる人とか、やる気のある人しか生き残れないんじゃない」

その通りだ。企業は人材を使い捨てにしているが、使い捨てにならないような強い人間に育ってほしい。

「だから、あたしがコネ入社なんかしたら、お父さんの自己矛盾になっちゃうからNGだよ。それから、官僚の天下りなんかもやめるべきだね」

返す言葉がなかった。美里の言うことは、いちいちもっともだ。知らぬ間に美里は立派な大人になっていた。


証券取引法違反容疑で逮捕された、ホリエモンこと、堀江貴文ライブドア前社長の実刑判決が決まった。近鉄球団やフジテレビの買収に名乗りを上げた、若者に絶大な人気を誇る経営者である。一昨年には衆議院選挙にも出馬し、応援演説に駆け付けた武部幹事長は「わが弟、わが息子です」と持ち上げた。

ホリエモンは、一郎自身が信奉するアメリカ型経営を実践していたが、個人的にはどうも好きになれなかった。傲慢なことばかりいう、生意気なやつに見えたからだ。才能があるのは分かるが、もう少し謙虚になれないものなのか。とはいえ、ウォール街で活躍する若いアメリカ人が謙虚だとは誰も思っていない。

しかし、ホリエモンよりも世間の耳目を集めたのが、消えた年金問題だった。基礎年金番号に統合されていない過去のデータが、五千万件もあることが判明した。いかに社会保険庁がデタラメな管理をしていたかが分かる事件だった。

さらに驚いたのは「消えた」ではなく「消された」年金も存在したということだ。経営悪化で苦しむ中小の事業主に対し、社会保険事務所の職員が「従業員に対する標準月額報酬を安くごまかせば、会社が払う保険料も安くなる」などと、信じがたいアドバイスを行っていたのだった。

なぜこんなことをしたのか。

それは、社会保険事務所では保険料の徴収率如何で、所長の出世が決まるといわれていたからだ。だから、どんな方法を駆使しても徴収率を上げるのが、至上命題となっていた。

今までにも公務員の不祥事が度々指摘されてきたが、今回のこれは、超ど級のスキャンダルだ。同じ公務員として恥ずかしかった。

年金問題や複数の閣僚による不適切発言、なかなか改善されない格差社会などが原因だったのだろう。自民党は七月の参院選で歴史的惨敗を喫した。党創立以来守り続けてきた参議院第一党の座を、民主党に奪われてしまった。

発足したばかりの改造内閣をわずか二週間で放り出し、安倍首相が突然の辞任を表明したのは九月だった。

そんな頃、中村正章が事務所を訪ねてきた。

「中小企業の倒産状況について、ヒアリングに来たんですよ。で、山崎さんがこちらにいらっしゃると聞き、これはご挨拶に行かないと、と参上しました」

こちらが勧めてもいないのに、近くの椅子を引き寄せ、デスクの目の前に座った。久しぶりに見る正章は、相変わらず痩軀で、頭の毛も随分と薄くなっていた。

「本当に久しぶりですね。ご無沙汰していてすみません」

「こちらこそ、連絡しないで悪かった。何しろ忙しくてね」

時計を見ると十二時を過ぎている。せっかく寄ってくれたのだから、昼飯くらい奢ってやるかと、正章を近くのうなぎ屋に誘った。正章は「ぼく、うなぎ大好物なんですよね」と嬉しそうにうなずいた。

昼休みにもかかわらず、ビールで乾杯した。どうせ午後もろくな仕事がない。完全に閑職なのだ。

しばらく他愛無い世間話をした後、正章がそのまんま東こと、東国原英夫《ひがしこくばるひでお》が、宮城県知事に当選したことに触れた。

「県民はもう、お手盛りの県政はたくさんだったんでしょうね。自公推薦の候補者なんか、まったくかなわなかったじゃないですか。県民は新しいリーダーを求めていたんですよ」

そろそろ来るな、と一郎は身構えた。正章は政府の政策に不信感を抱いている。今日は逃げずに、正面から向き合おうと思った。

「翻《ひるがえ》って国政ですが――」

女性は産む機械と暴言を吐いた、柳沢厚生労働大臣。その厚生労働省管轄の社保庁で発覚したずさんな年金管理、数値改ざん。原爆投下はしょうがないと発言し、辞任に追い込まれた久間防衛大臣。資金管理団体の不透明な支出が問題視されていた、松岡農林水産相の突然の自殺。後任の赤城大臣は、後援会の不正経理問題で、就任後僅か二ヶ月で辞任――。

耳の痛い話を、正章は羅列した。

「安倍さんも『国民との約束を果たしていくため、続投していかなければならない』って言ってたのに、すぐ辞任しちゃった。ちょっと無責任ですよね」

「健康問題があったんだよ」

「政治家の個人攻撃をするつもりはないんです。それより、おにぎりが食べたいと書き遺して、餓死した人がいたんですよ。いったいこれを、どう思います?」

北九州市小倉北区の独り暮らしの男性が自宅で亡くなり、死後約一ケ月とみられる状態で見つかった。男性は昨年末から一時生活保護を受けていたが、今年の春から受給停止にされた。福祉事務所の職員に「そろそろ働け」とせっつかれたらしい。ところが男性には持病があり、まだ働けるような状態ではなかった。

収入を絶たれた男性は、食う金も無くなり「おにぎりが食べたい」と書き遺し、餓死した。

「あれは、不幸な事件だった」

いつの間にやら、正章は焼酎のロックを注文していた。多少ためらったが、一郎も同じものを頼んだ。

「こんな日本になるなんて、いったい誰が想像したでしょうか。山崎さんは、今の政府の政策に賛成なんでしょう?　まあ官僚だから、当たり前か」

「基本は賛成だが、格差社会は何とかしなければいけないと思ってる」

「あなた方が大好きな、グローバルスタンダードを止めれば、格差なんかすぐになくなるんじゃないですか」

「そうかな。そんな簡単なものじゃないと思うが」

「そもそも、なんでグローバルスタンダードなんです」

政・財・官の癒着を壊し、日本経済を欧米流のグローバルスタンダードに合わせることが最良の処方箋であると、一郎は信じて疑わなかった。他に方法があったのかもしれないが、バブルで深い痛手を負った日本人は、明治時代のように海外に学ぶのが最良と考えた。

「欧米というより、このやり方は完全にアメリカ式でしょう。どうして政治家や官僚はアメリカの方ばかり向いているんですか」

据《す》わった目で尋ねられたので「仕方ないだろう」と吐き捨て、焼酎を一気に飲み干した。消毒液のような臭いに、たまらず咽《む》せた。アルコール度数が三十五度もある芋焼酎である。普段はこんなものは飲まない。

「アメリカと日本では国の成り立ちがまったく違うんだから、アメリカ式のやり方を日本に適用しても、日本人が幸せになれる保証などどこにもありませんよ」

そうかもしれないが、この男の口から聞くと、素直に頷けない。

「だったらどうすりゃよかったんだ。きみたち評論家はいつも批判してるばかりで、ちっとも具体策を提示してくれないじゃないか」

「簡単ですよ。バラマキをやればいいんです」

バラマキ？

いきなりこんな言葉を聞かされ、拍子抜けした。国の借金が九百兆を超えているのに、引き締めをせず、バラマキをやれというのか。さらに借金が増え、国家財政は益々ひっ迫するではないか。

「そろそろ仕事に戻らんと」

伝票を手に取り、立ち上がった。

「待ってください。まだ話したいことがあります」

「悪いが会議があるんだよ」

会議など無かったが、これ以上この男の戯言《ざれごと》など聞きたくなかった。レジに向かっている時「福田政権は短命に終わると思いますよ」と背後で声がした。

「何でそんなことがわかる？」

一郎がゆっくりと振り向き、尋ねた。

「いえ、ただの勘ですけどね。で、次の政権も短命に終わるんじゃないかな。与党は気を付けたほうがいい。ああ、それから、今アメリカで問題になっている住宅サブプライムローン。あれが原因で、来年あたり金融恐慌が起きるかもしれませんね」

——何を言ってるんだ？　予言者気どりなのか？　この男は。

「悪いけど、もう遅刻してるんでね」

支払を済ませると、一郎は一人、店を出た。

3

自分の周りの小さな世界にしか興味がなかったビルが、社会で起きていることに興味を持ち始めたきっかけとなったのは、定時制高校のロケだった。

熱血助っ人コーチがマンネリ化してきたので、次は全日制ではなく定時制高校でやろうという企画が持ち上がった。ところが交渉は難航した。保護者の許可が下りないのだ。

「何で許可が下りないんだ。うちのタレントが出る番組はそんなに嫌われてるのか？」

田中が制作スタッフに食ってかかった。

「いや、そうじゃないんだよ、田中さん――」

スタッフが説明を始めた。定時制高校といえば、勤労青年が通う夜間の学校というイメージが強いが、実際にはいじめや不登校、貧困など、問題を抱える生徒の受け皿なのだという。

「だから、どの定時制高校でも、学校名や生徒が特定してしまうようなロケはお断りと言われるんだ」

「じゃあ企画は流れるのか？」

「いや、もう少し踏ん張ってみるよ」

しばらくすると、受け入れてくれるところが一校見つかったと連絡が届いた。

「助っ人コーチの大ファンの先生がいてさ。校長やら保護者を説得してくれたらしい。下見に行くけど、一緒に来るか？」

ビルと田中、それに撮影スタッフは都内にある定時制高校に赴いた。定時制というのはてっきり夜だけかと思ったが、昼間も授業があるという。三部制になっており、朝の部、昼の部、夜の部に分けられている。ロケを許されたのは昼の部のクラスだった。

柏木《かしわぎ》という若い体育の先生が、出迎えてくれた。柏木はビルの顔を見るなり「やあ、本当にビルさんだ。ようこそいらっしゃいました！」と相好《そうごう》を崩した。

従来は部活の助っ人コーチをしていたが、今回は体育の助っ人という設定である。定時制高校にも部活はあるものの、陸上部は一人、バドミントン部は二人という部員数だった。サッカーや野球などの団体スポーツも、チーム編成するだけの人数は集まらず、実質休部状態が続いているという。

「今は国語の授業をやってますが、よろしかったら参観されますか」

柏木に案内され、後方の引き戸から教室に入った。十五人ほどのクラス。こちらを振り向いた生徒の中には、高校生にしては老けている顔も混じっていた。定時制高校には、幅広い世代の生徒がいるのだ。

普通テレビの撮影隊が来ると、生徒は瞳を輝かせたり、隣同士ひそひそ話を始めたりするものだが、ここは違った。振り向いてビルたちを見るも、反応は鈍い。かといって授業に集中している風でもなかった。大あくびをしたり、机に突っ伏し、目を瞑《つむ》る生徒もいた。

まるで覇気のない授業が終了すると、今度は体育。各人バラバラのジャージを着込み、校庭に集合した。

「今日は、テレビの方々が見学に来ているので、皆張り切ってやりましょう！」

柏木先生が元気よく言うが、空回りしている印象は拭えない。

ランニングから始まった。柏木が先頭を走り、生徒たちがだらだらとついて行く。ほとんど歩いているような生徒もいた。先生と生徒の間はどんどん広がり、気づいた柏木がスピードを落としながら「ほら、みんな、ファイトッ！」と檄を飛ばした。

「こりゃ、難儀だな……」

田中がぼそりと呟いた。

ランニングが終わると、ストレッチの後、種目練習が始まった。今月の種目はバレーボール。生徒同士ペアを組み、パスの練習をした。しかし、一人がレシーブすると、ボールは明後日のほうへ飛んでいき、それを取りにいったもう一人も、同じことを繰り返すので、まったくパスになどなっていなかった。

最後に行った試合形式の練習は、小学生でももっと機敏に動けるのでは、と思わせるレベルだった。

「柏木先生にゃ悪いが、これを画《え》にするのは難しいよなー」

田中の言葉にスタッフ一同が頷いた。

「どうする、ビル？」

ビルはう〜んと唸りながら考えた。彼らを熱血トークで盛り立てても、反応してくれるかどうか怪しかった。すべて空回りし、ピエロになってしまうリスクは拭えない。

「あの子たちと話せないかな」

昼の部の授業が終わると、帰り支度を整える生徒たちを柏木が呼び止めた。

「熱血コーチのビルさんからお話があるそうです。急ぎの用事がない人は、もう少し教室に残ってください」

全員が残って教卓に立ったビルに注目した。人から見られるのは慣れているとはいえ、今回ばかりは緊張した。取りあえず、自己紹介し、どのような経緯で熱血助っ人コーチになったかを語った。

いつもの癖で、しゃべりに熱がこもると、生徒たちがソワソワしだすのが分かった。目で早く解放して欲しいと訴えている。自慢話にならないよう注意したが、そう取られてしまったようだ。早々に話を切り上げ、引き揚げた。スタッフの間では、やはり撮影は無理、という空気が広がっていた。ビルもそう思ったが、このまま引き下がりたくないという気持ちもあった。

次の日、思い切って柏木に連絡してみた。柏木はスタッフではなく、ビルから直接連絡を貰って、面食らっている様子だった。

「もう一度、彼らと話したいんですが」

「もちろん、いいですよ。いつになさいますか」

仕事がオフの日を言った。今回はスタッフと一緒ではなく、一人で行くつもりだった。

昼休みに、デパ地下で買った菓子折りを提げ、学校を訪れた。生徒たちは一瞬、また来たのかよ、という顔をしたが、拒んでいる様子はなかった。むしろ、前回より打ち解けた表情をしていた。空いている席を使わせてもらい、菓子折りを開けた。

「デザートを買って来たけど、一緒に食べない？」

どら焼きやプリン、海鮮せんべい、豆菓子など甘辛の味をそろえた。近くに座っていた男子がやってきて、控え目な様子で豆菓子を取り、ぽりぽりと食べ始めた。

「遠慮しないで、もっと食べなよ」

自分が高校生の頃は、スナック菓子を一気に五袋空けたこともある。他の生徒たちも寄ってきた。皆でもしゃもしゃ食べながら、好きなタレントの話などをした。その日は長居せず、昼休みが終わるとすぐに帰った。

三度目の来訪の時は歓迎された。皆、ビルのもとにやってきて、あれこれ話しかけて来た。一人一人平等に接しながら、生徒たちを子細に観察した。まず、前回からずっと同じ服装をしている生徒が多いことに気づいた。定時制高校には制服がないが、まるで制服であるかのように、同じシャツとジーンズを身に着けている。若者ゆえの服装に対するこだわりかと思ったが、身体から漂ってくる異臭に気づき、事情を理解した。

柏木先生によれば、学校給食が一日のうちで唯一まともな食事という生徒がいるという。そうした生徒は、夏休み明けにはげっそり痩せて登校してくるそうだ。

次の訪問の際には、すっかり打ち解けた生徒たちに個別に話を聴いた。母子家庭で母親が病気がちの男子は、金がないので虫歯の治療ができないと言った。口を開けて見せてもらったが、奥歯が真っ黒だった。痛くないのかと尋ねると、もう慣れたと笑った。

お下げ髪をした小柄な女子には両親がいなかった。母親は自殺し、父は行方不明。兄妹五人で暮らし、兄のバイトと生活保護で何とか食いつないでいるという。家族のために給食の余りを貰い、学校にある冷水器の水を水筒に入れ、妹たちに飲ませている。

授業中ほとんど寝ている生徒は、中学時代にいじめが原因で不登校になった。親が貧乏で家に風呂がなく、いつも臭かったからいじめられたという。自殺未遂の経験もある。ここではいじめこそないが、授業は面白くない。将来の夢は石ころになること。人里離れた山林で、石ころとして誰にも干渉されず、静かに暮らしたいと、大真面目な顔で語った。

「ビルさんの元気を貰って、彼らに笑顔が戻ればいいんですけど」

柏木が言った。そんな自信などなかった。これは「頑張れ！　みんなには可能性がある。やればできるんだ！」などと焚きつけて、動かせるレベルではない。そんなことを言ったら、たちまち総スカンを食らうだろう。もっと根っこの部分を、変えなければならない問題だ。

「彼らは本当に撮ってもらいたがってるんですか」

「保護者の同意は取ってます。顔にモザイクを入れていただければ」

「でも本人たちは――」

「ホームルームで話しましたが、別に嫌がってる風ではなかったですよ」

それは、親や先生が決めたことには従うだろう。自分たちに反対する権限などないと思っているに違いない。

ある日、田中に呼ばれ、お前はいったい何をしてるんだ、と問い詰められた。企画会議で、定時制高校でのロケはやはり難しいとの結論に至り、その旨スタッフが柏木に連絡しようとしたところ、ビルが何度も下見に来ているから、てっきり撮影は予定通り行われると思っていた、と言われたらしい。

仕方なく説明した。生徒たちの心を開かせたいと思い、一人で学校を訪れていたこと。彼らと親しくなるにつれ、皆重い問題を抱えていることが分かったこと。助っ人コーチがどうこうできる問題ではないので、ロケを思い留まるのは正解だったこと――。

ジッと聞いていた田中が、ひとつ息を吐き「それ、もしかしていいかもしれんぞ」と呟いた。

なんだって――？

「生徒の声を聞こうと奮闘する助っ人コーチ。最初はうさん臭く思っていたが、徐々に心を開く生徒たち。悪くないんじゃないか。画になるぞ。いつもとはちょっと違う助っ人コーチだがな」

「そうかな。生徒たちを晒《さら》し者にするのはよくないんじゃないか」

「晒し者じゃない。彼らのような人間がいることを世間に知らしめるのは、社会的に意義があるだろう」

「だが、助っ人コーチとしては大したことはできんぞ。ただ話を聞いてやるくらいしか」

「それでかまわないだろう。下手にやる気を喚起させたり、更生に成功したりしたらいかにも嘘くさい」

田中の言うことにも一理あるような気がした。

「そうだな。今回は、ヤラセは絶対にだめだ」

ビルが念を押した。熱血助っ人コーチに台本はないが、大まかなシナリオはある。生徒たちも「画にする流れ」を感じ取り、演じてくれた。とはいえ、ビルの熱い叱咤激励を受けているうちに、演じているつもりがいつしか本気で感情移入し、目に涙を浮かべるのだった。だが今回、この手法は封印したほうがいい。

田中はロケを再考するよう制作会社に提言した。話し合いの場が持たれ、取り合えずロケ隊が、ビルが個人的に行っている生徒との交流を撮り、その映像を見てから検討するという結論に至った。

撮影部隊が来てカメラを回すと、生徒たちの顔に緊張が走った。彼らの口は再び重くなってしまった。ビルは「撮られたくないなら、はっきり言っていいんだよ。撮影は中止するから」と全員に約束した。ところが、撮影を拒否する者はいなかった。彼らも、自分たちの心の叫びを、多くの人に聞いてもらいたかったのかもしれない。

最初は緊張していた生徒たちも、ビルの巧みなリードにより、徐々に饒舌さを取り戻していった。他校でやったような、全員を集め、熱く語るようなことはせず、一人一人の話を個別に丁寧に聴いた。その際ビルは、生徒に寄り添い、さらっと話す言葉の裏にある苦しみや悲しみを、できる限り感じ取ろうと努めた。そんなビルの心を察知したのだろう。生徒たちはテレビカメラの前で、臆することなく己を晒けだした。

ラッシュ映像を見た関係者の反応は、好意的なものから、これじゃ助っ人コーチというより、N

HKのドキュメンタリーだよと首を振る者まで、様々だった。結局、ひとまず放映し、視聴者の反応を見ようということになった。

放映後、たくさんの視聴者の声が寄せられた。今までの三倍近くの数だった。一番多かったのが、これほどまで日本に貧困が広がっていたとは知らなかった、という驚きの声だった。しかし、この責任は努力を放棄した親にあるという意見が大半を占め、政治の責任を追及する声は少なかった。

思っていたより好評だったため、制作スタッフは第二弾の企画を局に上げたが、却下された。理由は「スポンサーが難色を示しているから」。やる気満々だったビルは田中に「どうしてだ？」と詰め寄った。

「おれが知るかよ。スポンサーに訊いてくれ」

「だって視聴率は取れたじゃないか」

「視聴率だけじゃないんだろう。担当者がこういう真面目な企画が嫌いなのかもしれんな」

番組の放映があってから程なく、リーマンショックと呼ばれる、金融恐慌が起きた。そして年末から年明けにできた「年越し派遣村」なるものがクローズアップされ、日本の貧困問題が浮き彫りにされた。年越し派遣村とは、リーマンショックの影響で派遣切りの憂き目に遭った労働者たちが、無事年を越せるためにと、日比谷公園に設置された大規模な避難所のことだ。派遣村は失業者で溢れ、まるで難民キャンプを見ているようだった。

——いったい日本はどうなっちまったんだ……？

ビルには訳がわからなかった。

「『今だけ、金だけ、自分だけ』を追求するのが当然とする風潮が、広まってるからね。ある意味、これは必然だよ」と忍は、メールで所見を述べた。彼女に会って、また色々語りたいという思いが沸々と込み上げてきた。

「いいね。あたしも会って話が訊きたい。定時制高校の助っ人コーチ、なかなか考えさせられたし」

「よかったら……うちのマンションに来ないか？」

忍を誘ってみた。ボロアパートから引っ越したばかりだったのでお披露目したかったのと、若い女性と二人っきりで街中をうろつくのは止めてくれ、と田中からきつく言われているからだった。つい最近、同じ事務所の売り出し中のタレントが、お忍びデートを激写され、メディアに晒されたので、ファンが逃げていくという失態を演じたばかりだ。力のある事務所なら報道を抑え込むことができたが、新興の田中では無理だった。暖簾分けしてくれた新藤社長も、助けてはくれなかったらしい。

「いいよ」

あっけなく忍はＯＫした。都立大学の駅前にある１ＬＤＫを訪れた忍は、部屋の中をぐるりと見渡し「意外に庶民的だね」と言った。

「そうかな」

ビルにとっては充分贅沢な造りだったので、ちょっとばかり傷ついた。

「だって、スターのお宅拝見みたいな番組観てると、もの凄い豪邸じゃない」

「大御所ならああいう家に住むんだろう。おれはまだ駆け出しだし」

「じゃあ大御所になったら豪邸に住むわけ？」

「それは……わからないな」

新しいマンションに越してきて最初に思ったのは、光熱費が高いということだった。前のアパートの三倍の広さだから、暖房にかかる金が半端ない。それに掃除するのも一苦労だった。家は狭すぎるのは嫌だが、広すぎても色々弊害があるような気がする。自分は貧乏性なのだろうか。

「みんながビルみたいに考えられればねー」

忍がため息をついた。

「豪邸が広すぎるからって、メイドを雇って、掃除させて。普段まったく使わない部屋も掃除しなきゃいけないし、空調入れとかないと痛んじゃうから、光熱費も大変だよね。広いと固定資産税も高いでしょう。維持費だけで莫大なお金がかかる。だから見栄張らずに、そこそこの家に住めばいいのに、そういう風に考える人、少ないみたいだね」

「ギャラが入るようになって嬉しいんだが、時々、おれ程度の実力でこんなに貰っていいんだろうかって、戸惑うことがあるんだよ。相場に則って払われてるんだろうけど、定時制高校の生徒なんか見てると、彼らの前で自分の収入は絶対言えないなって思う。田中は、お前は人一倍努力して今の地位を築いたんだから、胸を張って金を受け取れって言うけど」

「もちろんビルは努力したと思う。だけど、汗を流して働いてるならともかく、空調の利いた部屋で、ボタン一つで大枚を稼ごうとする人たちがいるよね。そっちのほうがスマートで、当たれば大金が入ってくるから」

「マネーゲームか。リーマンショックも結局マネーゲームの失敗がもたらしたんだろう?」

「そう。アメリカ発の住宅サブプライムローンが破綻した結果、世界中に余波が広がって、日本でも倒産した会社や失業者が続出したんだよ」

「サブプライムローンって、いったいナンなんだ。知ってるか?」

「うん。仕組みぐらいなら」

忍が説明を始めた。かなり難しい話で、理解するのに苦労したが、要はアメリカの貧乏人を言いくるめて危険な住宅ローンを組ませ、そのローン債権があちこちに売られ、今度はそれが小口化され、他の証券とぐちゃぐちゃに混ぜられ、世界中にばらまかれてから、住宅価格が下落したということらしい。

忍が、モーゲージとかリファイナンスとかレバレッジとか、よく分からない単語を多用したので、何度も「それはナンだ??」と聞き返さねばならなかった。

「何となく理解したような気もするけど、複雑だな。アメリカの住宅ローンから始まったものが、世界中を巻き込むなんて、信じられないよな」

「これが金融グローバリズムってやつなんだよ。企業は証券化された住宅ローン債権を担保にしてお金を借りて、投資したりしてたから、もう無尽蔵に影響が広がっていった。こういうシステムが怖いのは、根っこの部分が崩れると、すべてが共倒れになるというところ。で、真っ先に犠牲になるのが弱者」

「つまり年越し派遣村に集まるような労働者ってわけか」

「そう。昔と違って、今は企業が従業員を守らないから。使い捨てにされた従業員は、努力不足、自業自得、自己責任って逆に後ろ指を差されるような世の中になっちゃたし」

忍がジロリとビルを見た。そういえば以前、自己責任論を肯定するようなことを言った覚えがある。今みたいに有名になる前で、役者としてもっと精進しなければいけないと思っていた時期だ。その時忍は「ビルは、もっと経験を積まないとね」と鼻を鳴らした。

「自己責任論は、悪くない。弱音を吐かず、責任を他者に転嫁せず、地道に努力しなければ、今の厳しい時代に生き残れない。確かにその通りだよ。だけどこれは、弱者をうまく利用するための方便でもあるんだよ。むしろ、そっちの意味合いの方が強い。日本人は真面目だから、自己責任って言われると、自省を始めるでしょう。で、やっぱり一番悪いのは自分だったとか、勝手に納得しちゃう。じゃあ政府や、大企業のお偉いさんたちの自己責任はどうなるの？　彼らは責任を弱者に転嫁して、ほくそ笑んでるんだよ。日本国民は皆、羊みたいで扱いやすくていいって、自省のかけらもないこと言いながら、儲けを全部自分の懐に入れてるんだよ」

返す言葉もなかった。その通りかもしれない。それにしても会う度に、忍には驚かされる。経済や金融の知識といい、人間に対する洞察力といい、とてもじゃないが同い年には見えない。

「まあ、それはともかく、助っ人コーチ定時制高校編、面白かった」

忍が話題を変えた。

「いつもの熱血コーチは純粋なエンタメだけど、あれは社会性のある真面目な内容だったね。子どもの貧困があそこまで進んでいるとは、あたしも知らなかった」

「結構反響があったよ。で、続編を作ろうってことになって、今度は生活保護世帯の学習支援をしてるNPOに取材を申し込むところまで行ったんだけど、潰されちまった」

「どうして?」

「スポンサーが嫌がったそうだ」

「なるほどね――」

忍が斜め上に瞳を動かし、首肯した。

「番組のスポンサーは、大手企業ばかりだし。以前、大量解雇が問題になったところもあったからね」

「ああ、そうか。そういうことだったんだな……」

テレビ局にとってスポンサーは絶対だ。スポンサーの意向に逆らう番組は作れない。しかし、本当にそれでいいのだろうか。熱血助っ人コーチのようなエンタメならともかく、報道番組はきちんと真実を伝えることができるのだろうか。

「大手のテレビ局や新聞で、ジャーナリズムをするのは難しいんじゃない? だって、スポンサー企業や政府の意向をまったく無視はできないもの。ジャーナリズムに徹したいなら、独立性を保たないと」

「だから、大手マスコミより、ネット情報の方が信頼がおけると言ってる連中がいるわけか」

「ネット情報も、玉石混淆《ぎょくせきこんこう》だからね。一見本当のように見えて、実はすごいデマだったりするし。要は、わたしたち自身が、事実を見極める目を持つことが大切なんだよ」

とは言っても、それはなかなか難しいだろう。

ビルの腹がグーと鳴った。ビールとつまみだけでずっとしゃべっていたので腹が減った。時計を見ると、もう夜の八時だ。

今晩のため、午後から仕込みをしていたシーフードカレーを温め直した。スパイシーな香りが立ち上り、忍が「いい匂い」と目を細めた。

「すぐに用意するから、テレビでも観ていてくれ」

冷蔵庫からサラダ菜を取り出しながら、声をかけた。大画面テレビの電源を入れる音がした。

「ちょっと、これ観て！」

忍が叫んだ。オープンキッチンから首を伸ばすと、事件の報道をやっていた。

「──二十五日深夜午前一時ごろ、港区六本木のクラブに、金属バットを持った三人組の男たちが乱入し、奥のＶＩＰルームにいた会社経営、磯部《いそべ》昇《のぼる》さん三十七歳を殴打。磯部さんは病院に救急搬送されましたが重態です。磯部さんは特殊詐欺グループに関与していたと見られ、警察では逃げた男たちの行方を追っています」

何だって？　磯部が襲われた？

「磯部さんって、あの磯部さんでしょう。時々クラブに顔を出してた、ビルの上司の」

「ああ。でもあの人は、闇金をやっていたはずだけど」

「おれおれ詐欺みたいなのは、闇金から始まったっていうよ。実際にお金なんか貸さなくても、架空請求で取り立てることが可能って、分かったからだって」

「そうだったのか……」

闇金もまずいが、特殊詐欺はもっとまずい。認知力の衰えた高齢者をだまし、老後のためにこつこつ貯めた金をだまし取るなんて、人の道にもとる卑劣な行為だ。

「ボコボコにされちゃったのは可哀そうだけど——特殊詐欺なんかしてるから、いけないんだよ。きっと仲間割れか、対立組織にやられたんだろうね」

「実はおれ、磯部さんに一緒に闇金やらないかって誘われてたんだ。断って正解だったよ。まあ、箱屋だって胸を張れる仕事じゃないけど、一応合法だったからな。おれにとっては箱屋がギリギリで、それ以上向こう側に行くつもりはなかった」

「どうして磯部さんは、非合法なことに手を染めたんだろう」

「金を稼げるからな」

「でも、お年寄りをだますなんて、卑怯じゃない」

「複雑な家庭環境で育ったみたいだ。堅気の世界なんて信じちゃいないって言ってた。そもそも人間嫌いだったんじゃないか」

「へえ、知らなかった。育ちのいい人に見えたのに」

「悲しいけど、運命は変えられなかったのかな」

「そんなことはないよ。運命、というより未来は変えられる」

忍が妙に確信に満ちた口調で答えた。

「あたしには、思い描いてた未来があったけど、今は違う未来に生きているから」

「そうなのか？」

「ビルは自分の未来をどう見てるの？」

自分の未来？　将来の展望のことか。まだ無名だったころは、早く一流の役者になりたいと思っていた。助っ人コーチが成功したおかげで、ドラマの役が来るようになり、昨年は映画で初主演を果たした。現在も主演映画の企画が練られている。しかし――。

「そこそこ役者として成功したとは思うけど、おれは大スターになれる器じゃない。まあ、このままマイペースで息長く、芸能界で生きて行けたらいいかな」

忍からは以前、大きな仕事をする人間になる、と言われたが、具体的イメージは湧かなかった。

「それがビルの見る未来なの？」

「うん……まあ、そうだな」

未来は変えられるという忍の言葉が、耳の奥に引っかかり、離れなかった。

4

正章が言った通り、福田政権も短命に終わった。内閣改造をしてわずか一ヶ月ほどで首相が辞任を表明し、周囲を驚かせた。結局福田内閣・改造内閣は一年ほどしか続かなかった。

内閣終焉の十日ほど前に、リーマンショックが起きた。正章が言っていた金融恐慌というのが、正にこれだったのだ。

原因となったのは、米国の住宅サブプライムローン。こんなものは絶対に危ないと、バブルの事後処理で散々苦労した一郎は思っていた。

案の定、アメリカの住宅バブルは弾けた。水疱と化した金額は、百四十兆円ともいわれ、アメリカで四番目に大きな投資銀行だったリーマン・ブラザースが倒産した。

世界中が金融恐慌に巻き込まれたこの一連の出来事を見て、さすがの一郎も考えた。

――アメリカの金融機関は迅速な対応をすると思ったが、随分後手後手に回ってるじゃないか。護送船団のぬるま湯も問題だったが、利潤だけを貪欲に追及するアメリカ型経営も問題ではないのか。どちらの場合もバブルが起こり、そして弾けた。

福田が辞任したのは、このアメリカ発の金融恐慌に、自分では太刀打ちできないとビビったからなのかもしれない。

福田に続く麻生政権では、内部抗争が勃発。早くも「麻生おろし」を画策する不穏な動きが出ている。いずれにせよ、解散総選挙を前提にした内閣だった。安倍、福田と連続して一年足らずで政権を投げ出したので、国民は自民党に不信感を抱き始めている。

――そういえば、中村は福田の次の政権も短命に終わると言っていたな。

正章の予測はことごとく的中している。悔しいが、予見能力では向こうの方が上だ。いったいどんな分析手法を使っているのか。

机の中から正章の名刺を取り出した。じっくり裏表を眺めてから、意を決して受話器を握った。

呼出音が二回鳴っただけで、正章が出た。

「嬉しいですよ。電話をもらえるなんて」

正章は本当に嬉しそうだった。

「……いや、きみの話にもう少し、耳を傾けなきゃいけないと思ってね。近いうちに会えないか？」

「もちろんです」

まだ二人が頻繁に会っていた頃、よく通っていた蒲田の小料理屋で待ち合わせをした。約束した時間の五分前に行くと、すでに正章は来ていて、こちらに気づくと、子どもみたいに手を振った。

「マイケル・ジャクソン、死んでしまいましたね」

「えっ？」

開口一番こんなことを言われ、驚いた。知らなかった。キング・オブ・ポップスの訃報が今世界中に流れている、とワンセグ画面を見せてくれた。正章は、自分とは同世代で、若い頃はよくマイケルの曲を聴いた、と悼《いた》んだ。

「一つの時代が終わった感じがします」

「そうだね」

マイケルが逝き、同じ黒人のオバマ大統領が誕生した。一つの時代が終わり、新たな時代が始まった。

杯を酌み交わしながら、しばらく世間話をした。社会情勢についてあれこれ所見を述べているうちに、徐々に今晩語りたかった核心に近づいていった。

「リーマンショックについて、アメリカの経済学者たちは、大きな変動であるが、資本主義の自立調整の結果だと思えばいい、とか言ってましたね。なんて言おうか、反省がないのかよって感じですね」

今回ばかりは、頷いた。問題はサブプライムローンの小口化、証券化だけではない。これら証券を担保に借入れして、手持ちの金の何倍もの投資を行う、レバレッジ投資が常態化していたことだった。これはもはやビジネスとはいえない。博打である。

「国の要人たちは、どう考えているんですかね」

「個人的には、遺憾に思ってるよ」

「そろそろ本音で話していいですか」

「ああ」

正章は橋本政権から始まった構造改革が、そもそもの間違いだったと指摘した。

「サブプライムローンって、アメリカの金融機関が、貧困層をだまして住宅ローンを組ませ、その債権を証券化して世界中に売りさばいた、とんでもない代物ですよね。だけど、日本はそんなことをしているところに、嬉々として破綻した日本の銀行や保険会社を引き取ってもらいました。果たしてこの判断は正しかったのか」

一郎は答える代わりに小さく首肯した。

「グローバルスタンダードが大好きな人たちに言っておきたいのですが、アメリカはもともとあんな国ではなかった。アメリカでは戦後、マーケットメカニズムを重視するマネタリスト政策と、公共事業を推し進めるケインズ経済学が、程よく融合していました。

ところが七〇年代、景気がいいにもかかわらず、公共事業や福祉政策をやり過ぎたため、景気が過熱し、高いインフレ、公的部門の肥大、財政赤字などをもたらしたんです。で、レーガン大統領が出てきて、レーガノミクスを行った。よくご存じの、グローバルスタンダード、小さな政府、規制緩和、富裕層・企業減税などです。

日本もこれに倣った。結果どうなったかは、言うまでもないですよね。一億総中流社会はもはや見る影もない。自己責任をお題目のように唱える社会。職がなく、保護もされず、餓死する人まで出て来た。本当にこれでよかったのでしょうか」

「よくないよ」

「名犬ラッシーをやってた頃の、アメリカが懐かしいですよ。中産階級がたくさんいて、皆郊外に大きな家を建てて、車は二台。家族用の大きなやつと、奥さんが買い物に使う小さなやつですね。で、ラッシーみたいにでっかいコリーやシェパードを飼ってた。ぼくが小さい頃憧れていたアメリカのイメージですが、もはやあんな社会は見る影もない。そういえば、レーガンと同じような政策を行っていたサッチャーは、社会などというものはない、あるのは国家と個人だけだ、みたいなことと言ってましたね。

アメリカは日本以上に格差社会です。大金持ちは、プライベートジェットで移動し、城のような邸宅に住んで、世界中に別荘も所有している。夜な夜なパーティーを開き、奥さんに数万ドルもするドレスを買い与え、愛人には数百万ドルの宝石をプレゼントする。一方、貧乏人はテントで暮らし、物乞いで生きている。病気になってもまともな医療さえ受けられない。日本も、こんな風になるまで徹底的にやるんですか？　竹中元大臣は、まだまだ改革は不充分と言っていましたが」

「いや、それは間違ってる」

初めて、政府の政策に対してネガティブな所見を言った。

「新自由主義者は、経済のパイが大きくなれば、その恩恵はやがて世界中に広まると主張しています。だから、改革を途中で止めてはいけないのだと。ですが本当にそうでしょうか。アメリカ国内、というより、州、市町村単位でさえ、恩恵がまったく行き渡ってないんですよ。それなのに富が全世界に波及するんですか？？　ほとんどファンタジーですよね、言ってることは」

まるで産業のなかった国や地域に、グローバル資本が流れ込めば、以前よりましな生活が送れるようになるだろう。とはいえ、あくまで宗主国と植民地の関係だ。宗主国はコストにシビアだから、植民地の人間が小金持ちになった途端、資本を引き揚げ、もっと安い労働力を買える所に移転してしまう。話が違うと詰め寄っても、自己責任と突き放される。

信奉していたアメリカ型資本主義が、このような結果に終わることは無論承知していた。しかし、今までそれは、植民地の努力不足と一方的に断罪していた。本人たちにやる気があれば、宗主国が引き揚げても自立できるはずだと。

だがこれは、植民地の人間にだけ厳しい理屈ではないのか。植民地を利用するだけした挙句、無情に見捨てた宗主国の責任は問われないのか。規制緩和というのは、こういった宗主国の横暴に目を瞑る施策ではないのか。

「グローバルではなくローカルな資本主義では、生産と消費が連動してます。おらが町、村で作ったものをおらが町、村で消費するわけですからね。そこに宗主国、植民地の関係はありません。資本家が労働者を搾取しすぎると、共倒れしてしまいます。消費を拡大するためには賃金を上げないと、企業の収益も上がらない。このようにローカル市場では、資本主義はそこそこブレーキが効いています。運命共同体みたいなものですから」

「きみは、グローバル資本主義には反対なんだな」

「そこまでは言ってません。これだけ世界が狭くなったのですから、江戸時代みたいな鎖国はできないでしょう。とはいえ、我々はグローバル資本を野放しにすると何が起こるか、散々見てきました。だからこその規制なんですよ。昔の日本は、規制が効いていたから、生活困窮者なんてほとんどいなかった。しかし、日米構造協議やらで、どんどんアメリカの要求を飲むようになってからは様子が違ってきた」

正章の言っていることは、いちいちもっともだった。

「きみの分析は正しいよ。恥を忍んで言えば、おれ自身この年で心が揺らいでいるんだ。今まで政府が取ってきた施策が、間違っていたのではないかと疑問を持ち始めている。

きみの未来予測は極めて的確だった。どのような手法を用いたのか知らんが、状況を冷静に把握できている証拠だろう。そんな男の言うことなら、耳を傾ける価値があると思った」

「ありがとうございます」

「参考までに、きみがどうやって未来を予測できたのか教えて欲しい」

「いえいえ、大げさなものは何もありませんよ」

正章が困惑顔で手をワイパーのように左右に振った。

「単に、ヤマ勘で言ったことが、たまたま当たっただけですから」

そんなことはないだろう。ああいう結論に至った緻密な理論があるはずだ。虎の子のノウハウを他人には教えたくないのか。それとも何か別に、隠さなければならない理由でもあるのか。

「そんなことより、実はこの国を変えるために、いろいろ動こうと思ってるんです。でも中々人が集まってくれない。山崎さんのような体制側にいる方に味方していただければ、ありがたいんです」

「いやいや、ちょっと待ってよ」

政府の政策に疑問を持ち始めているのは確かだが、反旗を翻すとなると話が違ってくる。

「そもそもおれはもう年だし、来年春にはもうお払い箱だから」

「再就職はされないんですか」

「天下りか。あれは規制が厳しくなってね。経済は規制緩和なのに、こういうことには規制強化だ」

最近改正された国家公務員法では、勤務していた省内からの再就職あっせんや、在職中に利害関係のある企業・法人への求職活動、また再就職後二年間は勤務していた職場への働きかけの禁止などが盛り込まれた。

美里が、日本を自己責任社会に改変した国家が、官僚の天下りを許すのはおかしいと言っていたが、まさにそういった国民の声を拾った改正だった。

「いずれにせよ、おれは再就職はしないよ。この年で民間へ行っても、お荷物になるだけだ」

局長にはなれなかったが、審議官にはなれた。官僚としてはまずまずの出世だ。もう思い残すことはない。

「まだ充分現役でやれるのに、もう引退ですか？　もったいない。何をするつもりなんです」

幸いにも趣味はたくさんある。絵画、音楽、建築、旅行……。夫婦で日本全国の神社・仏閣を巡るのもいいかもしれない。佳江が一緒についてきてくれればの話だが。

「ぼくだって、絵や建築は好きですよ。昔は二人でそんなことばかり論じていたじゃないですか。でも、それはあくまで趣味で、本業は学者ですが、それもまあ日々の糧を得るためだけで、身命を賭して行うべきことは、この国が間違った方向に向かうのを止めることだと思っています」

「随分と熱がこもっているじゃないか。何かあったのか？」

「いいえ。ないですよ」

正章の瞳が微妙に揺らいだ。

「それより山崎さん、引退してやることがないんであれば、ぜひぼくの提案を真面目に考えていただけませんか。すぐにどうこう、という話ではありません。時間はまだありますから」

「きみの予想では、今後この国はどうなるんだ」

「自民党政権は終わるでしょうね」

「やはりそうか……」

衆議院解散は秒読みと言われている。解散総選挙では社民党、国民新党と連立した民主党が、自公を破り政権を奪取すると皆が予想していた。

「で、民主党政権になったら日本は変わるのかね？　アメリカ追随をやめて、グローバル資本も出て行って、大金持ちじゃないが、そこそこみんなが豊かで平等に暮らせる、古き良き日本が戻ってくるのかね」

「いえ、それは難しいでしょうね。民主党政権も、おそらく短命に終わると思います」

5

ビルの役者生活は安定期に入っていた。

「情熱スポーツ王国」が終了したと同時に、熱血助っ人コーチも終わった。とはいえ、仕事はコンスタントに入ってきた。主役を張ったのは二本の作品だけだが、準主役や重要な役回りの仕事は来る。バラエティにも呼ばれ、私鉄沿線の商店街巡りや、グルメリポーターなども務めた。もはや学ぶこともなく、ルーティンをこなしているような状況だった。安定はしているが、どこか物足りなさを感じる。田中は、そろそろ結婚したらどうかと助言した。

「お前ももう三十だろう。結婚して家庭を持つのはいいぞ。ファンもきっと祝福してくれるよ」

二歳年上の田中が結婚したのは早かった。今では娘二人の父親だ。下の娘を、有名私立の小学校に入れたいというのが、現在一番の関心事らしい。

結婚すれば、おそらくもう冒険はできなくなる。それでも構わないのではないかと、思い始めている。愛花と別れた後、複数の女性と付き合った。人の紹介だったり、グループ交際をしているうちに、いつしか個人的に会うようになった女たちだった。しかし、どれも長続きしなかった。

忍とは相変わらずコンタクトがあった。知れば知るほど、聡明で魅力的な女性だ。もし生涯の伴侶を選ぶなら、忍のような女なのかもしれない。友人としてしか見られていないのは分かっていたが、そのくせ「彼女ができた」と知らせるなり、忍は連絡をよこさなくなる。電話を掛けてもメールを送っても返答がないので、気分を害していることは明らかだった。しかししばらくすると、何事もなかったように、近況報告などをしてきた。その頃にはすでにビルも、女と別れていた。

ある晩、忍と口論になった。

発端は、新宿で忍が男性と二人で歩いているところを、偶然見かけたことだった。ビルは芝居の稽古から帰る途中だった。忍と男は仲良く雑居ビルの中に入っていった。

次の日も同じ時刻、二人を見かけた。スタバに入り、コーヒーを飲みながら、何やら親し気にしゃべっていた。ビルは物陰から、窓際に座った二人を観察した。男性は忍よりずいぶん年上に見えた。

自然にスマホに腕が伸びた。忍の番号を呼び出し、電話を掛けた。今晩、会いたいと連絡するつもりだった。自分でも性格が悪いと思った。席を立ち、店の奥に消える忍の姿が確認できた。電話に出た忍は、誘いに乗った。にもかかわらず、その後も二人はスタバに留まり、会話を続けていた。

「あの人は誰なんだ」

その晩マンションを訪ねた忍に、単刀直入に訊いた。

「あの人って？」

「今日、スタバで会ってた男だよ」

「どうして知ってるの」

「偶然通りかかったんだよ。近くに稽古場があるんだ」

「で、あたしに電話を掛けたの？」

「……ああ」

「どうして電話なんか掛けたの？　店に入ってきて、堂々と挨拶すればよかったじゃない」

「いや――なんか楽しそうにしゃべってたし。お邪魔かなと思って」

「お邪魔と思ったなら、電話なんか掛けないでしょう、普通」

「そうだけどさ。いったい誰なんだ、あの男？」

「誰だか言わなきゃいけない？」

「ってことはないけど。言えないような間柄なのか？」

「そんな関係じゃないよ」

「じゃあ、どんな関係なんだ」

　忍の眉が吊り上がった。

「何を疑っているのか知らないけど、たとえあの人があたしの婚約者だったとしても、あんたに意見する権利はあるわけ？」

「ないよ。だけど、本当に婚約してるなら、何でホイホイ男の部屋なんかに来るんだ」

「呼んだのはビルでしょう」

「でも断ることはできただろう。いったいおれたちの関係って、ナンなんだ。ただの友だちなのか？」

「ビルがちっとも活動しないからだよ！」

　突然忍が大声を上げた。

「あたしが知ってるビルは、もう動き出してた。でも、ここではちょっと違うようだね。でも、仕方ないから、長い目で見ようと思ってた。だけどそんな悠長なことも言ってられないから、色々な可能性を模索しなきゃいけないんだよ——」

「悪いけど、何を言ってるか、さっぱり分からないんだが……」

「分からなくてかまわないよ。ともかくビルには、もっと経験を積んで、大人になって欲しい」

　帰る、と言うなり忍はバッグを摑み、出て行った。バタンと閉じられた玄関の扉を、ビルはしばらく見つめていた。

　大人になって欲しいと言われても、もう三十だ。自分だって同い年じゃないか……。

それからしばらくして、あれが起きた。

前夜、舞台の打ち上げでどんちゃん騒ぎをし、家に帰ったのは朝刊の届く時刻だった。ベッドで目覚めた時は、すでに正午を過ぎていた。その日は夕方に事務所の打ち合わせが入っているだけだったので、二度寝を決め込んだ。

うつらうつらし始めた刹那《せつな》、凄まじい地鳴りの音を聞いた。部屋がまるで海に浮かんだボートのように揺れている。ゆっくりと大きな揺れだ。地震ならいずれ静まるだろうと高をくっていたが、揺れは治まるどころか、益々振り幅を増していった。

これは、普通の地震じゃない！

ベッドから飛び起きて、避難すべきか考えた。マンションは築五年。鉄筋コンクリート造りの十階建てだ。まさか倒壊するとは思えないが――。

とはいえ、こんな揺れを経験するのは、生まれて初めてのことだった。台所でガチャガチャと食器が割れる音が轟き、目の前で本棚が倒れた。置く場所をあと二十センチベッド寄りにしていたら、直撃を食らうところだった。

大波のような横揺れは、長い間続いた。震源は遠いところではないかと漠然と思った。近くの断層がずれたのなら、地の底に落ちるような揺れを感じていたはずだ。

窓の外で炸裂音がした。何か大きなものが落下したのだろうか。もしかしたら、このマンションも危ないかもしれない。鉄筋がグニャリと折れ、地響きを立てて崩落してしまうかもしれない

——。

永遠に続くのではないかと思われた揺れが、やっと止まった。本棚を何とか起こし、床にぶちまかれた本や小物を収納しようと腰をかがめた時、テレビのリモコンが目についた。部屋の片づけは後回しにし、テレビの電源を入れた。

見たこともないような大きな波が、海岸に向かおうとしていた。アナウンサーが興奮した声で、何やら叫んでいる。いったいどこの海かと耳をそばだてた。

パニクっているアナウンサーは、津波の大きさをがなり立てるだけで、なかなか場所を特定してくれなかった。黒い波が防波堤を超え、家々を飲み込む映像に替わり、そこが岩手県のとある町であることを知った。

あまりにも現実離れした光景に言葉も出なかった。波が三階建てのビルに覆いかぶさるなんて、有り得ない。チャンネルを変えると、どの局でも例外なく津波の映像を流していた。急いで丘の上に逃げる住民たちの悲鳴が生々しい。眼下の惨状に「ああっ、あああっ……」と、ただうめいているだけの人もいた。人間、本当にショックを受けると、言葉を失うのだ。被害は岩手県だけではなく、東北から関東にかけての太平洋岸の広範囲な地域に渡っていた。

ふと気づいて、事務所に連絡を入れた。交通がストップしているので、夕方からの打ち合わせには行けそうもない。事務所の被害も確認したかった。電話は通じなかったので、メールを送った。しばらくすると返答があった。被害はほとんどなく、幸いスタッフは皆無事という。状況が落ち着くまで自宅待機と指示が出た。ほっとして、取りあえず部屋の中を片付けようと腰を上げた。散らばった本や小物を棚に戻し、砕けた食器を拾い集め、ビニール袋に入れた。

四階の窓から表を眺めると、正面のビルのネオンサインが、歩道で砕け散っているのが見えた。先ほどの炸裂音はこれだったのだ。ビル脇のアスファルトには大きな亀裂が入っていた。自宅のこんな近くで地割れが起きるなんて、信じられなかった。

家の片づけが終了すると、テレビにかじりついた。どの局でも通常放送はすべてストップし、震災の報道をやっていた。津波から逃げ延びた住人たちが、茫然と立ち尽くす姿を映像が捉える。小さな女の子が「おかあさ〜ん！」と呼んでいる姿が痛々しかった。

被害は、地震や津波に留まらなかった。なんと、福島の原発が炉心融解の危機にあるという。チェルノブイリの事故を想起させるような事態だ。まだビルが小学校へ通っている頃、大人たちがしきりにソビエトの原発事故を話題にしていた。担任の先生が「放射能が漏れてるから、近くに住んでいる人が癌になったり、障害を持った子供が生まれてきたりするんだよ」と教えてくれた。


被災地へ行きたいと申し出たが、田中は今はまだ止めておけと言った。

「バラエティ番組が入れるような状態じゃない。もう少し経って、被災者が娯楽を必要とする時まで待て。今はみんな、それどころじゃないはずだから」

番組の一環としてではなく、個人として被災者を助けたいのだと訴えた。

「危険だ。お前は事務所の稼ぎ頭なんだぞ。まさかのことがあったら、スタッフは全員路頭に迷う。自分一人の身体じゃないことを肝に銘じておけ」

仕方なく引き下がったが、胸の奥に疼《うず》くものは抑えようがなかった。商店が、工場が、田畑が津波に飲み込まれた。被災者には国の補助があるが、未来永劫給付金を貰えるわけではない。震災をきっかけに、あの定時制高校の生徒や家族のように、貧困に陥ってしまう家庭だって出てくるだろう。自分に何かできることはないのか。

自粛が続いたので、家に閉じこもり、食い入るように報道を見た。被災地には飲料水や食料は届いているが、水回りが使えないことから衛生面の懸念が出始めていた。ある被災者が「もう何日も、同じパンツを穿いている」と言っていたのを見て、下着を送ろうと思い立った。下着は軽いし、かさ張らないので、大量に送ることができる。今のビルにできるのは、こんなことくらいしかなかった。

6

正章が予測した通り、七月の解散総選挙では自民党は惨敗。民主党が絶対安定多数を超える三〇八議席を確保して、政権交代が実現した。国民主権を掲げる、鳩山由紀夫《はとやまゆきお》内閣が発足し、支持率は七十パーセントを超えた。

鳩山首相は所信表明演説で、命を大切にし、国民の生活を守ることが第一と強調した。そのためには財政健全化の観点から、ひたすら医療費や介護費を削っていた政策を改め、医療・介護の充実に尽力すると約束した。

さらに、弱肉強食で合理性重視の経済から、「人間のための経済」に転換を図り、公共事業依存型の産業構造を「コンクリートから人へ」の基本方針に基づき変革すると明言した。

この他、地球温暖化や核廃絶についても、積極的に取り組む姿勢を明確にし、東アジアの共同体構想を推進したいと述べた。

財源の捻出で苦労はしたものの、鳩山政権は比較的順調な歩みを見せていた。それが一変したのは、沖縄県の普天間米軍基地移転問題からだった。

首相は当初、移転先については「最低でも県外」と主張していた。ところが突然方針を変え、辺《へ》野古《のこ》沖への移設を閣議決定したのだ。これにより首相は辞任に追い込まれ、発足してから一年も経たないうちに鳩山内閣は総辞職した。

後を継いだのは、菅直人《かんなおと》内閣。菅内閣が発足後すぐに閣議決定したのが、「新成長戦略」である。その骨子を見て、一郎は「おや？」と思った。小泉内閣の時代に策定した「構造改革と経済財政の中期展望」に、どことなく似ているのだ。法人税率の主要国水準への引き下げ、インフラ輸出の推進、「国際戦略総合特区」の新設等々、ほとんど自民党の受け売りではないか。

鳩山内閣時代に掲げた生活重視の政策は、後景に追いやられた感があった。おまけに菅首相は、消費増税にまで言及した。財政再建を最優先課題と位置付けたのだ。これは「現行の消費税5％は据え置くこととし、今回の選挙において負託された政権担当期間中において、歳出の見直し等の努力を最大限行い、税率引き上げは行わない」という連立政権発足当時の、社民党、国民新党との三党合意に違反するものだった。

第二次菅改造内閣が発足してから程なくして、ニュージーランドでマグニチュード6・1の地震が発生し、現地の大学に留学していた、日本人留学生二十八名が犠牲になったとの報道が流れた。人々は犠牲者に哀悼の意を表明したが、まさかその一ヶ月後にニュージーランド地震をはるかに凌ぐ、マグニチュード9の巨大地震に見舞われるとは誰もが予想だにしなかった。

二〇一一年三月一一日、三陸沖を震源とする巨大地震が、東北地方を襲った。この地震とそれに伴う津波により、福島第一原子力発電所事故が発生、菅政権は対応に追われることとなった。

とはいえ、菅政権では新成長戦略の一環として、原子力の積極利用を掲げていた。「二〇二〇年までに、九基の原子力発電所の新増設」「二〇三〇年までに、少なくとも十四基以上の原子力発電所の新増設を行う」と明言した矢先の事故だった。

菅政権の事故対応は、物議を醸《かも》した。自ら現場に出向くなど「官邸主導の過剰介入」が混乱を招いたと非難されたのだ。介入のほとんどが、邪魔でしかなかったと関係者は指摘した。

八月、菅内閣は総辞職に追い込まれ、野田内閣に引き継がれることになる。

野田首相は消費増税、社会保障制度改革推進を図る「社会保障と税の一体改革」を自民党・公明党と合意するなど、菅前首相よりさらに自民党寄りの政策を行った。

税金を上げ、社会保障費を削れば、当然国民の暮らしは厳しくなる。民主党政権発足当時、鳩山元首相が掲げた「命を大切にし、国民の生活を守ることが第一」の政策とは真逆の路線だった。所信表明演説で鳩山は、医療費や介護費を削っていた政策を改め、医療・介護の充実に尽力すると約束したはずではなかったか。

だが一郎には、野田の気持ちが分からないわけではなかった。野田は現在の財政に強い危機意識を持っていたのだ。震災前からすでに一千兆円に迫る勢いだった国の借金は、震災によりさらに悪化し、主要先進国で最悪の水準になってしまった。

——あれだけの自然災害があったのだから、仕方ないよな。

所信表明、マニフェストは後の社会情勢の変化に応じ、柔軟に変えてもいいと一郎は思っている。だから野田首相を責められない。

社会的弱者を救うのが政治の使命だとは思うが、それはグローバリズムを是正し解決すればよい。その代わり、国家財政の危機に際しては、同じ日本人として是非協力を仰ぎたい。

しかし野田首相がTPPへの参加を表明した時、一郎は再び懐疑的になった。TPPとは環太平洋パートナーシップ協定のことで、加盟国の間で取引される品目に対し、関税を原則的に百パーセント撤廃しようという枠組みがある。加盟を予想される国の中にはアメリカも含まれるため、また市場がアメリカに食い荒らされるのではないと危惧する識者も多かった。

結局野田内閣のやっていることは、自民党と同じで、だったら政権交代などさせなかったと人々は憤った。自民党と同じ政策なら、経験ある自民党に任せたほうがいいに決まっている。

ロンドンオリンピックで、日本人が過去最大のメダル三十八個を獲得し、京大の山中伸弥教授がIPS細胞の発見でノーベル生理学・医学賞を受賞した。

久々の明るいニュースで国内が沸いていた頃、一郎は何げなく立ち寄った書店で、中村正章が書いた新刊書を発見した。「目からウロコが百枚落ちる、簡単経済学」というタイトルの本だった。

麻布の小料理屋で、仲間に加わって欲しいと迫られるも、もう引退するからと冷たく突き放して以来、正章とは会っていない。

書籍を手に取り、ペラペラとページをめくった。中々面白そうだ。経済に疎《うと》い人間にも理解できるように、平易な言葉で書いてある。その場で購入し、家に持ち帰った。

三十分ほど軽く読書をしてから、風呂にでも入ろうと思っていたが、ページをめくる手が止まらず、結局最後まで読んでしまった。

書いてあること自体は、難しくない。言われてみれば、その通りだと思う。しかし、どうして今までこのことに気づかなかったのか――。

正章の言説に「極端だ」と反論する者も多いだろう。なぜなら、多くの識者が今までに「かくあるべし」と論じていたものを、根底から覆すロジックだったからだ。

本を閉じ、しばらく考えた。だが、考えはうまくまとまらなかった。自然と携帯電話に手が伸びた。世間ではスマートフォンが爆発的に普及しているらしいが、一郎が使用しているのは未だに旧式のガラケーである。

正章の番号をコールする。留守電になっていたので、メッセージを入れた。コールバックがあったのは、翌日午前のことだった。

「著作を読んだよ。タイトル通り、目からウロコだった。もっと深く知りたい。ご教授いただけないか」

鼻で笑う気配が伝わってきた。

「経済政策の専門家である山崎さんに教えるなんて、恐れ多いですよ」

「いや。正直な話、自分が本当に経済の専門家だったのか、分からなくなってきた」

以前は素晴らしいと思っていたグローバリズム、アメリカ型資本主義、新自由主義に疑念を持ち始めている。このような政策を推進してきた政府の人間として、反省すべき点があると、自責の念に駆られていた。

「まあ、それはともかく、お元気ですか？」

「ああ、すまない。元気だよ。そっちはどうだい」

久しぶりに電話を掛けたのに、近況すら報告せず、要件だけ言うのはちょっと失礼だ。

「まあこっちは相変わらず、ボチボチやってます。ご家族もお変わりないですか」

「うん。皆元気だよ」

美里は専門学校を卒業し、今はデザイン事務所に勤めている。母親とは定期的に会っているようだが、相変わらず父親には冷たい。家族のことなどそっちのけで、仕事ばかりしていたツケは、もはや修復できないのかもしれない。

そのくせ、子どもたちが小さな頃、テストで悪い成績を取ったりすると、やればできるのに、なぜ努力を怠るんだ、と頭ごなしにどやしつけた。長男はそんな父親を見限って家を出て行った。

美里は「お父さんは頭がいいし努力家だけど、あたしは普通の人間なの！　普通に生きて、普通に幸せならそれでいいの！」と泣きながら訴えた。

ゴリゴリの官僚だった頃ならともかく、今では娘の言っていることがよくわかる。人の生き方はそれぞれなのだ。経済合理性ばかり追求した人間が、数少ない勝ち組として生き残るのではなく、皆がそれぞれの生き方で幸せになれるような社会を構築すべきだ。

妻の佳江だけは、夫の変化に気づいてくれた。一時期は一緒に外出するのも嫌がったが、近ごろは新婚時代に戻ったかのように、連れ立って出かけるようになった。

正章に会いに行く日時を決め、電話を切った。

正章の研究室を訪ねたのは、三日後のことだった。正章は色つやもよく、健康そうだった。ただし、薄毛がさらに進行し、後頭部は地肌が透けて見えた。

しばらく近況の報告などをしてから、やおら正章の著作を鞄から取り出した。

「凄いですね……」

正章が目を丸くする。貼り付けた付箋《ふせん》の数を言っているのだった。

「正に目からウロコだったよ」

正章の理論によれば、デフレの今こそ景気対策をじゃんじゃんやれということだ。そういえば、以前正章が中小企業庁に訪ねて来た際も、政府はバラマキをやるべきだと言っていた。その時は、財政がひっ迫しているのに何を寝ぼけたことを、と思ったが、考えを改めた。

「この二十年間欧米ではＧＤＰが二倍程度に伸びているのに、日本だけはほぼ横ばいです。おかしいと思いませんか？」

「そうだな」

「経済成長にとって望ましいのは、適度なインフレであることは、山崎さんも同意しますよね」

「もちろんだよ」

インフレとは物の価値が、貨幣価値を上回ること。インフレが続けば、貨幣を持っていても価値が減るばかりなので、人々は投資や消費に走る。結果、経済が成長する。

「市場に任せたって、デフレは解消されません。企業や個人は先行きが不安だから、投資や消費を控えます。で、ますますデフレになる。これがデフレスパイラルで、日本はずっとこの状態を放置してきました」

デフレとは、インフレの逆で貨幣価値が物の価値を上回ることだ。また、供給が需要を上回っている状態のことをいう。

市場に任せても需要が上がらないのであれば、政府が介入するしかない。つまり公共事業だ。バラマキと揶揄《やゆ》されるが、それは利権が渦巻く無駄な公共事業をするからで、良質な公共事業なら必要である。

問題なのは金。「国が赤字だから、公共事業に拠出する余裕などない、税金を上げればなんとかなるかもしれないが」というのが一般的な見方だった。しかし、税金を上げれば益々景気は低迷する。

「確かに国は赤字です。GDPに占める政府債務は二百十パーセントを超えています。財政難のギリシャよりひどい。なのに日本は財政破綻していないでしょう」

それは政府が自国通貨発行権（自国通貨建て国債発行権）を有しているからだ。平たく言えば、国が借金を返済したければ国債を発行し、それを金融機関に買い取らせた資金で返済すればいい。日本の金融機関が日本の国債を「信用できない」と購入拒否することはない。

「だから、政府債務の大きさは、財政危機とは関係がないんですよ」

「きみの言うことは間違っていないよ」

「公共事業や年金や医療費の補塡、少子化対策や弱者保護政策などをやって、政府債務をどんどん膨らませていくと、理論的にはいずれインフレになりますよね」

「ああ、徹底的にやるならばね」

「さらに膨らませると、ハイパーインフレのリスクが高まります。その時こそ、歳出削減や増税で債務を縮小させればいい。つまり政府債務が大きすぎるか否かを判断するのは、インフレ率です。インフレ率がマイナスのデフレであれば、政府の借金がまだまだ足りないということです」

かなり大胆なロジックである。政府や主流派の経済学者は、国の債務をいかに減らすか苦慮しているのに、もっと借金をしなきゃダメだと尻を叩いているのだから。

「税により財源を確保する必要なんか、ないってことだな」

「そうです。いくらでも国債を発行して、財政支出ができますからね。だけど、無税にしちゃうと、そのうち景気が過熱するから、税は必要なものです。需要を縮小させ、インフレを抑制する効果がありますから。いわば、税金というのは物価調整の手段ですね」

税金が物価調整の手段——。

確かに投資や消費にかかる税を重くすれば景気は後退し、インフレは是正される。分かり切ったことだが、気づかなかった。税金は「財源確保」ではなく「物価調整」の切り札だったのだ。

「国債発行による財源確保に問題がないなら、公共事業をやれるな。それから、デフレの時こそ減税して、景気浮揚を図るべきだ」

「そう。さらに、規制も強化して、産業を保護するべきです。緩和して市場任せにすると、少数の強い企業だけが生き残って、多くの中小零細企業が倒産します。当然失業率も上がる。デフレの時こそ需要を上げなければいけないのに、周りを見たら破綻した企業や失業者ばかりでは、投資も消費も減退します」

――なんてこった。

今まで政府がやってきたことは、真逆の政策ばかりだ。増税に緊縮財政、規制緩和によるグローバリズムの促進。これではデフレをどんどん悪化させる結果にしかならない。

ふ～とため息をつき、眉間をつまんだ。

再び一郎は自問した。そんなことは分かり切ったことだ。どうして今まで気づかなかったんだ……。

「国民が払う税金＝通貨は、そもそもどこから来たのか？　国民が自分の家に輪転機を持っていて、自ら紙幣を製造しているわけではありませんよね？　国が財政支出をして、国民の手に行き渡った通貨を、再び国に戻すことが納税でしょう」

「まったくその通りだ」

「だけど民間経済が成り立つためには、納税以外の目的で流通する通貨が存在しなければいけませんよね？」

「ああ」

「ということは、貨幣をすべて税として徴収せずに、民間に残しておかなければならないってことです。つまり財政支出が税収より多い、赤字の状態です。国家財政が赤字なら、経済がうまく回っている証拠じゃないですか。違いますか？」

なのに国は、今まで執拗に財政危機ばかり煽ってきた。プライマリー・バランスを黒字化させるなんてことに、躍起になってきた――。

「まとめると、デフレ時には減税、財政出動、規制強化を行わなければならないのに、政府は二十年近く逆の政策を取ってきた。だからずっとデフレのままなんですよ」

返す言葉もなかった。

「財務省も、いくら財政赤字が膨らもうとも、国家が破綻するなんてありえないことを理解しているはずです。ぼくが逆に山崎さんに問いたいのは、なぜ優秀な人間が揃っている財務省が、国家財政が危ないキャンペーンばかり行っているのかってことです」

「それは……」

個人や企業、地方自治体が赤字になったら大変なことは誰でも知っている。しかし、唯一国だけは赤字でもいいのだ。いや、むしろ赤字でなくてはいけない。こんな理屈は、一般的に受け入れられるのが難しい。

「かつて大蔵省の事務次官が『国の財政は国民の財政であり、その状況は国民の品格を体現している』というようなことを言っていた。つまり国にサービスを求めながら、税負担は嫌がるというのは、卑しい考えだと国民を叱責したんだな」

「美しい精神論ですね。だけどピントがずれてる」

「確かに日本では、財政論が精神論や道徳論にすり替わっているのかもしれないね。役人には生真面目な連中が多いから」

「まあ、ぼくみたいに、財政赤字をもっとデカくしろ、なんて主張してる学者は異端扱いですからね。そのうち火あぶりになるかもしれません」

苦笑いしてしまった。

「民主政治が財政赤字を拡大させるという研究が、七〇年代にありました」

正章によると、六〇年代のアメリカでは、特に若い世代から、政治参加と充実した福祉を求める声が多く上がったという。他方、増税などの不人気な政策は嫌われた。結果、財政赤字が拡大。さらに政府職員の労働組合は、賃上げ要求とストライキを繰り返したため、悪性のインフレが起きた。

「だから、諸悪の根源は行き過ぎた民主政治のせいだというわけです」

国民に迎合した衆愚政治に任せておけば、財政赤字と悪性のインフレを引き起こすと研究は結論付けた。

「財政規律を守ろうとしても、民主政治下では国民が重税に反対する。政治家は票集めのため、国民の声を無視するわけにはいかない。結果、財政赤字は益々膨らむ。インフレも加速する。七〇年代日本でも同じような議論がなされました。だけど、当時と今の日本では決定的な違いがあります」

「当時はインフレ、今はデフレということだな」

正章は大きくうなずいた。

インフレの時代に言われていたことを、現在のデフレ下でも繰り返すのはおかしい。今問題になっているのは、財政赤字や需要の過剰ではなく、過小なのだ。

「行き過ぎた民主政治を嫌うのは、何も財務省だけではありません。ところで山崎さんは今でもアメリカ型の資本主義、新自由主義には賛成の立場ですか？」

「いや――」

一時期は、ゴリゴリの新自由主義者だったが、今は違う。正章は、財務省と新自由主義者の利害は一致すると、持論を展開した。

「そもそも新自由主義者は、インフレなんか望んでいないでしょう」

「――う～ん……そうかもしれんな」

よいインフレが起きれば、景気がよくなるので、一見新自由主義者もインフレを期待しているように思われがちだが、実は違う。

彼らは既に金を持っている。インフレになれば貨幣価値が下がるので、金持ちの新自由主義者にとっては痛手となる。それに彼らの多くは経営者や株主だから、従業員の発言力が増すのは避けたい。

「インフレになれば、労働者は賃上げを要求してくるでしょうね。自分たちの努力で収益を上げたと主張できますから。でも、経営者は、人件費の高騰を避けたい。昔の日本だったら、終身雇用や家族的企業風土がありましたから、会社の利益は順当に従業員に還元してましたが、今や、彼らは使い捨てです。

民主主義は、そんな労働者の味方をするでしょう。だから新自由主義者は民主主義が好きではありません。増税を民主主義の力で押しとどめようとするのを、快く思っていない財務省と利害は一致します。

それに財務省は、なかなか公共事業をやりたがらない。やればインフレになって結果的に税収も上がるのにね。新自由主義者もインフレが嫌い。彼らは実に気が合いますね」

公共事業をやれば景気の起爆剤となるのに、自民党も民主党も無駄や利権の温床と唾棄《だき》してきた。裏で財務省が糸を引いているのは言うまでもない。

「憲法には、国の予算や税については国会の決議を必要とすると書いてあるのに、実質この分野は財務省に牛耳られているんだよ」

「いわゆる財政民主主義ですね。つまり予算や税を決めるのは国民ってわけだ。でも、素案を作るのは財務省でしょう？　面倒だから丸投げしているうちに、いつの間にかこうなっちゃったんじゃないですか？

ああそれから、財務省も新自由主義者も小さな政府が大好きですよね。小さな政府は、財務省にとってはコストダウン、新自由主義者にとっては規制緩和のメリットがあります。ホント、利害が一致しすぎて怖いくらいですね。まあだから、天下りなんてものがあるんでしょうけど」

「昔はおれも小さな政府に賛成だったが、今では行政の怠慢にしか思えんよ。何でもかんでも民間の好きなようにやらせていたら、政府が存在する意味がない。

きみの慧眼《けいがん》には本当に脱帽だよ。話は違うが、今後政局はどうなると思う。解散総選挙が近いともっぱらの噂だけど、民主党で勝てるのかね」

「無理でしょうね」

正章はきっぱりと否定した。

「では自民党が復権するのか？」

「おそらくそうなるでしょうね」

「ってことは、安倍さんがまたやるのか？　また途中で投げ出したりしないだろうな」

安倍晋三は、先月再び自民党総裁に選ばれたばかりだ。

「いえ。今回は長期政権になると思いますよ」

「デフレから脱却できるかな」

「いや、それは難しいでしょうね」

7

東京都の石原知事が「大震災は天罰、津波で我欲を洗い流せ」と発言したと聞き、無性に腹が立った。被災した人々の気持ちも考えず、まるで自分が天罰を下したかのごとき、超上から神目線の放言ではないか。翌日になって発言を撤回し、謝罪したようだが、ビルの怒りは収まらなかった。なぜこんなに腹が立つのかと考えたところ、もう十数年会っていない父親も、似たようなことを言い出しそうだと気づいたからだった。

父には厳しく育てられた。やれば絶対にできる、と尻を叩かれたことには憤りを感じないが、やらない人間を糞みそに貶《けな》すのが耐えられなかった。自身が勉強もスポーツもできるエリートだったから、子どもたちも当然同じ能力を受け継いでいると信じていた。

中学までは何とか父の要求に応えてきた。しかし、高校に進学した途端、ガス欠が起きた。少し休んでじっくり将来のことを考えたかったのに、父は許さなかった。期末試験で最低の成績を取り、盛り場でチーマーと喧嘩して補導された時「お前なんかもう、おれの息子じゃない」と引導を渡された。

震災をきっかけに、世論は原発推進派と反対派に分かれた。ビルは反対派だった。日に日にコントロールが効かなくなっている福島第一原発を見るにつけ、こんなものに頼るのは絶対に危険だと思った。「プルトニウムは飲んでも大丈夫」などと喧伝していたのに、この慌てぶりはいったいどういうことだ。専門家なる人々の言っていることを、鵜呑みにしてはいけないと、事故を機に学んだ。

石原知事は「原発がないと日本経済は成り立たない」と述べた。バリバリの推進派はとにかく経済を重視した。経済を動かすためには、電気が必要なのはわかる。しかし、東京に電力を供給しているのは東京ではなく、福島の原発なのだ。自分たちは安全地帯にいながら、経済のために必要だ、というのは首都の奢《おご》りではないのか。

「お前、そういうことは公には言うなよ」

田中に釘を刺された。電力会社は番組の有力スポンサーだから、批判はタブーだ。しかし、事故はまだまだ収束の兆しすら見せていないのだから、批判的な意見も出始めている。

「報道に任せておけばいいんだよ。タレントは政治に関与するな」

と言われても、なかなか素直に受け入れることはできなかった。

一段落すると、ビルは事務所の後輩たちと一緒にキッチンカーを駆り、被災地に炊き出しに向かった。岩手、宮城、福島の避難所を回る予定だった。田中は渋々同意し、「だが、放射能にはくれぐれも注意しろよ」などと、具体的にどうやるのかまったく不明の指示を飛ばして、ビルたちを送り出した。

被災地では熱烈な歓迎を受けた。熱血コーチが来た！　と次々に握手を求められた。瞳を潤ませながらハグしてくるおばあちゃんもいた。「あんたは孫に似ている」と言うので「お孫さんと一緒に避難されているのですか」と訊くと「津波に持ってかれた」と答えた。今更ながらこの人たちは、たった十数日前、地獄を見たのだと思い知らされた。

タレントの炊き出しは、ビルたちが初めてだったらしい。用意したシーフードカレーは、十分も経たないうちに底をついてしまった。それでもまだいてくれとせがまれたので、被災地の子どもたちと一緒にサッカーをして過ごした。皆瞳を輝かせてボールを追っていた。娯楽に飢えていたのだろう。その様子を現場に詰めていた報道スタッフが撮影した。夜は車の中で雑魚寝をし、翌日次の避難所に向かった。

結局被災地巡りは、合計七日間続けた。その間ずっと狭い車の中で寝泊まりした。トイレの水が流れず、風呂もシャワーもない避難所で日々暮らしている被災者に、少しでも寄り添おうと思ったからだった。後輩たちが、頭が痒くて死にそうだと訴えるので、帰京する前、一日だけ仙台のビジネスホテルに泊まりシャワーを浴びた。文明の有難みをこれ程感じたことはなかった。

東京に帰ると、出発時とは打って変わって田中が笑顔で出迎えた。

「炊き出しのニュース、観たぞ。よく撮れてた。これでお前たちの好感度はかなり上がったぞ！」

田中は、炊き出しに参加した者たちに臨時ボーナスを約束した。まったく現金な男だ。決して好感度を上げるために炊き出しに行ったわけではないのだが、ボーナスはしっかり頂くことにした。

今までは日々の雑感を綴《つづ》っていただけのSNSに、動画や写真と共に、被災地で経験したこと、感じたことをUPした。

すぐにフォロワーからの反響があった。大部分は好意的な内容だったが、中には「売名行為」とそしるものもあった。様々な思いを書き連ねていると、フォロワーが飛躍的に増えた。それに伴い、アンチも急増した。ビルが政府の対応の遅れに物申すと「タレントごときが偉そうに」「筋肉バカは運動だけしてろ」と、辛辣に叩かれた。単に一言「死ね」とだけ書いてくる輩もいた。アンチは熱血コーチの時代にもいたが、これ程ではなかった。役者が政治的発言をすると、バッシングを受けるとは聞いていたものの、これ程とは思わなかった。

とはいえ、ビルが口をつぐむことはなかった。叩かれれば叩かれるほど燃える性格である。毎日震災報道を追い、所見を書き連ねた。田中は「ほどほどにしておけよ」と言ったが気にしなかった。

しつこくブログで発言を繰り返していたことが、誰かの目に留まったのであろう。報道バラエティに出てみないか、というオファーが来た。コメンテーター同士、ガチな論争をするのが売りの、ハードな番組だ。

田中はホクホク顔で、コメンテーターなんてうちの事務所初の快挙だと、ビルの肩を叩いた。

「ブログ、忘れずに更新しろよ」

ついこの間までは、ほどほどにしておけ、などと言っていたくせに、また態度がコロリと変わった。

初回の出演ではさすがに緊張した。

テレビカメラには慣れていたが、カメラの前ではいつも動きながら台詞を言ったり、率直な感想を述べたりするだけだった。しかし今回は座りっぱなしで、単なる感想ではなく、意見を言わなければいけない。しかも意見には、ちゃんとした拠り所がなければいけなかった。いい加減なことを言えば、すぐに論駁《ろんばく》されてしまう。周りにいるのは、弁護士や大学教授、国際ジャーナリストなどの論客ばかりだ。

お笑いタレント上がりのＭＣは、様子見といった感じで、ビルに話題を振ってきた。社会問題、国際問題、防衛問題……そしてそれらを解決すべき政治経済的課題。答えるのがやっとだった。というより、よく分からない主題がほとんどだった。とはいえ、「知らない。分からない」では済まされない。ともかく無理やり所見を述べた。コメンテーターたちは聞こえよがしに鼻を鳴らしたり、苦笑いしながらかぶりを振ったりしていた。「あのね、ビルくん。そもそも憲法というものはね――」と説教を始める、親子くらい年の離れた大学教授もいた。ＭＣも「う～ん」と唸りながら、二の句を継ぐのに苦労している様子だった。

長い長い収録が終わり、くたくたになってスタジオを後にした。田中には申し訳ないが、二度目はもうないと思った。ところが、来週また来てくれとオファーがあった。

「オンエア見ただろ。おれにとっちゃ荷が重すぎる。あれは上級者向けの番組だ」

田中に訴えた。田中は、お前にしちゃ珍しく弱音を吐いてるな、と眉をひそめた。

「プロデューサーによれば、あらゆる世代、階層の人間が意見を言える番組にしたいんだそうだ。おれにはよく分からんが、そういうのが民主主義なんだろう」

「だが、意見はほとんど否定されたよ。おれなんか、赤子扱いだ」

「おまえ、進学校に通ってたんだろう。勉強しろよ。熱血コーチなんだから、自分に発破《はっぱ》をかけろ。弱音なんか聞きたくねえ」

二度目の収録はさらに過酷だった。初回は、一応ゲストのような扱いだったが、レギュラーともなれば皆容赦しない。ボケと突っ込みを熟知したＭＣは、ビルをボケ役として使うことに決めたらしい。ビルがよく知らない、アメリカ大統領選や、量的緩和の話などを恣意《しい》的に振ってきて、答えるたびに、他のコメンテーターに突っ込みを入れさせた。そして「いやあ、ビルの言っていることも分からないわけではないけど、世の中そんな単純には動いていないということですかねー」と最後に締めた。

地政学や金融経済に疎い人間は、この様子を見ながら楽しく学ぶことができただろう。とはいえ、田中が言っていたような「あらゆる世代、階層の人間が意見を言える番組」というのは嘘っぱちで、出演者は相変わらず皆ビルより年上で、高学歴の専門家ばかりだった。集団いじめの対象になることにより、番組を盛り立てる役に抜擢されたのだ。ネットでも散々叩かれた。「あんな馬鹿をテレビに出すな！」「電波の無駄遣い」「真面目な討論番組を、お笑いに変えた戦犯は許せん」などと、様々な罵詈雑言を浴びた。

沸々《ふつふつ》と怒りが込み上げてきた。――ならば、いじめられないような人間になってやる。田中に言われたように、ビルは自分自身に発破をかけた。政治経済、時事問題でベストセラーになっている書籍をネットで検索し、発注した。紙の本では時間がかかるので、これを機に電子書籍というものを利用してみた。電子なら発注から数秒でダウンロードが完了する。

次の収録までの六日間、寝ずに本を読みまくった。こんなに勉強するのは、中学の時以来だ。読書に疲れてくると、今度は動画投稿サイトの政治経済チャンネルを閲覧した。番組にも出ているコメンテーターが、経済の解説をしている動画を見つけたので何度も繰り返し視聴し、内容を丸暗記した。

そして三回目の収録日。ＭＣがいつも通り、話題を振ってきた。「お前にゃ、これは分からんだろう。またピントのずれた、ウケる回答をよろしくな」と心の声が聞こえてきそうな、意地の悪い表情をしていた。

ビルは、すぐ隣で座っている経済学者が、ＹｏｕＴｕｂｅで言っていた通りのことを、一言一句たがわず述べた。

ＭＣの表情が固まった。スタジオの端に控えているディレクターの顔色をサッとうかがい「ビルが今、何やら難しい提言をしましたが、そんなことが本当に可能なんでしょうか、篠原さん」と、隣の経済学者を指名した。振られた篠原は「……ええ。可能だと思いますが」と狐につままれたような表情で答えた。

「ではその辺のことを、篠原さんにもっと詳しくお聞きしましょう」

「え、ええ……」

篠原が説明を始めたが、言っていることはビルと同じだった。当たり前だ。これは彼の理論なのだから。

オンエアの後、ネットの反応を見ると、いつもの罵詈雑言は鳴りを潜めていた。「篠原って、ビルの言ってることを繰り返してるだけじゃん」「篠原がビルをパクったのか?」「いや、逆だろ。篠原がいつも言ってることをビルが代弁したんだ」「面白くね。笑えないじゃん」「お笑い番組じゃないって怒ってたの、お前らだろう」……。

ビルはほくそ笑んだ。この調子でがんがん攻めてやろう。鼻持ちならない専門家ども全員に、ぎゃふんと言わせてやる。報道番組をくまなくチェックし、政治経済の投稿動画を閲覧し、本を読んで理解を深めた。勉強は苦ではなかった。むしろ、面白くて、次から次へと貪欲に知識を求めた。

動画投稿サイトをあれこれチェックしている時、どこかで見た事のある男が映っているチャンネルを発見した。

思い出した！

ずっと前、スタバで忍と一緒にいた男だ。以前より痩せ、髪の毛も薄くなったが、間違いない。テロップには、経済学部教授と書かれていた。彼がしきりに主張しているのは、日本の財政赤字はまだ小さすぎる、ということだった。そんなことを言う学者を、ビルは知らなかった。討論番組のコメンテーターは皆、国の借金をもっと減らすべきと訴えている。画面が退くと、フリップを持った女性アシスタントが映し出された。

忍だった。

そういえば忍とはあれ以来会っていない。亜麻色《あまいろ》に染めていた髪を黒くし、眉の形も変わっていたが、美しさは相変わらずだった。彼女ももうとっくに三十を超えているはずだ。

動画を消し、ひと息をついた。

——忍は大学教授の助手をやっていたのか。元気そうでなによりじゃないか……。

とはいえ、残念ながら、忍たちの話は参考にならなかった。魅力的な理論だが、もしあの教授が言っているようなことを番組でしゃべれば、コメンテーターたちから集中砲火を浴びるだろう。そうなったら、反論のしようがない。築きかけた信頼が、ガラガラと音を立て、崩れ落ちてしまう。

初回の出演から三ヶ月ほどすると、ビルはすっかり番組に馴染んできた。晒し者にして嘲笑《あざわら》おう意気込んでいたスタッフたちも、ビルの進化を認めざるを得ず、一人前のコメンテーターとして尊重し始めた。田中は「さすがだな」と目を細めた。

「お前ならやると思ってた。芸能人運動王決定戦の時も、期待に応えてくれたしな。文武両道のすげーやつだ。事務所にスカウトしたのは正解だったよ」

しかしながら、早くもビルは番組の進行に疑問を持ち始めていた。なぜなら彼らは、知識の開陳ごっこをしているだけのように見えたからだ。

本気で問題を解決しようとする意志などなく、視聴者の前でいかに自分が知的に映るか、競い合っているだけではないのか。だから自分の価値を下げるような異論には、ムキになって反発する。反対に、互いに褒め殺し合い、連合を形成するコメンテーターたちもいた。意見の合わない人間を、数の論理で抑え込もうという魂胆だ。彼らは、たとえグループの一人が何か間違ったことを言っても、すぐさまフォローに回った。「そういう考えもないわけではないから、全面的に否定はできない」などと奥歯に物の挟まった言い方をし、仲間を守ろうとした。

はっきり言えば茶番だった。こんな番組が、社会のために役に立つのだろうか。現場を知らない、知ろうともしない学者や自称専門家たちの戯言はもうたくさんだった。ビルは田中に番組を降りたいと直訴した。

「ダメだ」

にべもなく断られた。

「やっとお前の価値が認められたばかりじゃないか。何が不満だ？」

「あいつらが真面目に議論してると思うか？　所詮《しょせん》馴れ合いの演出だよ」

「そうかもな。でもそれがテレビってもんだろう」

「ともかくおれはもう出ない。あんな番組で不毛な議論をしているより、また被災地に行きたい」

震災から随分経っているのに、被災地の問題は原発の処理を含め、遅々として進んでいなかった。

「わかった。もう少しだけ我慢しろ。何とか考えるから」

制作スタッフとミーティングが重ねられた。何回かの話し合いの後、田中はビルを呼び出した。

「お前のためのコーナーを番組内に作ることになった。これからスタジオより、ロケの方で活躍してもらう」

熱血助っ人コーチのキャラを、復活させるという。ただし、今回巡るのは高校の部活ではなく、被災地の避難所だ。

「避難所の仕事を手伝いながら、被災地の今をリポートする。これなら番組に残る意義があるだろう」

すぐに、現場に向かうことになった。以前に比べれば道路事情も改善され、思ったよりも早く被災地に着けた。

道路の両側にあるのは建物ではなく、積み重ねられたがれきである。山ほど積まれたがれきの山の中で、パワーショベルが唸り声を上げながら作業をしていた。その向こうでは、逆さまに打ち上げられた大型の漁船が、赤い船底を晒している。

倒壊を免れた民家の前で車を停め、門戸を叩いた。家の中では、住民が堆積した土砂の撤去作業を行っていた。家長らしき痩せた中年男性の額には、玉の汗が浮いている。腰を曲げて作業していた女性が、上体を起こし、辛そうに腰をとんとんと叩いた。

手伝いをしたいと申し出た。シャベルを貸してもらうと、ビルは男性の二倍のスピードで、粘土のように固まった土砂をひたすら掘った。泥の中から、テディベアのぬいぐるみが顔を出した途端、女性が号泣を始めた。男性もタオルで目頭を押さえながら、しきりに嗚咽を堪えている。

「……娘のものです。まだ九歳なんです」

地震の揺れが来るわずか十分前、娘は表に遊びに出たまま、未だ戻って来ないという。

次に向かった避難所では、震災当時に比べ、落ち着いた雰囲気を取り戻していた。とはいえ、食料も水もあり、水洗トイレや風呂も使えるようになっても、心の傷が癒えることはなかった。家や財産、家族も失った人々は、これからどうしたらいいか、途方に暮れている。鬱になり、自殺する者も出たそうだ。

被災者たちは、口先だけの励ましやアドバイスより、親身になって聞いてくれる人間を求めている。ビルは、彼らが語ることに耳を澄ませ、彼らと共に悲しみ、苦しんだ。それだけで充分だった。皆話し終えると、ビルの両手を握り締め「ありがとう」と頭を下げた。

避難所内部の撮影が終わるや、ビルはマイクを握り、カメラの前で視聴者に訴えかけた。

「ここから遠い所に住んでいる人たちは、震災のことを忘れかけているかもしれませんが、まだまだ被災地は復興には程遠い状況です。引き続き、経済支援、震災ボランティアをよろしくお願いします」

これを見ていたコメンテーターたちは、例によって大所高所から意見を言い始めた。

もう沿岸に住むのは止め、全員山の上に引っ越せ。高さ三十メートルの巨大堤防を造れ。ピンチをチャンスに変えろ。スクラップアンドビルドの精神に則り、津波で流された漁村を一大ＩＴ集積地に造り替えろ——。

漁師は山の上に引っ越すのは嫌がるだろうし、三十メートルもの堤防を造ったら、景観が破壊される。漁村みたいな古臭い風景はもういらんから、最先端のＩＴ都市に特化しろというのは、この地で何世代にも渡り、地場産業を支えてきた被災者の気持ちを逆撫でする暴言だ。

では、どうすればいいか。

被災者住民と綿密に話し合いながら、着地点を見極めるしかないだろう。

被災地から何百キロも離れた安全地帯に住んでいる人間が、物事の表層だけを捉え、自分勝手にあれこれ言うのは間違っている。

コメンテーターの中で、実際に復興の手伝いを経験した者は一人もいない。次回は一緒に被災地に行かないかと誘ってみたが、皆曖昧な返事をするばかりだった。被災者に寄り添わないから、こういう身勝手な（そればかりか身勝手という自覚すらない）発言ばかりを繰り返すのだ。

保守的な発言が売りのコメンテーターの一人が「経済復興が最重要課題。そのためには、原発を従来通り稼働させるべし」と発言した時、ビルはついにぶち切れた。その日は、被災地からのライブ中継だった。ビルはカメラの前ではっきり原発批判をした。

政府や御用学者が言うことは、まったく信用できない。柏崎刈羽《かしわざきかりわ》原発が地震で破壊された時も、電力会社や政府は「安全です」と繰り返した。「もんじゅ」では、燃料棒を引き上げられない事故が起きたにもかかわらず「事故ではない」と強弁した。

今回の事故でもメルトダウンはないと言われていたのに、実際には起きていた。自分たちがコントロールできない危険なものを、使用すべきではない。ドイツも脱原発に舵を切ったではないか。実際に甚大な被害を出したのは日本なのに、なぜドイツのようにできないのか——?

普段から思っていたことを、一気にまくし立てた。MCの表情が固まっていくのが分かった。すぐにCMになり、その隙にマイクを取り上げられた。ディレクターから、しばらく休んでいろと言われた。

ロケが終わり、東京に帰るなり、田中の雷が落ちた。

「原発批判はするなと、あれほど言っただろうが!」

「だけど、批判してる番組は他にもあるだろう」

「お前の批判は度を超えてるんだよ。それに、分かってるだろう」

分かってはいた。番組の一番のスポンサーは、電力会社だ。

次回の収録は、被災地ではなく、スタジオに詰め、討論する構成だった。プロデューサーから

「発言内容には、充分気を付けるように」と直々にお達しが下った。

最初は大人しくしていたビルだったが、論客たちが、例によって、被災者に対する配慮に欠ける発言を繰り返した挙句、原発をヒステリックに批判するのは、経済合理性を無視した単なるポピュリズムに過ぎないと強弁するに及んで、もはや黙ってはいられなくなった。

コメンテーター十人のうち、原発に反対を表明しているのは、ビルともう一人の女性キャスターだけだった。三人はおそらく反対だろうが、はっきりとは言わない日和見派。残り五人は賛成派だった。ビルが意見を言うと、五人が結託して潰しにかかった。最初は味方してくれた女性キャスターも、そのうち形勢不利と判断したのか、黙り込んでしまった。孤軍奮闘しなければならなくなったビルの発言は、どうしても過激になった。

収録が終わると、プロデューサーから「もう来週から来なくていい」と引導を渡された。

第三章　覚醒

1

正章が言っていた通り、解散総選挙の後、自民党が与党に返り咲いた。第二次安倍政権の発足である。

安倍首相は後に「アベノミクス」と呼ばれる政策を打ち出した。大胆な金融緩和、機動的な財政政策、民間投資を喚起する成長戦略の「三本の矢」で、長引く円高・デフレ不況から脱却し、雇用や所得の拡大を目指す、という骨子である。

まず第一の矢、大胆な金融緩和。

民間金融機関保有の国債を大量に購入するなどして、金融機関の保有資金残高を増やすというのが金融緩和の内訳である。

しかし、いかに銀行に資金を供給しようが、民間企業が借り入れをしてくれなければ、金は眠ったままだ。日銀は物価上昇率二パーセントを目標にするとしきりに喧伝したが、思った通り民間企業の動きは鈍かった。

いくら目標を掲げようが、先行きは未だ不透明なので、皆投資を控えたのだろう。

やはり金融緩和だけでは不十分で、国は自ら民間需要を喚起させる必要があった。それが第二の矢、機動的な財政政策である。二〇一二年、一三年に各々十兆円規模の公共投資の予算を組んだ結果、一三年のＧＤＰ実質成長率は二パーセントに達した。

しかし、これは建設業界の雇用拡大、設備投資には結びつかなかった。なぜなら、これ以上の大規模投資を行わなかったからだ。ネックになったのは、またもや財政問題だった。せっかくインフレの兆しが見えたのに、国の赤字をこれ以上増やすなとばかりに、引き締めに転じたのだ。

そして第三の矢、成長戦略は、一郎が疑義の念を抱き始めたグローバリズムを提唱するものだった。具体的には法人税減税、国家戦略特区の創設、労働規制の緩和、そして外国人労働者の受け入れ枠拡大等だ。

法人減税というのは、明らかに大企業に配慮したものだった。安倍政権は臆面もなく「世界で一番企業が活動しやすい国」をスローガンに掲げた。外国資本も誘致して、取り合えず大企業が潤えば「トリクルダウン」効果で末端の企業、労働者まで豊かになるという論法だ。

そんなものは幻想であることぐらい、分かっているはずではないか。グローバリズムの洗礼を受けた経営者が見ているのは、下請けや従業員ではなく、株主だけだ。

労働規制の緩和は「働き方改革」とも呼ばれた。一見労働者の待遇改善のように見えるが、実態は企業が低コストで労働者をこき使うことを許す「働かせ方改革」である。

外国人労働者の受け入れ枠拡大は、専門職以外でも外国人労働者を積極的に受け入れるというのが趣旨だ。しかし、従来の技能実習生制度については「低賃金で外国人を働かせている」「人権侵害」などの批判を浴びてきた。外国人労働者を不当に働かせている企業を取り締まらず、受け入れ枠だけ拡大すれば、さらなる人権侵害が起きるに決まっている。

アベノミクス第二の矢、公共事業の拡大により、落ち込んでいた景気が一時的な回復を見せていた頃、以前から患っていた腰痛が一段とひどくなった。

きっかけはジョギングを始めたことだった。当初はマイペースで走っていたものの、目標も無しに走るのは不毛だと思い、一郎は市民マラソンにチャレンジしようと思い立った。体力には自信がある。学生の頃はラグビーをやっていたし、役人時代も激務の合間を縫ってジム通いをしていた。

どうせやるならいいタイムを出したい。ジョギングのスピードでは遅すぎる。

――そういえば、ここ数十年、本気で走ったことはなかったな。

現在の脚力がどのくらいなのか、試したくなった。還暦を超えているが、体力は四十代にも劣らぬと自負していた。

しかし、これがいけなかった。

近所の通りを全力で走っているうちに、腰に激痛が走った。風の抵抗で、上体が弓なりになったのが原因かもしれなかった。すぐに家に帰り、湿布薬を貼って休んだ。

ところが翌日になっても痛みは治まらなかった。そればかりか、ひどくなっている。佳江の勧めで近所のクリニックに出向いた。平日の昼間だったので待合室は、年寄りたちでひしめき合っていた。皆、杖をついたり、車椅子に乗ったり、付き添いの介助人に支えられたりして順番を待っている。

――これが高齢化社会の実態か……。

　生まれながらの健康体で、病院通いとは縁遠かった一郎は、懸命に生きている老人たちの姿に衝撃を受けた。そして自分もいつの間にやら、彼らの仲間入りをしていたことに気づいた。

　待合室にはテレビが置いてあり、ニュースをやっていた。

「STAP細胞はあります」

　と憔悴した顔で言うのは、つい三ヶ月前、STAP細胞と名付けられた万能細胞の発見で、世界中の注目を浴びた理化学研究所の小保方《おぼかた》晴子《はるこ》研究員である。

　三十歳になったばかりの小保方は「リケジョの星」として崇《あが》められたが、程なくデータに多くの誤りが発覚、一転疑惑の人になった。

　やがてニュースの話題は消費増税に移った。今月から消費税が5％から8％に上がる。いわゆる駆け込み需要のおかげで、一時的に景気は上向いたが、今後は低迷することは火を見るより明らかだった。

　この件に関しては正章と電話で話した。せっかくいい具合に景気が回復してきたのに、また増税か？　と正章は怒りを露わにした。

「しかも消費税ですよ。これじゃ低所得者は浮かばれません」

消費税には逆進性があるといわれている。つまり金持ちには負担が少なく、貧乏人には重くのしかかる税だ。どうせ増税するなら、法人税や、所得税の累進課税率を上げればいいのにと思う。正章とはメールや電話でやり取りが続いている。とはいえ、正章はもう一郎を自分の活動に誘うような真似はしなかった。引退したのだからと断られ、これ以上無理強いするのはあきらめたのだろう。

発言の過激さが祟《たた》ったのか、正章は徐々にテレビ界から締め出されていた。その代わりＹｏｕＴｕｂｅに動画をＵＰし、精力的に持論を広めている。その姿を見て一郎は、自分はこのままでいいのだろうか、と自問していた。

「山崎さん」

と看護師に呼ばれ、我に返った。と同時に腰の痛みが再発し、思わず「いてててっ」と悲鳴を上げた。

レントゲン室に連れて行かれ、腰の写真を撮った後、触診と問診を受けた。結果、椎間板《ついかんばん》ヘルニアと脊柱管狭窄症《せきちゅうかんきょうさくしょう》の併発と診断された。レントゲン写真では脊柱の隙間から潰れた椎間板が突出しているのが見えた。これが原因で、神経を覆う脊柱管も狭まってしまったらしい。

治すには理学療法か手術だという。

手術は避け、理学療法に賭けることにした。具体的には理学療法士が行うマッサージ、運動、高周波治療などである。

療法士のマッサージはつぼを押さえて気持ち良く、高周波は患部の深い所まで届いていると実感した。教えられた腰痛運動も、毎日欠かさず行った。

その甲斐あってか腰痛は徐々に改善されていった。しかし、ちょっとの油断でまた再発した。勢いよく立ち上がったり、物を持ち上げようとした時など鳴りを潜めていた痛みが再び襲ってくる。

二週間後に再び診察を受けた。医者は辛抱だと諭した。

「腰痛は一朝一夕では治まりません。粘り強く治療を続けるしかないんです」

医者の言うことを信じ、治療に専念した。といっても、やり過ぎるとよくないらしい。目標を定めるや猪突猛進してしまう性格なので、療法士からは「毎日治療に来る必要はありません。週に二〜三回程度で充分です」と言われてしまった。家でやる腰痛体操も、回数を半分に減らしてみた。

緩やかな治療を続けた結果、激しい腰痛は治まったかに見えたが、完全に消えたわけではなかった。油断するとすぐに再発し、鎮めるのに一週間ほどかかり、また再発するということを繰り返した。

腰痛を治すには、横になっていればいいのでは、と腰痛未経験者は言うが、そうではない。ずっと同じポジションでいれば、じわじわと痛くなるのは、立っている時も寝ている時も同じ。だから十五分毎に寝返りを打たなければならない。

寝るのもダメ、かといって座っているのも辛い、歩きすぎるのも良くない。座って立って歩いてまた座って、夜は頻繁に寝返りを打ってと、こんな生活がいつまで続くのかと嘆息した。

悩んだ末、手術を受けることにした。主治医は「そうですか」と一言言っただけで、思い留まらせることも、リスクの説明もしなかった。

主治医の紹介で、総合病院に入院。執刀医がＭＲＩ画像を見ながら、施術の説明をした。内視鏡による手術だから、それほど身体に負担はかからないと言われ、胸を撫で下ろした。

齢《よわい》六十四で、生まれて初めての手術。看護師が迎えに来て、車椅子で手術室に連れて行かれた時は、さすがに緊張した。青い手術着を着た執刀医が、普段と変わらない口調で「こんにちは、山崎さん」と出迎えた。

最後に覚えているのが、天井の明かりだ。さすがに手術室にはライトがいっぱい灯っている、と思った瞬間意識が飛んだ。

次に目覚めたのはベッドの上だった。いつもとは違う病室だ。枕元にモニターが置いてあり、バイタルサインらしきものを表示していた。カーテンで仕切られてはいるが、数人の患者が室内にいることがわかった。きっと一郎と同じように、手術を終えたばかりの患者たちなのだろう。

時間は夜らしかった。照明は消え、うめき声や床ずれの音が聞こえてくる。何気なく寝返りを打とうした途端、腰に激痛が走った。いつもの腰痛ではない。麻酔が切れてきたので、切開した箇所が痛むのだ。

手術そのものは自覚のないままに終わったため、思っていたほど苦痛ではなかったものの、問題なのは術後だった。翌日も痛みは続いた。じっとしているとそれほどでもないが、寝返りを打つや、ズキンと痛む。排尿は尿瓶《しびん》で行った。用を足すために、かがんだり身をよじったりしなければいけなかったため、その都度痛みが走った。

佳江が見舞いに来て、いろいろ世話を焼いてくれた。排泄の介助も嫌な顔をせずやってくれる。「お義母さんで慣れてるから」と言っていた。頭が下がる思いだった。身の回りのことを自力でできないのは、生まれて初めての経験である。人は一人では生きていけないことを、今更ながら痛感した。

三日ほどすると腰の痛みは随分と治まった。歩行器の助けを借り、トイレにも行けるようになった。もしこのまま痛みが続き、起き上がれなかったらどうしようと、不安に駆られていたが、杞《き》憂《ゆう》に終わったようだ。

入院生活で娯楽といえば、テレビとラジオ、それに読書くらいしかなかった。若い人間はスマホでゲームを楽しむらしいが、一郎は未だに旧式のガラケーを愛用している。

一日中報道バラエティを観ているので、同じニュースが繰り返されるのにウンザリし始めた。もう動けるのだから、リハビリも兼ねて少し歩きたい。

ベッドから出て、歩行器のグリップを握った。腰の痛みは随分引いたが、無理をすると怖いのでゆっくり慎重に歩を進めた。廊下をヨタヨタ歩いていると、ベッドに横たわった患者が病室に運ばれていくのが見えた。キャスターつきの移動用ベッドだ。おそらく患者は寝たきりなのだろう。

一郎が入院している階には、ホスピス病棟がある。終末医療を受けている患者のための棟だ。ためらったが、行ってみることにした。エレベーターホールを挟んで向こう側に病棟はある。

足を踏み入れた途端、空気が違うのを感じた。整形外科病棟には、騒がしさこそなかったものの、生活感があった。頻繁に出入りする看護師や見舞客、患者同士のおしゃべり、時に笑い声。手術が無事終われば、再起に向けた希望があった。

ところがここでは、人々はひっそりと終焉の時を待つだけだ。病室のドアはどれも固く閉じられ、話し声や物音ひとつ聞こえない。耳元に届くのは、自ら操る歩行器が立てる、ガラガラという乾いた音だけ――。

ホスピス病棟が思いのほか広いことに驚いた。これが高齢化社会の生の姿なのだ。居たたまれなくなり、一郎は踵《きびす》を返した。

手術から一週間が経ち、退院が決まった。執刀医が術後のMRI画像を見せてくれた。ぐちゃぐちゃに突出していた椎間板は、きれいに椎骨の間に納まっている。これでもう大丈夫、と太鼓判を押された。

とはいえ、微妙な違和感があった。歩けるようにはなったが、まだどこかおかしい。腰が石膏で固められているかのように、強張っている。

そのうち自然にほぐれるだろうと楽観的に考えた。医者は大丈夫と言うし、あんなにきれいな腰椎になったのだ。

しかし、日を追うごとに腰が強張り、痛みもぶり返し、ついには歩行が困難になった。右足は動くのだが、左足が付け根から動かない。杖を突きながら、ようやく移動ができる。

佳江は早く先生に診てもらえと急かしたが、一郎はもう執刀医を信用してはいなかった。「大丈大丈夫です」と請け負ったのに、これはいったいどういうことだ？　きれいな腰椎になっても、歩けなかったら意味がない。施術前よりひどい状態なのだから、損害賠償を請求できるかもしれない。いや、そんなことより、神経が損傷したのなら、麻痺は一生残るかもしれない――。

インターネットで腰痛に関する情報を集めた。いろいろな資料を読んでみて、今の症状が神経ではなく筋肉の凝りが原因ではないかと仮説を立てた。神経の損傷なら治らないかもしれないが、筋肉であれば治療する手立てがある。

東京でも数少ない、索状硬結《さくじょうこうけつ》治療専門のクリニックの門を叩いた。診察を担当した医師は当初、腰痛の手術をしたばかりならあり得る症状だと、執刀した医師の診断を仰ぐよう求めたが、一郎はここで検査して欲しいと粘った。

根負けした医師が、CTを撮り、触診をした結果、一郎が思っていた通り「筋肉の病」であることが判明した。「筋筋膜性疼痛症候群《きんきんまくせいとうつう》」という病名である。筋肉に時に激しい疼痛を生じる病気で、存在そのものが患者はもとより、医学界にも十分に認知されていないため、椎間板ヘルニア、脊柱管狭窄症など、神経根障害による痛みと誤診されるケースが多いという。

――もし、これが本当の病名なら、そもそも手術などする必要があったのか？

とはいえ、ぐちゃぐちゃだった椎間板は元に戻ったのだ。あのまま放っておいたら、また別の病にかかっていたかもしれない。

筋筋膜性疼痛症候群の治療はシンプルだった。発痛点を突き止め、そこに局所麻酔剤を注射するだけだ。一郎の場合は発痛点が十数か所あった。

注射針は細く、痛みはまったく感じなかった。そればかりか、麻酔が筋肉に染み渡ると気持ちが良い。注射が終わると痛みはすっかり消えていた。そして、足が動いた！

——なんだ、こんなことで麻痺が治るのか。

先生の手を握り、深々と頭を下げた。スキップしたい気分でクリニックを出、タクシー乗り場に行く途中で、唐突に足が動かなくなった。痛みが腰にじわじわと広がってくる。

麻酔が切れたのだ。切れると元の状態に戻る。時間にしてわずか十五分の効き目でしかなかった。とはいえ、一時的にでも回復したのだ。筋肉の硬結を完全に取り除くことができれば、健常体に戻れるという希望が湧いた。

翌週、二度目の治療を受けた時は、回復時間が五分ほど伸びた。前回はタクシー乗り場に向かう途中に痛みがぶり返したが、今回は乗り場に着くまで問題なく歩けた。とはいえ、五分程度では到底満足などできなかった。麻酔無しで歩けるようにならなければ、完治したとはいえない。

ネットで同じ治療を受けた人間の体験談を読むと、時間がかかるが、めげずに続けることと書いてあった。治療があるのは週一回。毎日でも受けたかったが、医者は、ある程度のインターバルを空けたほうがいいという。病院に行く都度、小躍りしたり落ち込んだりした。タクシーを降りて、家の門を潜った瞬間足が動かなくなり、暗澹たる気分になることも一度や二度ではなかった。

いったいいつまでこんな状態が続くのか。

八回目の治療が終わり、いつものようにタクシーに乗って家に帰った。降りる時に足は動き、それは家の中に入っても同じだった。

そろそろ昼食の時刻。佳江がラーメンを作ってくれた。食べ終えた器を流しに持っていき、ついでにお茶を入れていると佳江が「痛くないの？」と目を丸くした。

そういえば痛くない。

しかし、いつものようにまた痛みがぶり返すと思っていた。ところが夜になっても痛みはなかった。半信半疑のまま床に就き、翌朝起きた時も痛みはほとんど感じなかった。

それから一週間、腰をいたわりながら過ごした。このままいけば、もう注射を打たなくとも、疼痛がぶり返すことはないと希望を持った。

そして九回目の治療の日。触診した医者は、索状硬結は無くなっているようだと診断を下した。

「大丈夫そうですね」

この言葉は以前にも別の医師から聞いた。鵜呑みにする前に、再発の可能性について尋ねた。

「それは何とも言えません。腰痛はしつこいですから。取り合えず、もう一回だけ注射を打っておきましょう」

率直な意見は信頼に値すると思った。今は大丈夫だが、油断すれば再発するということだ。

最後の麻酔を打った途端、まだ少しだけ残っていた疼痛はどこかに消し飛んでしまった。帰りのタクシーのシートにじっと座っていると、腰が辛くなってきたが、それは若い頃にも感じた普通の腰痛で、筋筋膜性疼痛症候群による異常な腰痛ではなかった。

こうして一郎は、一年近く苦しめられてきた病から解放されたのだった。

2

ビルの仕事は徐々に減っていた。

決まりかけていた連続ドラマの配役も、別の役者に取られ、二本あったCMは打ち切りとなった。あいつは扱いづらい、という噂が広まっているらしい。複数のスポンサーが、ビルを使うことに難色を示している。

定時制高校で見た生徒たちや、被災者たちの境遇を思うと、国や巨大資本に物申したくなる。相手が強者だから、つい声が大きくなってしまう。

政治的発言をしている他のタレントたちには、社会派として売り出そうとする意図が見え見えだったが、ビルの場合はガチだった。だからビルだけが疎《うと》まれた。巷では散々「空気の読めない奴」と陰口を叩かれた。

しかし、以前のように、知識不足が原因で馬鹿にされることはなくなった。人々はビルを、一人前の論客としては認めていたのだ。

去って行った芸能関係者の代わりに近づいて来たのが、ビルと同じように権力者を批判する人々だった。彼らの集会に呼ばれたり、講演を依頼されるようになった。単に政権に恨みを持っているだけの人間とは距離を置いたが、権力者が作り上げた不条理を、真剣に憂えている人々には協力した。田中には、何度も「敵を作るな」「もっと大人になれ」「お前に支払われるギャラがどこから来るのか、ちゃんと考えろ」と諭された。

「やっと覚醒したね」

こんなメールが忍から届いた。久しぶりに会って話がしたい、と付言していた。

――いつもこうだ。

いきなり離れて行き、しばらくすると何事もなかったように戻ってくる。いったいあの女は、おれに何を望んでるんだ――?

忙しいと、つれなく返した。数分もしないうちに、ビルのスマホが鳴った。

「本当に忙しいんだよ」

拒否しようと思えば出来たが、やはり声を聴きたかったのだろうか。忍はからかうような口調で、本当に忙しい人間はメールに即答したり、電話に出たりしないから、と言った。数年間音信不通だったのに、まるでつい三日前に会ったばかりのような口ぶりである。

「やっぱりビルはやってくれると思ってた。『激論バトルTV』ずっと見てたよ」

ビルが追われた例の討論番組だ。

「ガチの討論を売りにしてるとか言ってるけど、所詮スポンサーの意向には逆らえないんでしょう。この辺りが、大手メディアの限界だよね。もう出てないみたいだけど、クビになったの?」

「ああ、そうだよ」

「で、今は何をやってるの?」

「一応、今まで通り芸能人だけど」

とはいえ、仕事といえば、ラジオのレギュラー一本と、Eテレで、子どもに体操を教えているだけだった。

「なら、取りあえずあたしたちに合流しない？」

「あの、ＹｏｕＴｕｂｅの動画のことか。経済学の教授なんだろう」

「そう」

教授の名前は、中村正章。忍が最も信頼を寄せている人物なのだという。

「大学時代の恩師か？」

「ううん。あたしの行ってた大学とは別の大学で教鞭を執っていたから、直接教わったわけじゃない」

中村教授の著書を読んで感銘を受け、手紙を書いたのがきっかけで交流が生まれた、と忍は言った。

「取りあえず、中村先生に会ってみたら？」

「悪いけど、あまり興味はないな」

「あの人は、バトルＴＶに出てたような似非《えせ》学者とは違うから。話をしてみて損はないと思う。ビルとは考えが似てるところもあるし」

「ちらっと動画を見たよ。国はもっとジャンジャン借金しろとか、かなり極端なことを言ってるじゃないか。悪いがおれには、トンデモ学者にしか見えないんだが」

「トンデモ学者かどうか、その目で確かめて欲しい。お願いだから」

忍から「お願いだから」なんて言葉が聞けるとは思わなかった。そこまで乞われれば、断れない。

指定された日に、中村の事務所に赴いた。仕事を干されているから、時間ならたっぷりある。

中村教授は、動画で見た印象より小さく、痩せていた。着ていた白いYシャツが、まるでハンガーに吊るされているかのごとく見える。髪の毛は薄く、バーナーで焦がしたようにちりぢりだった。

教授は笑顔で握手を求めると、「あなたは虐げられている人間の気持ちになって考えることができる、素晴らしい人間だ」とビルを褒めた。教授が憂えているのは、バブル崩壊から二十年以上経っても続くデフレと、それに伴う格差社会なのだという。

「政府は様々な対策を打ってきたが、ことごとく成功してない。だから、そろそろ発想を、百八十度転換してみてはと思うんだがね」

「先生の持論は、ネットで拝見しましたけど、正直よく分からなかったんです。今日はこっちの人に、それなら直接会って話を聴けって言われたんで、来ました」

ビルが傍らにいる忍に顎をしゃくった。そうかそうか、と教授は眉尻を下げ、ホワイトボードを持ってきて講義を始めた。

激論バトルTVでさんざん鍛えられたおかげなのか、内容は難なく理解できた。というより、何の反論や疑問も抱かず、水が真綿に染み渡るかのごとく、じんわりと脳細胞に溶け込んでいった。どうせ忍とスタバで談笑していたうさん臭い男が論じる理論だからと、先入観を持って動画を見ていたことを反省した。

景気がなかなか回復しないのは、デフレのせいだ。デフレは供給に比べ、需要が少ないから起きる。したがって、個人の消費や企業の投資などの需要を伸ばすためには「規制緩和」で弱肉強食にするのではなく、「規制強化」して、産業を保護育成しなければいけない。保護された企業は倒産を免れ、失業者も出さない。結果、需要は冷え込まない——。

言われてみれば、その通りだ。なのに今まで政府は規制緩和ばかり行い、倒産や失業しても、自己責任と切り捨てて来た。

需要を喚起するもう一つの方法として、公共事業がある。そのためには国債の発行が不可欠だ。結果、国の借金は膨らむ。だから、政府は嫌がる。リベラルを気取るマスコミも、なぜか政府と一緒になって、無駄遣いは止めろと騒ぎ立てる。

「国債を発行して財政支出を拡大することで、財政支出額と同額だけ、民間の預金通貨は増えるんだから、緊縮財政なんてする必要はない。つまり国の赤字なんぞ気にせず、必要あらばバンバン国債を発行すればいいんだ」

中村はこう締めくくった。

講義が終了すると、忍に食事に誘われた。てっきり中村教授と一緒かと思いきや、二人だけで行くという。

「先生は愛妻家だから。今日は奥さんの誕生日なのよ」

中村教授には三歳年下の奥さんがいる。二人には子どもがいないため、十数年連れ添った奥さんとは未だラブラブらしい。

以前教授と忍の仲を疑った時、どうしてそのことを言ってくれなかったのか。もしきちんと説明してくれていたら、喧嘩別れなどしなかった。とはいえ、そもそも忍とは恋人同士ですらない。では単なる友だちかといえば、それも違う。友だちと呼ぶには距離が近すぎる。

——だったら、おれにとって忍とはいったいナンなんだ……。

以前より自問していたことを、直接本人にぶつけてみた。忍はしばし考えた後「ビルはあたしの希望だよ」と答えた。

「希望？　ナンの希望だ？　さっぱり分からん」

「分からなくていい」

「いいや、よくない。説明してくれ。希望ってナンだ」

忍は運ばれてきたグラスワインを一口飲み、唇を引き締めた。

忍が説明を始めた。自分には未来を予測する能力があるのだという。

「冗談言うなよ」

「冗談じゃない。本当のこと。信じられないのは分かるけど」

忍が真剣な眼差しで答えた。何かヤバい宗教か似非超能力に毒されているのかと思ったが、そのような危うさは彼女から伝わっては来なかった。

「未来を予測するって、予言みたいなものか？」

「うん。まあ、そんなものかな。ミクロからマクロまで、あたしには見えるんだ。頭のおかしな奴と思うかもしれないけど、ちゃんとお医者さんには診てもらったから。脳波を測ったり、MRI撮ったりしたけど異常はなかった。あたしの脳は健康そのものだとお墨付きをもらった。にもかかわらず、見えるんだよ。未来のことが」

「どのくらい先まで見えるんだ？」

「かなり先まで。一遍に見えるってわけじゃない。少しづつ、頭に降ってくるって感じかな」

「いつから」

「二十歳ぐらいかなあ。でも、すべてが現実になるわけじゃない。たとえば、あたしはとっくに結婚して離婚してたはずだけど、未だに独身だし」

「つまり、予測は当てにならないってことか」

「当てにはなるよ。かなりの確率で予測通りになってるから。だけど、あたし自身に関する予測だけは、ことごとく外れてる。これってつまり、あたしは自分の将来が気に食わないから、変えようとしてるってことなんだと思う」

「未来は変えられるってことか？」

「分からないけど、おそらくそうなんじゃないかな。でも、変えられるのは個人的なこと、ミクロの事象だよ。マクロのこととなると、そう簡単にはいかない」

「マクロのことって？」

「災害や景気のこととか。景気がずっと低迷したままの未来を見てたけど、あたし個人がどうあがいても、実情はあんまり変わってない。でもだからって、あきらめたくないんだ」

忍が思い詰めた表情で言った。

「景気は仕方ないよな。おれたちが子どもの頃からずっと不景気だし」

「仕方なくないよ。こういう状況がずっと続けば、この国は絶対におかしくなるから」

忍が見た未来といのを、自分も見てみたいとビルは思った。

「マクロは難しいとしても、ミクロなら変えられるかもしれないんだな。なら教えてくれ。忍の見た未来では、いったいおれは何をやってるんだ」

「社会活動家から政治家になった」

「政治家だって!?　このおれが？」

ビルは大きく鼻を鳴らした。

昔から政治家や官僚といった人種は好きではなかった。いつも偉そうにふんぞり返っているくせに、都合が悪くなると嘘八百を並べ、逃げようとする、そんなイメージしかない。

「おれも忍みたいに抵抗すれば、未来を変えることができるんだろう」

「それは分からない」

「どうしてだよ。忍にできることは、おれにはできないってのか」

「ううん。そうじゃない。――ビルは、政治家にはなりたくないの？」

「ごめんだね。考えたこともない」

「じゃあ、自分の将来をどう考えてるの」

「どうもこうも、なるようになるんじゃないか。一応役者って肩書だけど、仕事はほとんど来なくなったし。講演に呼ばれたりするけど、正直おれみたいな素人が、偉そうに講演なんかしてていいのかって疑問に思うし」

「そんなことないよ。ビルは激論バトルTVで、立派に論陣を張ってたじゃない。みんなビルの話を聴きたがってるよ」

「あそこに出てるコメンテーターたちに、散々馬鹿にされたから、こんちくしょーと思っただけだよ」

「それだけ？　定時制高校の生徒や、津波の被災者たちを見て、何とかしなきゃって思ったんじゃないの？」

「思ったよ。だから現場レポートをやったり、炊き出しをやったりした。だけどそんなことをやってるやつらはたくさんいるだろう」

「いるけど、ビルの言動には説得力がある」

「ともかく、おれは政治家が嫌いなんだよ。やつらは上から目線で物を言う。国民に対して厳しいことばかり説いて、自分たちは好き放題やってる。正に他人に厳しく、自分に甘くの典型だ」

「それって、あたしが以前言ってたことだよね。自己責任論って、弱者をうまく利用するための方便だって。やっぱりビルは覚醒したんだよ。あたしの予測通り政治家になるよ」

「ならない」

「なんでそんなに政治家を嫌うのよ」

「政治家っていうより、権威権力が嫌いなんだ」

「政治家全員が、権力を振りかざすわけじゃないでしょう」

「いや、政治家になりたがるやつなんて、大なり小なりみんな権力好きだよ。民主党を見てみろ。政権交代当時は、日本がいい方向に変わるって、みんな拍手喝采して喜んだよな。だけど今、野田首相がやってることは、自民党とほとんど変わらないだろう。話が違うじゃないかって、前の衆院選で民主党に投票した連中は、怒り狂ってるんじゃないか。民主党は与党になった途端、権力を振りかざすようになった。権力は魔物なんだ。

　忍の予測では、今後はどうなるんだ？　もし衆議院が解散したら、もう与党は過半数を取れないんじゃないか？」

「――確かに民主党は大敗すると思う。で、また自民党政権に戻る」

「自民党に復権しても、景気は相変わらず低迷するんだろう」

「政府は経済政策は成功したって自画自賛するけど、一部の富裕層を除いて、国民はまったくそんな実感なんか湧かないでしょうね」

「だろうな。誰が政権についても、結局同じことなんだ。情けない話だよ」

　とはいえビルは、自身も情けないと思っていた。

　本当に弱者の役に立ちたいなら、反貧困のＮＰＯに転職したり、社会福祉の専門家になればよいのに、そこまで気合を入れてやる勇気はないからだった。

　俳優業はまだ続けたい。講演依頼が来るのも、俳優としての知名度があるからだ。本業は激減してしまったので、講演のギャラは生活費の足しになった。しかしながら、こういう仕事も、ビルが嫌っている権威には違いなかった。

識者たちにいじめられ、ナニクソと反撃していた頃は権威ではなく、挑戦者だった。だが聴衆の前で偉そうに語る今の自分は、もはや挑戦者ではなく、権威の一部だ。


野田首相がいきなり解散を宣言したのが十一月。

はっきり言えば、皆唖然としていた。ビルもその一人だった。世論調査では、内閣支持率は二十パーセントを割り、選挙の際、比例区で民主党に投票すると答えた回答者は十パーセント台だったにもかかわらず、解散をするなんて正気の沙汰とは思えなかった。

一般国民にはよく分からない政治駆け引きからの解散だったのだろうが、大方の予想通り民主党は大敗し、自民党が政権に返り咲いた。後になってビルは、衆議院解散は自民、公明と「社会保障と税の一体改革」に関する合意を得るための、苦肉の策であることを知った。

政権を失うリスクを取ってまで、野田首相は改革を実現したかったのか。政治家としての筋は通っているかもしれないが、そもそもそういうことなら、三年前の総選挙で皆自民党に投票していた。

社会保障と税の一体改革というのは、一言で言えば消費増税のことだ。

企業が倒産し、街中失業者や非正規労働者で溢れているのに、消費増税など行えば、国民生活は益々困窮するだろう。鳩山政権で約束された、生活者重視の政策は、いったいどこに吹き飛んでしまったのか。

政府は、孫子の代の負担を少しでも減らすため、などとしきりに喧伝しているが、中村教授によれば、それこそマネーというものの本質を理解していない邪論ということになる。

政権を奪取した自民党は、安倍首相の下「アベノミクス」と言われる経済政策を実施した。「経済再建なしに財政健全化はあり得ない」と安倍首相は謳った。アベノミクスは「三本の矢」で構成されているらしい。第一の矢は、大胆な金融政策（無期限の量的金融緩和）、第二の矢は機動的な財政政策（公共事業投資）そして第三の矢は、民間投資を喚起する成長戦略。

第一の矢と第二の矢については、中村教授も評価した。しかし、第三の矢には懐疑的だった。第三の矢・成長戦略の例を具体的に挙げると、法人税の引き下げ、規制の撤廃、エネルギー・農業・医療分野の外資への開放、外国人労働者の積極的雇用等がある。

「財政を心配する必要などないんだが、百歩譲ってどうしても心配なら、法人税を上げればいい。法人税を下げる代わりに、消費税を上げたら、絶対に景気は回復せんよ」

教授は鼻息荒く言った。

さらに、外国人労働者受け入れに関しては、差別主義者と言われようが、安易な受け入れには反対だ、と息巻いた。

忍の誘いもあり、ＹｏｕＴｕｂｅの動画制作に協力した。

中村教授は、以前報道番組のコメンテーターをやっていたが、掲げる理論があまりにも極端だと嫌われ、いつしかテレビ界を追われたらしい。

国はもっとドンドン借金をしろという独自のロジックは、ＭＭＴ（現代貨幣理論）という。引き締めばかりで汲々としている国民にとっては、まるで夢のような話だ。

興味を持って関連書籍を色々読んでみたが、読めば読むほど、この考え方のほうが、主流派経済学者が提唱している理論よりしっくりくるとビルは思った。主流派が提言する経済政策を行っても、二十年間景気低迷が続いている。そろそろ別の施策を試してもいい時期ではないだろうか。

最初は裏方のような仕事をしていたが、ある日教授から「次回はきみが講義してみないか」と誘われた。

「いや、おれは学者でもなんでもないですよ。中村先生がやるべきです」

「ぼくじゃなかなか視聴者がつかなくてねー。誰もガリガリに痩せた、髪の毛の薄い男の講義なんて、聴こうと思わないんだろうね」

「そんなことないですよ。結構フォロワー、いるじゃないですか」

「まだまだ不充分だよ。外見のことはともかく、ぼくの話し方が分かりづらいって意見もあるんだ。声、小さいし、滑舌もよくないからね」

確かに、話している内容は素晴らしいのに、聴き取りづらいことには、ビルも気づいていた。

「きみは、声もよく通るし、プレゼンスもばっちりだ。試しにやってみてはくれないか」

「忍がいるじゃないですか」

「無論、いずれ彼女にも独り立ちしてもらおうと思ってる。だが、まずは知名度のあるきみからだ。難しく考える必要はない。池上彰のようにやってくれとまでは言わないから」

池上彰のことは日ごろから凄いと思っていた。自身は研究者ではないのに、話す内容は説得力に富み、明快だ。正に、伝えることの天才である。

池上彰が権威に固執しているようには見えなかった。高所から、教えてやるという姿勢ではなく、常にどういう伝え方をすれば、人々の心に届くのか、考えているからだろう。

光明が見えてきたような気がした。目指す人物がいるとしたら彼だ。

「分かりました。やってみます」

早速池上彰の講義ビデオを視聴し、声のトーンや話術を真似てみた。しかし、どうもうまくいかない。声の質や年齢、キャラも違うのだから、仕方のないことだった。

上辺《うわべ》だけ似せるのをやめ、本質を真似てみることにした。教えようとするのではなく、いかに視聴者の心に訴えかけるか。これはなかなか難題だった。

何とか仕上がった動画に教授の許可を貰い、UPしてみたが、評判は芳しくなかった。「役者風情が、いつからそんなに偉くなった」と、経済の講義をするビルを揶揄するコメントも散見された。

「ぼくは、よくできていると思うけどね」と教授は励ましてくれた。しかし、二度目にUPした動画には、コメントすらつかなかった。無視されるくらいなら、批判されたほうがまだマシだ。

「落ち込まないでよ。みんなが池上彰みたいになれたら、学校の先生たちは苦労してないから」

忍が励ましてくれた。

試行錯誤を重ねながら、何度か動画をUPしたが、相変わらず再生回数は悲惨なものだった。

「すみません。一から出直させてください」

動画を一旦、すべて削除するよう依頼した。教授はためらったが、最終的に同意してくれた。

そんなある日、久しぶりに妹から電話があった。家を出て以来、父親とは一切関係を絶っているが、妹と母とは時折連絡を取り合っている。

「おとうさん、腰の手術したんだよ」

なんでもジョギングをしている最中に、ぎっくり腰になったらしい。あの頑強な父親も、腰痛には勝てなかったのだ。痛みに耐えられなくなり、手術する決心をしたという。父にとって生まれて初めての手術だった。

「だけど、手術したらもっと悪くなっちゃった。脚がほとんど動かなくなったの。で、独学で色々勉強して、自ら腰痛の原因を突き止めたって。それで手術したところとは違う病院へ行って、これこれこういう治療をしろって、医者に詰め寄ったらしい。お母さんによれば、患部にラインマーカーで印をつけて、ここに注射しろって命令したんだって」

噴き出してしまった。親父はまったく変わっていない。

「そしたら治っちゃったから、まあ、凄いと言えば凄いけど」

父親は例によって超上から目線で「医者なんか無能だ」と息巻いているという。

「でもお母さんによれば、性格はだんだん丸くなってるって。もう年だからね」

「どうかな。親父は七十になっても変わらないと思うけどどな」

3

政府は「景気は穏やかに回復している」と言うが、消費税を8％に引き上げてから景気は横ばいのまま。何よりもアベノミクスにより、人々の暮らしが豊かになったかと問われれば、疑問符をつけざるを得なかった。相変わらず消費低迷が続いているのは、賃金の伸び悩みと先行き不安感から、所得が貯蓄に回っているためだ。

腰の痛みが回復してから、しばらく経った頃、ショッキングな事件が起きた。日本人二人がイスラム国に捕らえられ、身代金を要求されたのだ。安倍首相がカイロでの経済会合で、イスラム国と闘う周辺各国に、二億ドルの支援を約束すると発言した三日後、同額の身代金を払わなければ二名の人質を殺害すると声明が出た。

テロリストの要求には応じない姿勢を見せたとはいえ、日本政府は水面下で交渉を行ってきた。しかし残念ながら決裂し、二名は殺害されてしまった。二年前にもアルジェリアで、天然ガス精製プラントがイスラム系武装集団に襲われ、日本人十名を含む人質三十七名が殺害されたばかりだった。もはや日本人と言えども、テロとは無縁でなくなった。

日本人殺害事件と前後して、パリではイスラムを風刺した週刊誌の版元に、過激派テロリストが乱入、編集者や警察官ら計十二名が殺害される事件も起きた。

世界が益々きな臭い雰囲気に包まれている中、一郎は突然の不調に見舞われた。

視界に異常を感じたのだ。本来静止しているはずのものが、大きく揺らいで見える。

行きつけの内科医に相談したところ、薬を処方された。服用していればそのうち治るだろうと気楽に考えていたが、症状は一向に治まらなかった。おそらく処方薬を間違えているのだ。腰痛の時も思ったが、まったく医者は当てにならない。

仕方なくネットで、考えられる症状の検索を始めた。めまいには色々と種類があるらしい。自分の症状は「浮動性めまい」に相当するのではないかと思った。めまいは一般的には、耳鼻咽喉科の領域であるという。

近所の耳鼻咽喉科を調べ、アポを取った。行ってみると腰痛の際通った整形外科と同じように、年配の患者で溢れ返っていた。

一時間近く待たされ、ようやく診察に漕ぎつけた。

診断結果は「原因不明」だった。散々待たされた挙句がこれかよと眉をひそめたが、医者は重い症状がないなら、しばらく様子を見ていてくださいとしか言わなかった。

確かに日常生活に支障を来すほどの症状ではない。かと言って、このまま放っておくのは不安だった。もし、何かの大病の予兆だったら、早めに処置したほうがいいに決まっている。浮動性めまいは高血圧で生じるというが、一郎の血圧は正常値だった。とすれば、ネットの情報を見る限り、脳幹、小脳など中枢神経の異常からくるものということになる。

——まさかな……。

とりあえず、脳神経外科クリニックへ行ってみることにした。

医師に症状を説明すると、MRIを撮ってみましょうと言われた。

カプセルに閉じ込められ、耳障りな電子音に晒された。耳栓をしても聞こえてくる、キンキン、ガンガンという音は耐え難かった。おまけにカプセルの中は狭い。閉所恐怖症の人間なら、拷問に等しいだろう。

二十分ほど我慢し、MRIは終わった。待合室で待っていると、医師に呼ばれた。医師のPCには、先ほど撮った頭部の画像が映っていた。

問診の際には快活だった医師が、神妙な様子で画像を見つめている。頭蓋骨が浮き彫りになり、眼球が白く飛び出て見える画像は、自分のものとはいえ不気味で、一郎は正視を避けた。

「この部分がまあ、ちょっと白いんですけど……」

医師の歯切れは悪かった。

「──まあ、造影剤は使ってないし、光線の加減でこう見えることもあるし」

医師が指さしたところは、脳幹だった。多数の生命維持機能が集中すると言われている器官である。

「いったい、どういうことなんですか……？」

さすがに一郎は不安になった。

「総合病院を紹介します。精密検査を受けたほうがいい」

医師は明言を避け、その場で紹介状を書いた。

帰宅するなり、佳江に様子を訊かれた。

「何だかわからないんだ。来週、別の病院で精密検査を受けてくる」

脳幹に何やら疾患があるらしいことは伏せた。病名がはっきりするまで、いらぬ心配はさせたくなかった。

総合病院のアポは翌週の月曜日に取れた。診察までの間、なるべく病のことは考えまいとしたが、やはり悪い方に想像が行ってしまう。食欲もなく、黙り込んでしまった夫に佳江は余計な質問をせず、普段通り接してくれた。

週明け、一郎は都内にある総合病院の門を叩いた。問診の後、またMRIを撮ることになった。総合病院のMRIはクリニックのものより大型だったが、カプセルの狭さは同じだった。おまけに今回は造影剤を注入された為か、撮影時間が長かった。

撮影が終わり、診察室に戻ると三十代と思しき若い医者が、無表情で画像を眺めていた。

「腫瘍ができてますね」

「腫瘍……ですか？」

まさか、そんなものができているとは……。

素人なりに、脳幹が出血しているのでは、と疑っていた。しかし、脳幹が本当に出血すれば即死である。症状がめまいだけというのは一体どういうことだと、不安で仕方なかった。

「手術をするんですか？」

医者が黙っているので、こちらから質問してみた。

「いや。難しいですね。身体が麻痺してしまう危険性がある」

「では、小さくなるまで待つのですか」

「いえ。小さくはならないですね。どんどん大きくなります」

「大きくなったらどうなるのですか？」

「麻痺が起こるかもしれません」

「もし麻痺が起きたら、どうするんですか」

「手術でしょうね。すでに麻痺してるので――」

「それじゃ遅いじゃないですか！」

　思わず大声が出た。

「そんなこと言われたら、この先どうやって生きていけばいいんですか！」

「……いや、内科にも意見を訊いてみましょう。もしかしたら……」

　若い医者が何やら取り繕っていたが、耳に入らなかった。職業柄、重篤《じゅうとく》な患者や死んでいった患者を何人も診てきて、いちいち感情移入などしていられないのだろうが、あまりにデリカシーに欠けていないか。心無い発言で、患者がどれほど傷つくか、理解していないのだろうか。していないとすれば、医者失格だ。

　早々に引き揚げた。こんなところにいても、見殺しにされるだけだ。佳江には病名をはっきりと告げた。佳江は絶句していた。

「別の医者に行ってみるよ」

　とはいえ、どこに行っても結果は同じではないかと悲観した。信頼できる腫瘍専門医の当てもない。ウイスキーをグラスになみなみと注ぎ、呷《あお》った。酔いはまったく訪れなかった。

テレビを点けると、社会的弱者の支援ネットワークの特番をやっていた。雇い止めされた契約社員、奨学金返済のためブラックバイトを続ける苦学生、性的少数者のため差別された若者、難病を抱え、働きたくとも働けないシングルマザー、余命宣告を受けた高齢者……。彼らを支えるNPOの若者が、政府の支援はまだまだ不十分で、社会の無理解、偏見も相変わらずですと嘆いていた。

以前の自分だったら「大変だな」と他人事のようにつぶやき、チャンネルを変えていたことだろう。しかし、今は違った。自分自身が社会的弱者になったのだ。腰痛が治まったと思ったら、今度はさらに深刻な病に罹《かか》ってしまった。

子どもの頃から勉強も運動も得意で、クラスの人気者だった。いつも日の当たる場所にいて、孤立や孤独とは無縁だったから、虐げられた者、仲間外れになった者の気持ちを、理解できないまま生きてきた。そんな自分に、天の神が試練を与えたのかもしれない。

NPOの若者がまぶしかった。彼のように他者、特に弱者に寄り添う心を、果たして自分は持っていただろうか。国民全体の奉仕者として、公共の利益のために尽力するのが公僕の本懐ではなかったのか。

特番が終わり、ニュースになった。またパリで、今度は同時多発テロが起きたという。パリ郊外の国立競技場での自爆テロの後、市内の飲食店や劇場で銃乱射事件と自爆テロが勃発、一三〇人が死亡、三〇〇人あまりが負傷した。パリでは今年初めにも、出版社で銃乱射事件が起きている。

——人は放っておいても死ぬのに、なぜ殺す必要がある？　しかも罪のない人間を、こんなに大量に……。

凄惨な現場映像を見ながら、独りウイスキーを飲んでいると、佳江がグラスを持って傍らに来た。普段は強い酒など飲まないくせに、ウイスキーを自らグラスに注ぎ、一郎の傍らに腰かけた。一口飲んだだけでむせ始めたので、背中をさすってあげた。佳江が一郎の腕をがっちりと摑んだ。眠れないかと思ったが、睡魔はやってきた。翌朝もいつも通り、六時には目覚めた。めまいは相変わらずで、特に首を動かしたり、身体の向きを変えたりする際、強く感じた。発症した当初より、確実に症状が重くなっていた。

身辺整理をしようと考えた。

貯金や保有有価証券、生命保険などの額を計算し、まとめておいた方がいい。佳江や美里に迷惑をかけたくない。突然逝ってしまったら預金が凍結されるから、あらかじめ葬儀資金くらいは用意しておかなければ。

「ねえ、ちょっとこれを見てくれない？」

佳江に呼ばれた。佳江は自室でパソコンに向かっていた。画面には丸の内にあるクリニックのHPが映っている。

「質問を受け付けていたから、あなたのことを相談してみたの。そうしたら、内科治療もあるから、一度診察に来ないかって」

免疫療法というものがあるという。免疫療法とは、血液中のNK細胞（免疫細胞の一種。ウイルスやがん細胞を撃退する）を体外へ取り出して培養し、数百倍に増殖させて、再び体内に戻す治療法を言うらしい。自己免疫の強化による治療なので、抗がん剤などの服用より負担は少ないという。

「診てもらおう」

佳江がうなずき、電子メールで予約手続きをした。幸いにも、明日の午後に空きがあるという。

翌日、佳江に付き添われ、クリニックの敷居をまたいだ。クリニックといっても、町の診療所のように小さなところではない。小規模な病院くらいの大きさだ。脳神経外科や腫瘍内科を始め、二十七もの診察科を擁し、人間ドックも行っている。

初診の手続きを終え、連れて行かれたのは地下にある脳神経外科。あらかじめ渡しておいたMRI写真を見ていた外科医は、やはり話しづらそうだった。

この部位なら良性が多いが、悪性もないことはない。画像だけで判断するのは難しい――。とはいえ、検体を取って調べることはできない。むやみにメスを入れられない場所である。良性に越したことはないが、正直腫瘍の性質はどうでもよかった。できた場所が問題なのだ。

「同じ場所に腫瘍のできた方が、思い切って手術に踏み切ったことがありましたが、かなり苦労されましたね……」

どのように苦労したのか、医者は言明を避けた。こちらからも無用な質問はしなかった。全身麻痺が起きたのか、もしかしたら命を落としてしまったのかもしれない。

結局治療についての具体的な提言はなく、やはり自分は医者から見捨てられているのかと落ち込んだ。「まだ内科の診療が残ってるから」と佳江が励ましてくれた。

腫瘍内科の診察室に入るなり、人柄のよさそうな年配の医師が「大丈夫ですよ」と言った。

「治療法はありますから」

その一言を聞き、胸がじーんと熱くなった。

——そうだ。おれはこの言葉をずっと待っていたんだ……。

ここにたどり着くまで、様々な医者にたらい回しにされてきた。耳鼻咽喉科では「原因不明」と冷たく言われ、最初にMRIを撮ってもらった地元の脳神経外科医からは、「大病院で診てもらえ」と突き放された。そして大病院の医師は「身体が麻痺したら腫瘍を取り除く」と、本音を漏らした。先ほどの外科医も、明確な言及を避けた。

「お願いします」

医師の手を両手で握り、頭を下げた。その場で白血球の採血が行われた。NK細胞は白血球中のリンパ球に存在する。培養・増殖には十日ほどかかるので、再来週にまた来るようにと言われた。

家に戻ると、免疫関係の書籍を読みまくった。免疫療法が効くなら、自ら免疫力を高める努力も必要だ。

免疫を強化するには、副交感神経を優位にしなければいけないという。そのためにはバランスよく食べ、適度なスポーツを行い、充分な睡眠を取る。そしてよく笑い、ストレスを溜めない。どれも生活習慣病予防で推奨されていることばかりだ。

森林浴もいいらしい。リラックス効果ばかりではない。樹木が出す、殺菌力を持つ揮発性物質を浴びるのがいいという。

佳江と一緒に近所の公園を歩いた。紅葉が始まるシーズンだ。赤や黄に染まったモミジやイチョウを見ていると、しばし病気のことを忘れることができた。

二週間後、増殖した免疫細胞を体内に戻す点滴を受けた。五百倍に増えたNK細胞が、腫瘍をせん滅してくれることをひたすら祈った。熱が出るが、本当に辛くなった時だけ解熱剤を服用するようにと言われた。

免疫機能が活発になるから熱が上がる。がん細胞は熱に弱い。三十九度以上の熱が続けば、死滅すると言われている。確かに投与後は熱が出て、頭がくらくらした。早めに床《とこ》に入ると、瞬く間に睡魔がやってきた。

翌朝、起き掛けにいつも通りのめまいを感じ、肩を落とした。たかが一回の点滴で消えてしまうほど、腫瘍はやわではない。増殖した細胞は一週間ごと、四回に分けて注入することになっていた。

二回目の点滴の際、抗がん剤と併用した。投与後の気分は最悪だった。じっとしていても身体がだるく、何もやる気が起こらない。精神が蝕まれているような、何ともいえない嫌な感覚である。これではせっかく上がった免疫力が、落ちてしまう。

抗がん剤の虚脱感から回復しても、めまいは一向に治まらなかった。医者は忍耐だという。分かってはいたが、免疫はあと二回分しか残っていない。またNK細胞を培養すればよいのだが、保険適用外ゆえ治療費が馬鹿にならない。新車を一台買える金額である。

三回目の治療の際、アメリカで開発された薬と併用したらどうかと提案された。日本ではサプリ扱いであるものの、脳腫瘍に効果があるらしい。同じく保険適用外だが、費用は免疫療法の十分の一程度である。

試せるものは何でも試したかったので、お願いした。こちらの方は、錠剤だ。日本の薬の三倍の大きさだったので、飲み込むのに苦労した。人も車もハンバーガーも、日本よりかなり大き目のアメリカだが、薬のサイズまで巨大だとは知らなかった。

ジクロロ酢酸というこの薬を飲んだ時、首の後ろでピチピチと泡が弾けるような感覚を味わった。免疫を投与した時は、全身に発熱効果が表れたが、今回は患部だけが反応している。効いているのではないか、自分に合った薬なのではないかと期待を持った。

しかし、めまいは相変わらずだった。

翌日服用した際には、初日のような効果は表れなかった。効いたと思ったのは、気のせいなのかもしれない。そればかりか、さらにめまいがひどくなったような気さえした。腫瘍は日々成長する。大きくなればそれだけ神経を圧迫するので、めまいが進行するのだろう。

免疫の投与が終了してすぐにＭＲＩを撮った。腫瘍は目立って大きくなってはいなかったものの、小さくなってもいなかった。

テレビのニュースで、アメリカのとある女子高生が、バスケットボールをしている画像を見た。

お世辞にもうまいとは言えないが、それもそのはず。彼女は一郎と同じように脳腫瘍を患っていた。だが最後まで希望を捨てず、日常通りの生活をしているのだという。

　彼女はこの画像が流れた一ヶ月後に、帰らぬ人となった。


　子どもたちには病気の件は伏せておけ、と佳江には言っておいたが従わなかったらしい。美里が家にやってきて一郎の顔を見るなり瞳を潤ませた。

「……よかった、元気そうで。抗がん剤を使ってるっていうから、もっとやつれてるのかと思ってた」

「元気だよ。入院もしてないし、髪の毛も抜けてないだろう。みんな心配しすぎなんだよ」

　自分自身に言い聞かせた言葉だった。

「それより美里。まだいい人は見つからないのか？」

　ダイバーシティ（多様性）は否定しないが、自分の娘となると勝手が違ってくる。美里は今年で三十三になるのに未だ独り身だ。

「仕事忙しいしね。そんな暇ないよ。でももし誰かを連れて来ても、お父さん、認めないでしょう。完璧主義者だし」

「そんなことはないよ」

「そうかな。じゃあ今度連れて来ていい？」

「なんだ、やっぱりいるんじゃないか」

「いないよ。だけどしつこくＬＩＮＥしてくる奴が、十人くらいいるから。その中から三人くらいチョイスして、連れてくる。お父さん、見極めてよ」

「面倒だから、三人一緒に連れてこい」

「いいよ。高校生から会社経営のおじいちゃんまでいるけど、大丈夫だね？」

「もちろんだ」

元気なことをアピールするため、一郎は終始テンションを上げてしゃべったが、美里もそれに合わせてくれているような気がした。美里の背中を見送りながら、「気を使わなくても、お父さんは大丈夫だからな」と心の中でつぶやいた。


二度目に行ったＭＲＩ検査で、腫瘍が大きくなったことが確認された。目の前でいきなりシャッターが降り、真夜中の街に独りポツンと取り残されたような絶望感だった。

ところが、症状が悪化したかと言えば、そうではない。薬を飲むと、調子がよくなる時もあった。しかし、すぐ元に戻ってしまう。そんなことが何度も繰り返された。「三歩進んで、二歩下がる」だなと、前向きに捉えていた矢先に、腫瘍が大きくなったといわれたのだ。落ち込みは半端ではなかった。

とはいえ、後ろ向きに考えるのはよくない。「ハハハ。まいったな。冗談だろう？」と笑い飛ばした。笑いは免疫力向上に繋がる。嘘笑いでも効果は出るらしい。

医者は二度目の免疫療法と抗がん剤治療を勧めた。佳江は「画像なんかより、自分の感覚を信じたほうがいい」と励ましてくれた。

巷では日本の人口が調査開始以来、初の減少傾向を示したことが話題になっていた。少子高齢化が、これからもどんどん進んでいく兆候である。同じ時期「保育園落ちた。日本死ね」と記したブログ記事が話題になった。書いたのは東京都民の一児の母親らしい。たちまちネットで「#保育園落ちたの私だ」と賛同する動きが広まった。

少子高齢化に歯止めをかけたいなら、子どもを育てやすい環境を整備しなければならない。それが未だ不充分なので、こんな運動が起きる。

景気は相変わらず低迷していた。賃金が上がらないため、消費が伸びない。アベノミクス第一の矢「金融緩和」が無駄とは言わないが、動かない強固な岩にロープを括《くく》り付け「引く」のではなく「押して」いるようなもどかしさを覚えた。いくら金融を緩和しようが、大企業が儲かる成長戦略を取ろうが、賃金が上がらない限りデフレからの脱却は望めないのだ。

ＹｏｕＴｕｂｅを見ると、正章が似たような主張を繰り返していた。

「デフレの時には量的緩和政策だけでは不充分です。そもそも企業にも個人にも需要がないからです」

前髪が随分と薄くなった正章が、口角泡《こうかくあわ》を飛ばし、力説していた。

「では、需要を伸ばすためには何が必要か？　財政赤字の拡大です。具体的には公共事業、各種補助金、補填などです。日本の赤字はまだまだ小さすぎます」

相変わらずだな、と苦笑いした。だが一郎も今では正章の考えに賛同できた。正章の唱えるような政策を、橋本政権以来、中途半端にしか行って来なかったため、相変わらずデフレ不況下にいるのだ。

症状が良くなったら、正章の手伝いをしようと思った。髪の毛が抜け、ガリガリに痩せてしまっても、社会を変えるために孤軍奮闘しているのだ。

一億総中流と言われ、ジャパンアズナンバーワンとアメリカの社会学者からも賞賛されたかつての日本は、もはや見る影もない。社会をこんな風に変えてしまった責任の一端は、官僚だった自分にもある。

免疫とジクロロ酢酸による治療を続け、一年が過ぎた。

症状はよくなっているが、油断は禁物だ。食生活を改め、野菜や果物をたくさん食べるようになった。酒は一切絶ち、夜は十時には床に就いた。

ＭＲＩ検査はあえて行わないようにした。腫瘍の大きさで、一喜一憂はしたくない。腫瘍が相変わらずそこにあっても、悪さをしないのであれば、居させてやってもいいと、考えるようになった。

――もし宿主であるおれが死んだら、お前も死ぬことになるんだぞ。だから馬鹿な真似はするな。

一郎は毎日、腫瘍に言い聞かせた。

4

激論バトルTVを降りてからメディアの露出が極端に減ったので、次第に講演依頼も来なくなった。ビルは住んでいた都立大学のマンションは引き払い、もっと家賃の低い場所に引っ越した。ビルがお茶を挽《ひ》いていても、事務所は売れっ子グラビアアイドルを発掘したので、潤っていた。田中はもうビルには構わず、後継者の育成に注力した。といって完全に見捨てたわけではなく、ビルに後輩の演技指導やカウンセリングを任せた。おかげで日々やることには事欠かなかったが、心の渇きが治まったわけではなかった。

もはや役者としても、社会活動家としても失格だ。どちらも中途半端にやっていたから、こんなことになった。

——ではおれは、本当は何がしたいんだ？

金を稼ぐのを抜きに考えれば、一番やりたいのは、社会的弱者の力になることだろう。それも一人や二人ではなく、弱者全員を救い上げ、最低限の生活が送れるよう、世の中を作り替えたい。中村教授が提唱するMMTという理論を実践すれば、それができるという確信があった。だからこの理論を世に広めようと、教授の手伝いをした。ところがビルがUPした動画は、無視されるか酷評を浴びるかのどちらかだった。

「池上彰みたいにやらなきゃいけないって、力み過ぎたのがいけないんじゃないかな」

忍が言った。

「悪いけどビルは、池上彰にはなれないんだよ。でも無理やり真似しようとしてたから、視聴者にバレて、厳しい視線を向けられるようになったんじゃない？」

「どうして、最初にそれを言ってくれなかったんだ」

「後出しじゃんけん的なことを言ってるのは自覚してる。あたしだって最初は、ビルはいずれ池上彰になれると思ってた」

「予言ではどうなってるんだ」

「ビルのことはそんなにはっきり見えるわけじゃないんだよ。役者になって、社会活動家になって、政治家になった。そしてまた社会活動家に戻ったところまでは見えたんだけど……」

「ならなぜ、おれに近づいた？　あなたはわたしの希望だなんて、こそばゆくなるようなことを言った？」

「六十歳くらいになったビルの姿は、鮮明に見えるんだ。ピンクのポロシャツに白いズボン姿でビールケースに乗って、しきりに街頭演説をしてた。心を打たれたいい演説だったよ。聴衆がいっぱい集まって、みんなビルに聞き惚れてた。だから、ビルに賭けてみたいと思った」

「よく分からないんだよな。六十のおれにそんな人望があるんなら、今のおれを放っておけばいいじゃないか」

「もちろん、未来のビルは素晴らしいよ。でももっと頑張ってくれてたら、もっと早くから活動してくれてたら、ビルなら、あの悲惨な未来を変えてくれるかもしれないと思ったから」

「期待に沿えなくて悪いな。おれのこと、買いかぶり過ぎだよ。そんなに立派な人間じゃない。それにしても、着ている服の色まで見えるなんて、信じられん。因みに六十歳のおれは、その後どうなるんだ？　もうその先は見えないのか？　それとも——」

「その先は見えるよ。でも……言わない方がいいと思う」

「どうしてだよ。気になるじゃないか」

「ビルは……死ぬよ。演説中爆弾が爆発して。未来の日本には、今のヨーロッパやアメリカと同じで、爆破テロが横行してたから」

何だって……？　おれは六十歳で死んでしまうというのか!?

「でも、運命は変えられる。あたしがそうだったから。前にも言った通り、あたしが見た未来では、あたしはとっくに結婚して離婚してたはずだけど、未だに独身だし。選んだ職業も違う。あたしは看護師だった」

「看護師？」

「うん。それから、改名してた。未来でのあたしの名前は、詠美。元々忍って名前が好きじゃなかったから、変えたの。女は耐え忍べ、みたいな意味が込められてるでしょう」

「名前、変えないのか？」

「変えようかと思ったけど、なんだか、詠美なんて自分じゃないみたいで——」

「だったら別の名前にすりゃいいだけだろ」

「忍でいいよ。こんな名前つけられても、あたし、全然忍ばないし、くノ一みたいでカッコイイかもって、考え直したから」

思わず噴き出してしまった。

「ところで、六十のおれがそんなに鮮明に見えるんだったら、例えば五十のおれは、どうなんだ？」

「分からない。はっきり見えるものと、見えないものがあるから」

「どんなものが一番はっきり見える？」

「あたし自身のこと。それからマクロのことかな。リーマンショックも、東日本大震災も、政権交代も、あたしは起きることを知っていた。でも、そんなことを他人にしゃべったら、頭のおかしな人だと思われちゃうから、話したのは中村先生にだけ」

「どうして中村先生だけ、そんなに信頼してるんだ」

「先生の経済理論に惹かれたから。先生は未来のあたしの家庭教師だった。だからあたしは学生当時、違う大学の助教授をやっていた先生に接近した。正直に話したんだよ。未来が見えるって。先生は信じてくれた。あたしは先生に、未来の日本を救うためにはどうしたらいいか尋ねた。先生は、ともかく味方を集めるしかないって言った。でも、先生自身は、そういうことが苦手だって。自分にはカリスマ性がないからって。でもビルは、先生に欠けているものを持っている」

「どうかな」

「未来のあたしは、ビルとはまったく接点がなかった。だから中村先生と違って、慎重に進めたの」

「よく分からないんだが、おれとはまったく接点がないのに、おれのことは知ってたわけか？　役者になったり政治家になったり、社会活動家になったり。いったいどうやって知ったんだ？　面識のないおれの未来をどうやって見た？」

「テレビで」

「テレビ？　未来のことはテレビで見るのか？」

「っていうより、未来のあたしがテレビでビルの卒業後の活動を知ったの。ビルは高校の時から有名人だったから、注目してた」

「なら、例えば田中の未来とかはどうなんだ？　見えるか？」

「見えない」

「田中は芸能事務所の社長だけど、テレビにゃ映らない裏方だからな。つまり、忍が見る未来は、テレビ画面を通じてしか見れないってことか」

「ちょっと違うと思う。未来が見えるとか、そういう表現は多分正確じゃないかもしれない。強いて言えば、六十歳のあたしの意識が、二十歳のあたしにいきなり降ってきたって感じかな」

「なんだって？」

「六十歳のビルが街頭演説中爆弾テロに巻き込まれて、偶然その場にいたあたしが必死に心臓マッサージをしたけど、もう手遅れであることは分かっていた。そしたら急に意識が飛んで——これが、あたしが見た最後の風景」

「そんな馬鹿な。意識が時空を超えて移動するなんて、予知能力よりありえない話だろう」

「そうかもしれない。でも本当なんだよ。当然、二十歳の脳みそでは、六十歳の意識をすべて消化するのは困難で、あたしはパニックに陥ったけど、中村先生が随分助けてくれた。先生無しで大丈夫になったのは、つい最近のことだよ」

そういえば、忍を自分より年上のように感じることは、幾度かあった。彼女は本当のことを言っているのかもしれない。

忍の話は現実離れしていたが、嘘ではないことを数々の事例が証明してくれた。

例えば、忍は国が辺野古工事に着手したり、安保法案を強行採決したため、国会周辺で大規模デモが繰り返されることは予言したが、同じ年のラグビーワールドカップで、日本代表チームが強豪南アフリカから歴史的勝利を飾ったことや、横綱白鵬が「昭和の大横綱大鵬」を抜いて史上最多の優勝を果たしたことは、まったく知らなかった。

これは六十歳の忍の頭の中に、興味のない相撲やラグビーのことは、インプットされていなかったためだろう。一般的に言われる「予知能力」なら、予知者の趣味嗜好に関係なく、未来を見ることが可能なはずだ。

それから後も忍は、日本銀行がマイナス金利を適用したことや、舛添《ますぞえ》都知事が猪瀬前都知事に続いて、「政治と金」の問題で辞任に追い込まれたこと、ＳＭＡＰが解散することを予言した。忍は木村拓哉の大ファンだった。

再度中村先生に説得され、ビルはもう一度講義ビデオにチャレンジしてみることにした。忍の助言もあり、今度はありのままの自分をさらけ出した。

十八の時に家を飛び出し、ビルの管理人を経て、イベントの箱屋になった。その後、三流バトル映画のチョイ役にスカウトされ、タレントとしての修行を積み、定時制高校のルポや東日本大震災で社会問題に目覚め、討論番組でコテンパンに伸《の》されたのをきっかけに、政治経済を猛勉強した。中でも惹かれたのが、中村正章教授の唱えるＭＭＴ理論だ。ＭＭＴについてはまだ分からないところがあるも、自分なりの解釈は次の通り。もし間違っていたら、どんどん指摘して欲しい——。

手ごたえはあった。

（テレビから消えてしまったと思ったら、ＹｏｕＴｕｂｅｒになっていたんですね。講義面白かったです！）

（ＭＭＴというものを初めて知りました。経済学の講師になっていたんですか。勉強になります）

（素人にも分かり易く、興味を持つように教えてくれるのは、さすがビルさん。弱者を救うため勉強をしたという心意気に、感動しました！）等、好意的なコメントが続いた。無論アンチのコメントも沢山あった。大部分が「お前の理論は、根本的に間違っている」というものだった。

反論してもらえば、答え甲斐がある。激論バトルＴＶで散々鍛えられたのだ。間違っているところは素直に認め、粘り強く返信した。

結果、多くのアンチはギブアップし、引き揚げて行った。

妹から二度目の連絡があったのは、ビルが中村先生と同じくらいのフォロワーを獲得した頃のことだった。

妹の言葉を聞いて、さすがに絶句した。あの病知らずの頑強な親父が、脳腫瘍に罹ったとは……。

「お父さんは、子どもたちには言うなって、お母さんに言ったみたいだけど、お母さん、あたしにだけはこっそり教えてくれた」

「大丈夫なのか」

「ピンピンしてる。お医者さんたちは、死ぬと思ってたらしいけど」

なんてこった！

「二度目のＭＲＩで、わずかに大きくなってるって言われたらしいけど、でも膨らんだだけで中がスカスカになった可能性もあるんだって。だってお父さんの症状、ちっとも悪くならないし、むしろめまいが減って来てるんだよ」

さもありなんと思った。あの親父は殺しても死なない。

「だからお見舞いに来なくても大丈夫だよ。入院してるわけじゃないし」

「まあ、元気そうで何よりだな。いずれにせよ見舞いには行かないよ」

「お父さんとはもうどのくらい会ってないの？」

「前世紀からだよ」

十八の時家を飛び出して以来、会ってない。母や妹には時折、近況報告をしているので、息子が芸能人になったことぐらいは知っているはずだ。

父、山崎一郎が息子に望んでいた未来とは異なるだろうが、一応有名になったのだから、何らかの連絡が来るものと思っていたが、一切なかった。十六の時から言うことを聞かなくなった息子のことを、今でも許してはいないらしい。

「お兄ちゃん、おばあちゃんのお葬式にも来なかったし。そろそろ顔見せてあげたら？」

子どもの頃からあまり面識のなかった祖母の葬式に行くか迷ったが、結局弔電を打つに留めた。

「親父はもう引退したんだろう。ゆっくり静養できるじゃないか」

「うん。そうだね。近ごろお父さん、すっかり丸くなったよ。もう年だからね。たまにはお兄ちゃんの方から連絡してやったら？」

「まあ……考えておくよ」

とはいっても、二十年近く会ってない父親に、今更どの面を下げて会いに行けばよいものか。

戦後間もない頃に生まれた父、山崎一郎は、陸軍中尉だった父親の下、厳しく育てられた。幼少の頃、家には既にガス湯沸かし器があったにもかかわらず、真冬でも冷水で顔や手を洗わされた。冷たいと、身を引くや「日本男児が泣き言を言うんじゃない。昔は湯沸かし器なんて便利なものはなかったんだぞ」と、頭を殴られたという。おかげで、あかぎれや霜焼けとは無縁の肌になったらしい。

厳しさは躾だけに留まらず、勉強もスポーツもトップを目指せと、尻をたたかれ続けた幼き一郎は、歯を食いしばって父の要求に応えた。

その甲斐あって、誰しもが羨む地方の有名国立大に進み、ラグビー部のエースになった。一郎が喜んでスパルタ教育を受けていたとは思わない。父親に反感を抱いたこともあっただろう。しかし、一郎は反抗しなかった。時代のせいかもしれない。そして、父の敷いたレールをひたすら走った結果、高級官僚にまでなれた。

——死ぬほどつらいこともあったが、やはり親父の教育は正しかった。よし、今度はおれが、息子を教育する番だ——。

一郎はこう考えたに違いない。とはいえ、息子に厳しく当たるのは、教育のためというより、父親に対して抱いていたストレスを、息子で発散していたからだった。

太一は残念ながら、一郎の思い通りには育たなかった。一郎とは逆に、自分が父から受けた仕打ちを、絶対に自分の子どもには繰り返さないと考えるような人間に育った。

忍と世間話をしている時、偶然父親の話題が上った。

忍も父親とそりが合わなかったらしい。そもそも忍という名は、父が命名したのだそうだ。

忍はパターナリズムには反対の立場で、ビルも自分と同じだと分析した。パターナリズムとは、権威的な価値の介入主義、父権主義のことだ。父親の権威に反発することにより、反パターナリズムの考えが根付くという。

「今の自民党は、典型的なパターナリストだよね。世間では、保守だとか国家主権だとか言うけど、あたしにはパターナリズムって言葉が一番しっくり来る。で、政権に批判的な立場を取る人たちは、リベラルとか呼ばれてるけど、あたしの知る限り、全員が反パターナリズムだね」

パターナリストは、国民を小さな子どものように扱う。お前たちはまだ何も知らない子どもなんだから、お父さんの言うことには文句を言わず、素直に従いなさい。その方が楽だし、幸せになれるよ――。

「それでも、ちゃんとしたパターナリズムだったら、分からなくもない。つまり子どもに厳しく、自分にはもっと厳しいお父さんだったら尊敬されるだろうし、盲目的に従う人間がいても不思議じゃないわよ。だけど、今の政治家や官僚はどうなの？　子どもに厳しく、自分には甘くでしょう。典型的なダメパターナリズムじゃない」

世間は、森友、加計《かけ》問題で揺れていた。二問題とも、権力者と親しい人々が、不当に利益を享受したのでは？　という疑惑が根底にあった。適正な入札もせず、個人的なお友達に仕事を与え、公的資金が支払われた。あまつさえ、お友達に相場より遥かに安い金額で国有地を売却するなど、あってはならない話だ。おまけに官僚は首相に忖度《そんたく》し、公文書を隠匿したり改ざんしたりとやりたい放題。こうなると、政官合わせて信用できなくなる。

人は人の上に立つほど、高潔でなくてはならない。小学生でも知っている当たり前のことを、できる指導者は少ない。

「権力は魔物だからね」と忍は言った。

「どんなに素晴らしい人でも、権力を握った途端、どんどん奈落の底に堕ちていく。人間って弱い生き物だし、偉くなるにつれ、色んなしがらみにがんじがらめにされるから。だから権力はできるだけ分散させなくちゃだめなのよ。でないと、どこかの半島みたいになる。絶対君主が三代も君臨するあの国が、『地上の楽園』だったことなんか、一度たりともあった？」

「ないね。しかし、権力を持たせると悪いことをするのが人間の性なら、権力者の存在を許しちゃいけないということにならないか。つまり無政府状態が一番安全ということだよ」

「それは極論だと思う。無政府状態だったら犯罪の取り締まりができないし、社会秩序が維持できなくなる。政府や、そのかじ取りをするリーダーはもちろん必要。ただし、リーダーは国民の代表でなくてはならない。そして、リーダーに全権委任するのではなく、国民がリーダーの権力をコントロールしなければいけない。それこそが、主権在民だから」

「だけど、実際問題として、難しいよな」

「難しい。だからチャーチルが『民主主義は最悪の政治といえる。これまで試みられてきた、民主主義以外の全ての政治体制を除けばだが』って言ってるじゃない。あたしが思うに、高潔な権力者ばかりが治世を行っていたら、近代民主主義なんて発想は生まれなかったと思う。だってみんなそこそこ豊かで幸福なら、積極的に政治に関与するなんて疲れること、しなくていいでしょう。政治を王様や領主様に任せて、あたしたち庶民は麦刈りのこととか、家族のことを心配しているだけでいいなんて、理想の国家だよ。だけど、そうやってサボっていると、必ず不当な抑圧や、一部の人間だけの富の独占が起きるから、国民はしっかり政治を見ていなければいけない。そして政治が妙な方向に動き出したら、声を上げなければいけない。たとえ間接的にだって、しっかり政治に参加すべきなんだよ」

「しかし、今の日本でそういうことをすると、文句を言われるよな。ネトウヨってのは、さっき忍が言ったパターナリストなんだろう。国家のお父さん、つまり首相を敬って、きちんと言うことを聴けと諭す」

「で、それでも従わないと、『そんなに偉そうなこと言うんだったら、お前が国会議員をやってみろ』とか『お前が総理大臣をやってみろ』って言われちゃう」

忍が目を細めた。

「おれ、売れない役者やってるけど、一応プロだから言わせてもらうと、例えば観客に『お前の演技はド下手で、才能なんかまったくないから、とっとと辞めちまえ！』って罵声浴びせられたとするよね。その時『ならお前が役者やって手本を見せてみろ！』って答えたら、その時点でアウト。役者失格だよ。これは、いわゆるプロと呼ばれている人たち全員に当てはまる。空振りしたプロ野球選手にヤジを飛ばしたら『ならお前がホームラン打ってみろ！』ってバットを渡されたらどう思う？　そんなやつは、プロスポーツ選手でもなんでもない。政治家だってプロだよな？」

「自分がやったことのないことを、批判しちゃいけないって、実に日本的で美しい考え方だね。でも、それは民主主義じゃない。ただやみ雲に文句ばかり垂れる方もいけないけど、民主主義的考え方だと『うるさい！　素人は口をつぐんでろ』とは言えない。意見を聴いた後で、矛盾点を根気よく指摘して、論破するしかない。民主主義って、すごく疲れるんだよ」

「そうだな。『空気を読め』とか『意見を言うのは、もう少し大人になってからにしろ』って一言で黙らせちゃう方が楽でいい」

「だけどそれは民主主義の怠慢だね。戦後間もない頃の、中学・高校生向け社会科の教科書には、政治の形だけ民主化するのでは不充分、民主主義とは単なる政治上の制度ではなく、社会生活の在り方であり、社会生活を営むすべての人々の心の持ちようであるって書いてあるんだよ。会社や学校や家庭も、すべからく民主的であるべしといっているのに、そんなこと守ってる人は未だに少ない」

「ああ、うちの親父も典型的な父権主義者・パターナリストだ」

「会社でもワンマン社長とか相変わらずいるし。おまけに今の企業は、人を人としてではなく、単なる労働力としか見てないよね。だから不況になったらためらわず首を切る。悪いパターナリズムは、民主主義を崩壊させる」

「よいお父さんなら、子どもたちが苦しんでるのを放っておけないはずなのにな。しかし、忍はやっぱり凄いな。そういうのが六十歳の知性なのか」

「よしてよ、そういうこと言うの」

5

一郎の症状は回復していた。

以前は「三歩進んで二歩下がる」だったが、今は下がるという感覚がない。進むのみだ。時化《しけ》の海を小舟で揺られているようなめまいは、平衡感覚に若干の違和感を覚える程度に鎮まった。画像ではまだ腫瘍が確認できるが、おそらく内部で崩壊が始まっていると、担当医は結論付けた。

久しぶりに酒を飲んでみようと思った。医者も少量なら問題ないだろうと言った。

ワインを一口飲んだだけでも、頭がくらくらした。三口飲むと、グラスを佳江に渡し、ソファーに横になった。程よい酔いが回ってくる。今後もこの量で酔えるなら、随分酒代が節約できるだろう。

タブレットを手に取り、動画投稿サイトを開いた。「中村正章の現代貨幣理論（ＭＭＴ）入門」のチャンネルに、新たな動画がＵＰされているのを発見した。

太一だ。インターバルがあったが、また講義を始めたらしい。今回のは講義というより、自分が如何にＭＭＴと関わりをもったかということに焦点を置いている。家を飛び出してから、何をしていたかも語っていたため、一郎は身を乗り出して見た。息子もいろいろ苦労したらしい。

ビルと呼ばれている息子、太一は、十八の時に家出した。原因は父親たる自分にあることを、一郎は心得ていた。バリバリの官僚だった頃は、高校入学と当時に弛み始めた息子を、激しく叱咤した。高校の三年間は、大学受験を控えたもっとも大切な時期だ。

実は一郎も高校時代、少し羽目を外したことがある。高二の夏休み直前に、悪い友だちと付き合うようになり、遊びを覚えたのだ。三学期の成績は大幅に落ちた。高三になり、挽回しようと頑張ったが、以前の成績には戻らなかった。結果東大合格確実と言われていたのに、地方の国立大に鞍替えせざるを得なくなった。

息子には同じ目に遭ってほしくなかった。だから、元の道に戻すべく、厳しく指導した。だが太一は、父親の思惑とは裏腹に、益々心を閉ざしていった。

今から思えば、明らかに教育方針が間違っていた。無理やり自分と同じ鋳型《いがた》にはめ込もうとしても、息子は人格の異なる別の人間なのだ。おれの息子が、こんなことくらいできないはずがないという、父親の奢りがあった。

息子のためと言いつつ、本当は自分のために育ててきたのだ。本人の意向など無視して、将来は官僚より検事にさせようなどと勝手に決めていた。おまけに仕事が忙しい時期だったので、指導にはムラがあった。日曜の朝までにこの課題を解いておけと厳しく言いつけたのに、当日は過労が祟って昼まで爆睡したりしていた。

正章の動画チャンネルに、太一が映っているのを目の当たりにした時は、我が目を疑った。至急正章に連絡を取り、確認すると、ひょんなことから知り合ったのだという。向こうもまさか、山崎の息子だとは思わなかったらしい。

「ぼくが山崎さんと知己であること、ビルに話しましょうか？」

「いや。まだ言わないでいてくれ」

と答えたものの、一郎は正章の活動に加わると心に決めていた。体調はほぼ回復している。神様が生かしてくれたのは、自分に何かをさせるためだ。残り少ない人生、国や国民のために真に役立つことをしたかった。

関西では、六月に最高震度6弱を記録する地震が起きたばかりだった。その直後、今度は集中豪雨が西日本を襲った。河川の氾濫や洪水、土砂災害などの映像を見て、去年も似たようなことがあったのを思い出した。昨年の梅雨には九州で集中豪雨があり、甚大な被害をもたらした。

そしてその二年前は、関東と東北の自然災害。一郎が幼少時を過ごした、茨木県常総《じょうそう》市を流れる鬼怒川が大雨により氾濫した。さらにその前年には広島で土砂崩れがあり、住宅街が丸ごと土石流に飲み込まれた。

このような大雨は、線状降水帯《せんじょうこうすいたい》と呼ばれる積乱雲群により、もたらされるらしい。一郎が子どもの頃は、梅雨といえば五月雨だった。しとしとと断続的に降り注ぐ雨が、独特の陰鬱な雰囲気を醸し出し、子どもたちは皆、早く夏が来ないかと待ち焦がれたものだ。そんな梅雨がいつの間にやら、集中豪雨の季節になってしまった。これはやはり、地球温暖化の影響なのだろうか。

集中豪雨の次にやってくるのが、定番の台風。台風は大雨だけでなく、暴風被害ももたらす。

そして近年、地震の発生頻度は増していた。一昨年も熊本でマグニチュード7・3の地震があった。そして七年前はあの、東日本大震災。次は首都直下型だの、東海、南海、東南海地震だのと、マスコミはしきりに危機感を煽った。

一郎が小学生の頃の社会科の教科書には、関東大震災など、幾度か大きな地震を経験した日本列島ではあるが、現在は小康期に入っていると書いてあった。あれから半世紀が経ち、状況は一変した。

こんなにも災害大国になってしまったのに、国や自治体の対応は相変わらず後手後手に回っている。アベノミクス第二の矢、財政出動もいつの間にやら尻すぼみになってしまった。政府は、国土強靭化計画なる防災、減災の取り組みを行っているが、やはりネックになるのは財源らしい。しかし、正章の理論を適用すれば、財源など無尽蔵にあるということになる。

　梅雨明けのある晴れた日、一郎は正章の研究室を訪れた。正章は女性アシスタントと共に出迎えた。太一の姿はなかった。

「ようこそ、山崎さん。わたしたちのグループに加わっていただけることを、光栄に思います」

　正章は、仕事を手伝ってもらっている、園田忍さんです、と女性を紹介した。

「園田さんはビル、いえ、太一くんと高校の同級生なんですよ」

「そうなんですか」

　切れ長の瞳が美しい女性が、にっこりと微笑んだ。

「彼女はわたしのアシスタントではなく、いわば助言者なんです」

　助言者？　一郎が眉を顰《ひそ》めた。

「以前山崎さんに、どうやって未来を予測した？　と訊かれたことがありましたよね。リーマンショックや政権交代のことですよ。じつはぼくが予測したんじゃないんです。ここにいる園田さんが、全部教えてくれました」

　驚いて女性の顔を見た。このまだ三十代の女性が、あれほど的確に未来予測をしたのか。

　しかし、彼女が行ったのは正確には予測ではなかった。正章が信じられないことを語り始めた。女性は未来からやって来たというのだ。

「ぼくの頭がおかしくなったなんて、思わないでください。最初はぼくだって信じませんでした。

ところが彼女の予想はことごとく当たったのです。何かのトリックか、独自の情報網で予測していたとは思えない。忍さんの記憶に深く刻まれていたからこそ、正確にこれから起きることを言い当てることができたんです」

「実は未来ではわたし、中村先生の弟子だったんです。先生の下で政治経済を一から学び直しました。だから、この分野の歴史については鮮明に覚えていたんです。でもJリーグや野球のことなんかには、まったく興味がなかったから、今年のクライマックスシリーズはどうなってる？　なんて訊かれても答えようがありませんでした」

嘘を言っているようには思えなかったが、やはり、にわかには信じがたかった。そこで、来年はいったい何が起きるのか、訊いてみることにした。

「二〇一九年には予定通り、消費税が10％に上がります」

「やはりそうか」

正章が渋面を作った。

「益々景気は冷え込むだろうね」

「ええ。冷え込みました」

「元号が変わるんでしょう」

「はい。新元号は令和です。命令の令に、平和の和」

令和？　昭和の親戚のような名ではないか。あまりしっくり来ないなと、一郎は思った。

「万葉集から引用されたと聞きましたけど」

「改元で景気は浮揚しないのかな」

「景気にはさほど影響を及ぼさなかったような気がします。経済効果が多少あったとしても、改元が五月、消費増税が十月ですから、短い期間だったはずです」

「オリンピック需要は？」

女性の表情が曇った。

「オリンピックは延期になりました」

「延期？　何があったんですか？」

「今まで中村先生にも黙っていましたけど、二〇二〇年を境に、全世界が未曾有の危機に晒されることになります」

女性によれば、新型コロナウイルスのパンデミックが起こり、世界中で多くの死者が出るという。

コロナウイルスのパンデミックと言われても、ピンと来なかった。確か今世紀の初め、アジアで流行ったSARSも新型コロナウイルスだったはずだ。さんざんマスコミが危機感を煽ったが、いつの間にか収束してしまった。

「SARSとも新型インフルエンザとも違う、相当やっかいなウイルスです。死者は全世界で百万人を超え、経済的損失はリーマンショックや東日本大震災を上回ったと言われています」

「本当ですか？　中世のペストや江戸時代のコレラじゃあるまいし。今は二十一世紀ですよ。そんなに死者が出ますかね？」

思わず聞き返した。忍という女性は無表情で首肯した。

「最初は『どうせ、新種の風邪みたいなものでしょう、すぐにワクチンができるだろうし、ワクチンなんか打たなくても自然に治る』って、皆があなどっていました。でも、それが大きな間違いであったことに、人類は気づくことになります」

「じゃあエボラ出血熱並みに、恐ろしい病気というわけですか」

エボラはコンゴで再流行していた。致死率が九十パーセントと言われるこの病が、もしかしたら世界的に流行するかもしれないと、ついこの間のニュースでやっていた。

「エボラは世界的なパンデミックにはなりませんでした。新型コロナはエボラに比べれば致死率は低いです。ちょっとした風邪くらいの軽症の人や、無症状の人もいます。でも重症の人は肺炎にかかり、人工呼吸器が必要になり、最悪死に至ります。特に高齢者や基礎疾患を持った人たちの重症化率、致死率が高いです」

「致死率はどのくらいなんですか」

「いろいろな数字がありますけど、無症状の罹患者は検査を受けないし、本当の感染者数がよくわからないんです。だから致死率は、表面的な数字よりかなり低いのではないかとも言われました」

「表面的な数字でいいので、どのくらいですか？」

「わたしの記憶では四パーセントくらいではないかと――」

四パーセントといえば、二十五人に一人が死ぬということか。確かに低くない数字だが、分母はあくまで検査で陽性が出た人間だけで、検査を受けないサイレントキャリアの数は入っていないと忍は言った。

どうもこれだけの説明では、新型コロナがそれほど恐ろしいウイルスという実感が湧かない――。

この話は一旦切り上げ、今後どのような形で一郎が正章たちの手助けができるのか、具体的な詰めをすることにした。

「衆院選か都知事選に立候補して欲しいですね」

正章の言葉に「冗談はよしてくれ」と苦笑いで返した。

「冗談じゃないですよ。前から思っていたのですが、山崎さんは官僚より政治家向きです。ガタイがいいし、声も良く通る。独特の存在感があるんですよ」

「だけど、ＭＭＴなんか唱えたら、与党からは出られんだろう。財務省が大反対するだろうし」

「なら野党から出てはどうですか。新しく政党を作ってもいい」

「そんなに簡単にゃ行かないだろう」

自分には政治家としての経験がまったくないし、そもそも知名度がない。

「知名度はこれから作るんですよ」

取りあえず本を書いてみたらどうか、と正章が提案した。

「官僚の暴露本は、食いつきがいいんです。よかったら編集者を紹介しますよ」

「まあ、考えておくよ。だけど政治家なら、おれより、息子のほうが適役じゃないか。既に有名人だろう」

「わたしの知っている世界では、息子さんは既に政治家になってました。でもここではちょっと違うようです」

忍が言った。

「ってことは、あなたの予測が外れることもあるんだな。だったら、新型コロナのパンデミックなんてのも、起こらない可能性だってあるんじゃないのか」

「そう願いたいです。でもあたしが知っているマクロの事象は、外れたことがありません。リーマンショックや東日本大震災、ＳＡＲＳやＭＥＲＳ、新型インフルエンザの流行もわたしは知っていました」

とはいえ、ミクロの事象に関しては、変わることもあると忍は説明した。現に、未来の記憶が下りて来た以降の忍の人生は、大きく変わったという。

「何で息子は政治家になりたがらないのかな」

一郎が話を戻した。

「それは、本人に訊いてみてください」

もっともだが、二十年近く太一とは話していない。とはいえ、正章の活動に参加するなら、太一とも真剣に向き合わなければならない。

「そろそろ会ってみませんか？」

正章が提案した。

6

「なんだって!?」

　ビルが思わず上ずった声を上げた。

「親父と中村先生、知り合いだったのか？」

「そうみたい」

　忍が答えた。

　まさか親父が、自分たちのグループに加わるとは思わなかった。

「だけど、典型的な官僚だぞ。弱肉強食が当たり前だと思ってるし、国の財政のことを真っ先に考えるような人間だから、ＭＭＴなんかに賛成するはずがない」

「それが、そうでもないらしい。中村先生が言ってたけど、お父さん、変わったって」

　——馬鹿な。あの頑固親父が変わるわけがない。

「自分で確かめてみたら」

　ビルが鼻を鳴らした。

「ビルの気持ち、わかるよ。あたしも父とはまったくうまくいってなかったから」

「お父さんは、今どうしてる？」

「あたしが高一の時に、離婚して家を出て行った。その後、音沙汰はない。行方知れずだし、もう携帯の番号も繋がらないし。色々問題がある人だったけど、もう一度会って話してみたいとは思う。生きていれば、七十ぐらいなのかなあ。あたしも六十だから、案外気が合うかもしれない」

忍がいたずらっぽく笑った。

「仲間は多い方がいいでしょう。お父さんもビルと会って話がしたいって」

「よく言うぜ。二十年間、電話一本かけて来なかったんだぞ」

「それはビルも同じでしょう」


翌週の火曜日、中村先生の研究室で父と会うことが決まった。

父・山崎一郎は二十年前とほとんど変わっていなかった。髪の毛は黒々としているし、分厚い胸板や、血管の浮き出た逞《たくま》しい腕は、子どもの頃からビルが、畏怖と憧れを持って眺めていたものと同じだった。

もうすぐ古希を迎えるはずなのに、枯れたところがまるでない。かと言って、無駄な脂肪が増えたわけでもなかった。

——外見が変わっていなければ、中身も変わらないんじゃないのか？

ビルは襟を正して、父親を見つめた。父親も無言で息子を見つめ返した。

「活躍、いつも見てたよ」

最初に口を開いたのは父だった。

「まさか、お前が中村先生の弟子だったとはな」

「——父さん、変わってないな。驚いた」

父が、はははは、と豪快に笑った。

「そうか。それはうれしい。昔から若く見られたからな。今でも五十代に間違われるよ」

懐かしい父の物言いだった。いつも自信たっぷりで、自分が他者とは違うことを強調したがる。

「お前も、まったく変わらないじゃないか。ビデオ講義、評判だな。なかなか分かりやすくていい。おれも中村くんからＹｏｕＴｕｂｅｒにならないかと誘われたが、遠慮すると答えた。お前のシマを荒らすつもりはないから、安心してくれ」

二十年ぶりの積もる話など特にない、という雰囲気の中で、父はいきなり仕事の話を始めた。ビルもそのほうがよかった。

「お父さんには、ビデオではなく、生の講演や講義をお願いしようと思ってるんだ」

中村先生が言った。

「父さんがＭＭＴみたいなものに賛同するとは思わなかったよ」

「賛同というか、これが真実だからな」

「真実ならどうして国は、金を出し渋る？」

「本当のことがバレたら困る連中がたくさんいるからだろう。それより太一。政治家にはなりたくないと聞いたが――」

太一という本名を呼ばれるのは、久しぶりだった。

「政治家？　考えたこともないよ」

「なぜだ？　お前は知名度があるし、よく勉強もしている。立候補すれば、当選するかもしれんぞ」

「そんな簡単なモンじゃないことくらい、父さんが一番よく知ってるだろう」

「政治家は嫌いか」

「まあ、好きとはいえないね」

「そうか――」

父はそれ以上深入りしなかった。


父が帰った後、忍に「二十年ぶりの再会はどうだった？」と訊かれた。

「どうもこうも、なんだか、つい先週会ったばかりなような気がしたよ」

「それって、いいことじゃない？」

「どうかな」

もし父が年相応に枯れていたら、年月の重みをしみじみと感じ取ったことだろう。老父の手を握り「勝手に家を出て行って済まない、父さん」と涙ながらに謝ったかもしれない。

しかし父は二十年前と変わっていなかった。それればかりか、益々元気になっているような気さえした。

「知ってるか？　うちの親父、脳腫瘍だったんだぜ。それも脳幹っていう、神経が一番集中してるところにできたらしい。外科医は全員匙を投げたって。でも自力で内科医を見つけてきて、点滴と飲み薬で治しちまった。絶対死ぬと言われてたのに、凄い生命力だろう」

「確かに凄いね、それは」

「そのちょっと前には腰の手術に失敗して、半身麻痺になったんだよ。で、ネットで治療法を調べて、医者のところに駆け込んで、この治療をやれって命令したらしい。診察する前に、病名を言い当てたから、医者も驚いてたって。筋筋膜なんとか、とか言う、普通の医者もほとんど知らない病気だったって妹が言ってた」

「それで半身麻痺が治ったの？」

「車椅子に乗ってなかったし、杖もついてなかっただろう」

「お父さん、不死身なんだね」

「不死身かもな。もう立派な高齢者なのに、まったくそうは見えないし。学生の頃はラガーマンだったけど、今でもボール追いかけてタックルしそうな雰囲気だったろう」

「そうだね。ビルと同じで身体大きいし、筋肉も半端なく凄そう」

「だからいまいち、信用できないんだよな……」

ビルが虚空を見つめ、考え込んだ。

「どういうこと？」

「親父は、昔ながらの自信たっぷりの親父だった。いや、むしろ大病を二つも乗り越えて、さらにパワーアップしたような気がする。そんな親父がなぜ、おれたちの活動に加わるんだ？」

「定年で官庁とは縁が切れたから、これからは自分の好きなことをやって行こうと思ったんじゃない？」

「ＭＭＴに賛同してるのは分かった。理論として、正しいと思ってるんだろうけど、親父のスタンスは何も変わってないような気がする」

「スタンスって？」

「忍が言ってたパターナリズムだよ。文句を言わず、お父さんに従いなさい、っていう国民を子どもみたいに扱いたがるあれさ。おれがＭＭＴがいいなと思ったのは、これで貧困や格差の問題で苦しんでいる人たちを救えると思ったからだ。だけど親父は、ＭＭＴは理論として認めはするものの、弱者救済とか貧困撲滅にはあまり興味がないような気がする。本人の努力が足りないって、一蹴しそうだし。強い父親は軟弱な子どもが嫌いだからな」

「そうかな。あたしにはもっと優しい人のように見えたけど」

「親父もおれを政治家にしたいのかな。ごめんだけどな」

「しつこいかもしれないけど、どうして政治家がそんなに嫌なの？」

「やつらは平気で嘘をつくからさ。バレなきゃ嘘も嘘でなくなると思ってるんだろう。官僚も同じだよ。どうせ国民はアホだから、どんな不祥事だろうが嘘をつき通せば、そのうち忘れるって、高を括《くく》ってるんじゃないのか」

「なら政治家になって、永田町を内部から変えていけばいいじゃない」

「冗談だろう。そんなに簡単に変えられるくらいなら、とっくに誰かが変えているよ。政治ってのは数なんだろう。周りが嘘つきばかりなら、おれも嘘つきになるしかないじゃないか。国会で村八分にされたら、法案一つ通せないんだから」

「どうしてそう悲観的に考えるの？　ビルは社会を変えたいんでしょう」

「ああ。だから中村先生や忍と、こうやって頑張ってる」

「頑張ってるのは分かってる。でも、そろそろ次のステップに進んでみない？」

「政治家なら親父がいるだろう。元経産省の官僚だし、ピッタリじゃないか」


同じグループに属してはいても、その後、ビルと一郎が顔を合わせる機会はあまりなかった。正章がメンバー四人で定例ミーティングをアレンジしたが、話すことは特になかったため、何かトピックスがあった時にだけ全員が集まる形式に変えた。

時代は忍が予知した通りに進んでいった。

新元号は令和。京都アニメーションで放火事件が発生し、多数の死者が出たことも忍は言い当てた。非常に痛ましい事件だったから、くっきりと記憶に残っていたという。

消費税10％がスタートし、景気はさらに低迷した。そして沖縄の首里城全焼の予言は、まさかと思ったが、現実のものとなってしまった。

様々な批判を浴びた「桜を見る会」を来年度は中止すると、政府が発表した頃、忍がメンバー全員を招集した。

「以前にもお話しましたが、これから大変なことが起きます。後になって戦後最大の災害と呼ばれる、感染症の世界的流行です」

それについては、ビルも聞いていた。にわかに信じられない話ではあったが、忍が言うのだから事実なのだろう。

「十二月に最初の感染者が出ます。中国の湖北省武漢《こほくしょうぶかん》というところです」

当初は原因不明の肺炎として報告されたが、後になってウイルスによるものと判明したという。

「中国政府はこの事実を隠していました。日本でも当初、厚労省がヒトからヒトへの感染リスクはないから、過度な心配は無用と声明を出しました」

「なるほど。で、中国から日本に伝わったわけだ。SARSや鳥インフルエンザの時も、中国は隠ぺいしたしな」

一郎が鼻を鳴らした。

「第一波の感染拡大は、春節で中国人旅行客が大挙して訪日したことにより起きます。これを何とか抑え込めれば、もしかしたら日本の流行を極小化できるかもしれません」

「それは難しいんじゃないか？　春節といえば、観光業界にとって稼ぎ時だ。感染症が怖いから、来ないでくださいとは言えんだろう」

「わたしの記憶では、春節の二日前に武漢市は閉鎖されました。いわゆるロックダウンです。にもかかわらず、日本は中国からの観光客を全面的に受け入れたんです。症状に対する質問状を配布しただけで、実質無審査でした。アメリカなんて、CDC（米国疾病予防管理センター）が乗り出して、武漢からの直行便や乗継便の乗客を徹底検査したのに」

「つまり君は、春節観光客をボイコットしろと進言したいんだね」

今まで黙っていた中村正章が口を開いた。

「ええ、そうです」

「しかし、マクロの事象は変えようがないんだろう」

「確かに今まではそうでした。例えば東日本大震災の場合、純粋な自然災害ですから、人力でプレートのずれをどうにかできるものではありません。ですが、感染症の場合、早めに注意喚起すれば、国内の大流行は抑えられるのではないかと」

「もし本当にそんなウイルスが出てくるのなら、ともかく声を上げるべきだと、おれも思います」

　ビルが同意した。

　中村教授は「う〜ん」と唸りながらしばらく考えていたが「よかろう」と居住まいを正した。

「改正出入国管理・難民認定法も施行されてしまったしな。例の外国人労働者の受け入れを拡大するというあれだよ」

「未来の中村先生も、この件には反対されてました」

　忍が遠い目をして言った。

「そうか。何も外国人差別をしたかったわけじゃない。外国人労働者を受け入れる前に、日本人を正社員としてもっと雇え、それでも頼らざるを得ないなら、きちんとした受け入れ態勢を整えてからにしろと、言いたかったんだ。

　結果、差別主義者のレッテルを貼られ、ネトウヨからはお友達認定されたよ。誰も真意を理解してくれず、悲しかった。そんなぼくが、中国人観光客を入れるな、なんて言ったら益々批判を浴びるだろうけど、毒を食らわば皿までだ」

中村教授が自嘲するように笑った。

7

一郎が正章に紹介された出版社から『官僚という病』という書籍を出版したのは、家の前の街路樹が色づき始めた頃のことだった。

ジャンル的には暴露本だが、俗に言う脱落官僚が書くような官僚組織を徹底的に批判する本とは、趣を異にした。世間一般がイメージするエリートとは違う人間臭い一面や、個人的には承服しかねる施策を、無理やり通さねばならぬ事情も説明した。頭が良いと言われている官僚も、ある分野に於《お》いては、犬のように愚かであることを、国民にもっと知って欲しかった。

官僚は決してスーパーマンではない。あなたと同じで、よく間違いや忘れ物をする、普通の人間なのだ――。

ユーモアとペーソス溢れる筆致で綴られた本は、発売早々大きな話題を呼んだ。新聞や雑誌の書評欄でも取り上げられ、山崎一郎の名は次第に世間に知られるようになった。

「参りましたね。山崎さんにこんな文才があるとは思わなかったですよ」

正章も驚いた様子だった。

「ぼくも本を出したことがありますけど、発売後三日で大量重版なんて、夢のまた夢です」

講演依頼もあちこちから来た。ＭＭＴの理論を広めるのによい機会なので、積極的に受けた。経済人の集まるセミナーで、トンデモ官僚の実態を暴露し、笑いを取った後、徐々に話題をＭ

MTに持っていった。

「財務省が、財政赤字のことをとやかく言っていますが、逆なんですよ。むしろ日本の借金はまだ少なすぎるんです」

聴衆は皆一様に目を白黒させた。一体このはぐれ官僚は何を言い出すんだ？　頭がおかしくなったのか、と心の中で思っているに違いない。

しかし、根気よく説明すると、首を傾げながらも「確かにそういう考え方もありますね」と納得し始めた。MMTは極めて真っ当な理論だ。しかし、普段から「こんな巨額の債務を抱えた国は、いずれ破綻する」「我々の世代で何とかしないと、孫子の代の負担が膨大になる」などと散々脅されているので、いきなり真逆のことを言われても、すぐには消化できないのだろう。

いかにも大企業の若手エリートといった感じの、ウェリントン眼鏡をかけた男が挙手した。

「実はぼくも、山崎さんのように考えたことがありました。ところが、財務省の事務次官とか、東大の教授とか、頭のいい人たちがこぞって、財政健全化を急がなければ日本が大変なことになると言うから、やっぱり国の借金は減らさなければいけないのだなと、考え直すわけです。でも、今日のセミナーでやはり自分の考えが正しかったと確信を持てました。

しかし疑問なのは、あんなに頭がいい財務省の人たちなら、このことが分かっているはずなのに、なぜ未だに財政健全化の話ばかりするんでしょう？」

「何の問題もなく紙幣を発行できることが国民にバレたら、秩序が崩壊すると思っているからでしょう。市場は真っ当な努力をしなくなり、少しでも景気が悪くなると、国に頼るという悪しき習慣が身に着くことを危惧しているんですよ」

「なるほど。常に上から目線の官僚なら、当然そう考えるでしょうね」

眼鏡の男は、納得したという表情で頷いた。

「だけど、そのせいで日本は四半世紀、地べたをさ迷ってきました。他の国が順調な経済成長を遂げているにもかかわらずです。この罪は大きい」

「まったくその通りです」


一郎が経済セミナーに奔走している頃、正章や太一はSNSで、武漢で起きている新型ウイルスの危険性を訴えていた。春節で日本にやってくる中国人観光客には検疫を徹底するか、最悪国境封鎖も考えたほうがいいと繰り返しツイートした。

こんな極端なことを言っている日本人は、一郎の知る限り他にいなかった。「ヒトからヒトへの感染はまだ確認されていない。神経質になる必要はない」と大方の専門家は言った。一般大衆も、単なる新種の風邪だろうと高を括っていた。

実は一郎も、同じように考えていた。

忍の予言は確かに当たるが、新型コロナの影響は、本当に彼女が危惧するほど大きなものなのか。今や二人に一人が罹患するという癌のほうが、新種の風邪ウイルスなんかよりよっぽど恐ろしい疾病ではないか。

病気以外に目を向ければ、風呂場で亡くなる人は、毎年二万人に上るという。交通事故死のなんと四倍である。しかし、マスコミはこの事実をほとんど報じない。あまりにも地味な事故だからだ。

新型コロナによる年間死者数が二万人を割ったら、自宅の風呂場のほうがよっぽど危険ということになる。感染予防を訴えるなら、同時に、むやみに風呂に入るなと戒めなければ、片手落ちだ。

新型コロナの警鐘は他の三人に任せ、ＭＭＴの普及に努めた。努力の甲斐あってか、一郎は次第に知名度を上げていき、最近では日本に於けるＭＭＴ理論の第一人者と持ち上げられるまでになった。正章を差し置いて、こんな称号をもらうのは僭越と思ったが、当の正章は喜んでくれた。

「ぼくはちっとも気にしてませんよ」

四人集まったミーティングの席で、正章が切り出した。

「前にも言いましたけど、ぼく、人に物を教える才能がないんです。講義ではいつも学生たちは居眠りしてましたしね。中村さんがぼくの代わりに教鞭を振るってくれ、助かってます。シンパは飛躍的に増えています。あともう一歩で山が動きそうな気配です」

嬉しそうな正章とは対照的に、太一は不満気な顔をしていた。太一も「一緒にＭＭＴを考える」という動画を配信しているが、今や影響力は一郎のほうが上だ。

「経済の話もいいけど、コロナのこともっと発言して欲しいな。父さん、ブログ始めたんだろう」

「まあ、ぼちぼちな」

「ぼちぼちって、どういうことだよ」

太一が眉根を寄せた。

「パンデミックが起きるんだぜ」

「分かってる」

武漢での感染状況は日本にも伝わって来たが、それほどの規模という感じではなかった。

「もう少し様子を見てみたいんだよ。それにおれは、感染症の専門家じゃない。専門家が問題ないと言ってるのに、問題だと言うにはそれなりの根拠を示さんとな」

「そんな悠長なこと言ってる場合かよ！　やっぱり親父は官僚だな」

「わたしも素人ですけど、感染症対策は、最初から徹底させるべきだと思います。嵐が過ぎ去った後で『何であんなに大騒ぎしたんだ。大したことなかったじゃないか』と皆が言うくらいが一番いいと、もう少し経ったら人々が言い始めますよ」

忍が言った。

「そうかもしれんが、春節のインバウンドを止めてしまったら、損失は計り知れないだろう。四千億近い金が宙に飛ぶぞ。どうやってこれを補塡する？」

「そのためのＭＭＴじゃないか」

あっ、と口を開きかけ、閉じた。しかし、いくら国の財政に問題はないとはいえ、むやみにバラマキをやって、果たしていいものだろうか――。こんな考えが頭に浮かんだ時、確かに太一が言うように、自分はまだ官僚的思考から抜け切れていないと、苦笑した。

日本で初の感染者が出たのは、一月十五日のことだった。武漢から帰国した、神奈川県在住の中国人男性だという。そして程なく、中国が「ヒトからヒトへの感染」を認めた。

感染者数は指数関数的に増えていく、と忍は言っていた。ネズミ算のようなものだ。しかしながら、一郎にはまだ実感が湧かなかった。二人目の感染者が出たという続報が、なかったからだ。

WTOが緊急会議を開いたものの「緊急事態宣言」は出さなかった。

中国政府が武漢市を閉鎖した時は、これで感染を封じ込めることができるのではと淡い期待を抱いた。

そんな中、春節が始まった。

観光客の中には武漢市民もいた。テレビのインタビューに「武漢にいると隔離されるから、日本に逃げて来た」と笑いながら答えていた。京都や東京、そして北海道に大挙して訪れる観光客を見ていると、感染症のことをそれほど深刻には捉えているようには思えなかった。

同じ頃、横浜港を出発したクルーズ船、ダイヤモンド・プリンセス号で新型コロナの陽性者が出たとのニュースが報じられた。

那覇港で検疫を受けた乗客の中に発熱を訴えた者がいたため、同船は横浜港の大黒ふ頭沖に停泊を余儀なくされた。

テレビのワイドショーでは、連日のように続報を流した。もし、多くの感染者が下船したら、横浜は武漢の二の舞になるのではないか。皆、口には出さないが、こう思っていたに違いない。

密閉された船内に残された人々の恐怖は、計り知れないものだったろう。マスコミは、興味本位に船内に取り残された乗客の電話インタビューなどするより、早く検査をするよう訴えるべきではないのか。

ようやく本格的な検査が始まったが、防護服も着ず、船内に入っていく役人たちを見て、それほど大した感染症ではないらしいと一郎は胸を撫で下ろした。

ところが、そんな予断はすぐに吹き飛んだ。災害派遣医療チームの一員として乗船した、神戸大学病院感染症内科の教授が、感染対策がほとんどなされていないと指摘し、その日のうちに船外追放されたというのだ。

程なく、現場責任者の橋本厚生労働副大臣が、「こんな感じでやってます」と船内の写真をＵＰした。写真を見て一郎はあんぐりと口を開けてしまった。

船内通路が、劇場などで使われるロープパーティションで二本に分けられ、それぞれに汚い字の貼り紙で「不潔エリア」「清潔エリア」と表示されていた。そして清潔エリアはともかく、不潔エリアでも防護服を着ないで歩いている人間が目立った。

否、それ以前に、ロープパーティションなんかで、エリア分けができるわけがない。ビニールシートによる完全密封が不可欠なことぐらい、素人でも想像がついた。

おまけに通路は二つに分かれているのに、その先の広間に入ると「清潔」と「不潔」がごちゃ混ぜになっていた。これではエリアを分けた意味がないではないか。

笑いを取るためにやっているのかと思った。しかし、批判を受けるや、すぐ削除したところを見ると、どうやら大真面目に投稿したようだ。

――これはまずいぞ。

専門家が危機感を露わにしたのは当然だ。厚生労働省と言えど、防疫にはほとんど素人ではないのか。その証拠に、後になって厚生労働省と内閣官房の職員の感染が確認された。

テレビでは通り一遍倒のニュースを流すだけなので、ネットに目を向けてみた。船外に追い出された災害派遣チームの教授の、内部告発動画はとっくに削除されていた。

「ご迷惑をおかけした方には心よりお詫び申し上げます」とキャプションがついていたのは、何処かから圧力がかかったためだろう。

さらに検索していくと、妙な動画をＵＰしている人物を発見した。

安手の雨合羽を着た男が、港からリポートしていた。バックに見える大きな客船は、ダイヤモンド・プリンセス号だ。警備の人間が来て、雨合羽の男を追い払おうとした。男は動じず、警備員に紙袋と書簡を手渡そうとした。

雨合羽の男は太一だった。

8

政府が緊急に武漢からの帰国便を用意したのは、素晴らしかった。現地にいた日本人たちは、さぞや安堵したことだろう。

しかし、春節休みで日本に一時帰国していた邦人たちを、自由に中国に戻してしまうのは、いったいどういう了見からなのか。今や、武漢だけではなく、中国全土に感染は広がっている。早く渡航禁止処置を取ってくれと、ビルは何度もツイートしたが、安倍応援団による罵詈雑言が返ってくるばかりだった。

案の定、諸外国が中国だけではなく、日本にも渡航禁止命令を出すようになった。立派な感染国と見なされたのである。

海外在住の日本人が、罵声を浴びせられたり、暴力を振るわれたりする事件も起きた。「感染症を運んできた、汚らしいアジア人」と疎まれているらしい。欧米人にとっては、中国人も日本人も一緒なのだ。

そんな最中起きたのが、ダイヤモンド・プリンセス号での集団感染だった。忍は、船内に対策本部を置いたのが失敗だったと言った。

「あたしが言ってるんじゃなくて、後にこの問題を精査した専門家が言ってたことだよ。乗客乗員に感染者がいるのに、船内に現地対策本部を置くなんて、まるで素人の所為《しょい》だって。客船の中って、密閉空間で換気もよくないから。対策本部自体が感染のリスクにさらされるじゃない」

そういえば、すぐに消されてしまったが、現地入りしたどこかの大学教授が、感染対策がまるでなってない、と動画で訴えていた。

「おまけに、マスクや防護服の着用が徹底されてなかった。この二つは、そのうち世界中で不足してくるよ。マスクや防護服がないから検査したくてもできないって、病院が訴えてたもん。ニューヨークなんかじゃゴミ袋を被って患者を診ている医者や看護師もいたし」

「ニューヨーク？　アメリカでも感染が起きるのか？」

「うん。あと一週間か二週間で爆発的な感染が起きる。ニューヨークとか、ミラノなんかで」

感染を広めないためには、早期に検査を行い、陽性者と陰性者を分けることだと忍は力説した。だからビルも、早急に検査をすべきとSNSで訴えた。特にダイヤモンド・プリンセス号では急務だ。船内に取り残された乗客たちは、感染のリスクに怯えながら、早く下船させてくれと祈っているに違いない。

ところが政府の対応は迅速とは言い難かった。数日間、船は沖合に置き去りにされていた。この間に、集団感染が悪化したことは間違いない。おまけにやっと着岸したと思ったら、対策本部を船内に置き、防護服も着ない役人がウロウロしている始末だ。

居ても立ってもいられなくなり、事務所の後輩を引き連れ、横浜港に向かった。いくらネットに書き込みをしてもまったく反応がないので、直接嘆願書を手渡し、ついでに事務所にストックしてあった、ビニール製の雨合羽を寄付しようと思い立った。雨合羽は立派に防護服の代わりになる。

現場では思っていた通り、門前払いを食らった。それでもビルはしつこく受け取れと迫った。そしてこの様子を、事務所の後輩に撮影させた。

「ダイヤモンド・プリンセス直訴」というタイトルでＵＰした動画は、たちまち拡散していった。人々はビルが、迷惑系ＹｏｕＴｕｂｅｒになったと騒ぎ出した。

（偉そうに経済学の講義を始めたと思ったら、今度は防疫の指南かよ。何様だこいつ？）

（雨合羽で防御服？　日本は医療後進国ではありません。バカにしないでください）

等々、辛辣な書き込みがされるのは、織り込み済みだった。

「彼らはあとちょっとすれば、考えを変えるよ。ビルが正しかったことが証明されるから」

そしてその通りになった。

水際対策の失敗が感染の拡大を招いた、という意見が出始めた。ダイヤモンド・プリンセスの対応を「典型的な失敗例」と酷評する専門家もいた。マスクや防護服の不足も指摘されるようになった。

ある政府高官は「本当は乗客を早く降ろして隔離すべきだったが、全員を収容できる施設がなかった」と本音を漏らした。

「政府はこの教訓を生かすべきなのに、あたしが見た世界ではそうじゃなかった」

すべてが後手に回ったという。

「収容する施設がないなら、確保すればいいじゃない。何も病院じゃなきゃいけないってことはないよ。軽症者向けにはホテルとか、スタジアムみたいなところに、仮設の病棟を作ればいい。だけど政府や自治体はなかなか重い腰を上げなかった」

そういえば、武漢では突貫工事でコロナ専門病院を造っていた。何台もの大型重機が一斉にうごめく様を見て、中国は凄い国だと思ったものだ。

「全体主義はこういう時には力を発揮するね。だからって中国みたいになりたいとはまったく思わないけど」

「そういえば、おれがネットでしきりに中国人の春節客を日本に入れるなって吠えてたら、あいつはてっきりリベラルかと思ってたけど、いつの間に保守になったんだ、とか言う奴がいたな」

「そういう問題じゃないのにね」

忍がため息をついた。

「左翼系のマスコミや野党なんかは、春節に観光客を受け入れなかったら、経済的損出が計り知れないとか言ってたけど、経済より命のほうが大切でしょう。中国嫌いの保守の人たちは、これ見よがしに中国人排除を叫んでるけど、これも違うよね。防疫問題なのに、イデオロギーの問題にすり替える人が多くて困る。北朝鮮なんかあれだけ中国と結びつきが強いのに、コロナ以降は国境を完全に閉じたものね。ホント、したたかだよ。日本人も見習ったほうがいい」

安倍首相が全国の小中高・特別支援学校に休校を要請した。

いよいよ本格的に動いてくれるのかと期待を寄せたが、忍はとくに目立った効果はなかったと断言した。共働き世帯が、子どもを保育所に預けざるを得なくなり、今度は保育所での感染リスクが増大するという結果を招いた。

「休校にしたり、クラスターを追うことも大切だけど、一番重要なのは検査の拡充だよ」

前々から忍が口を酸っぱくして主張していることだった。感染力が凄まじいので、すぐにクラスターは追えなくなる。それよりも早く全体検査を行い、陽性者を隔離したほうが感染拡大を抑制できる。

ビルもこのことをＳＮＳに書いた。ダイヤモンド・プリンセス直訴の件で、防疫に関しては一目置かれていたから、賛同する人間もいたが、反対意見も多かった。

診断のメインとなるＰＣＲ検査の精度があまり高くないし、検査を拡充したら医療機関が混乱するから、むしろ抑制すべきと反対派は主張した。

「精度が悪いなら、複数回検査をすればいいでしょう。それに、医療機関が混乱しないように体制を整えるのが、国の役目じゃない」

忍が憤った。

検査慎重派の主張は、ビルも生理的に受け入れられなかった。大嫌いな権威主義の臭いがしたからだ。

こういう主張をする人たちは、優先順位を間違えている。国民の命と、医療機関の体制を守ること、どちらが重要かといえば、前者に決まっているではないか。しかし、検査慎重派は、国民の命より医療機関を守ることのほうが、より重要だと考えているらしい。

そもそも、国が医療費を削減したから、ピーク時には全国に八百以上あった保健所が、今や半数近くにまで激減してしまったのだ。このツケを国民に払わせようというのか。財政規律ばかりに目を向けていた罪は大きい。

驚いたのは、厚生労働省が発表した新型コロナウイルス受診の目安だった。三七・五度以上の発熱が四日以上続いた場合に、保健所（帰国者・接触者相談センター）に来て欲しいというのだ。例えば三八度の高熱が出ても、四日待たなければ検査を受けられないということらしい。

人々が今、もっとも恐れているのは、新型コロナウイルスだ。発熱があれば「もしかしてコロナか？」と疑いたくなるのは当然だろう。その際、すぐに検査できれば、例え陽性が判明しても、回復する可能性は高まる。四日も待っていたら、その間にウイルスは増殖を繰り返すに違いない。

人々の不安が分かっていたら、こんな無神経なお達しは流さなかっただろう。国民の安心・安全を担保するのが、民主主義国家の役割ではないのか。

そんな折、事務所に勤務する二十代の女性スタッフが発熱したと連絡が届いた。コロナだと集団感染するリスクがあるので、自宅待機するよう田中は命じた。

「おれが保健所に電話したが、話し中でまったく繋がらなかった。取りあえず家から一番近い医者に行けと言ったんだが――」

田中が電話でビルに経緯を説明した。

「診察を断られたらしいんだな。コロナを疑われる患者は、専門設備が整っているところに行って欲しいって。こんな小さな診療所じゃ防護服もないし、他の患者に感染するかもしれないって。まあ、確かにそうだよな。仕方なく今度はちょっと遠い病院に、おれが車で連れて行った。フェイスシールドや雨合羽で完全武装してな。診察した医者は、ＰＣＲ検査をしたほうがいいって、自ら保健所に電話してくれたよ。しばらく待ってようやく繋がったと思ったら、先方はお題目のように、四日以上、三七・五度以上の発熱がないと、検査は受けられないと繰り返すんだ。肺炎の初期症状が見られると医者が言っても、規則ですからと譲らない。仕舞には医者がブチ切れてたよ。日本は医療先進国でなくなってしまったと嘆いてた」

幸いにも女性は若く健康だったので、自然治癒したという。しかしこれが高齢者だったらと思うと、背筋が冷たくなった。

9

中国寄りと揶揄されていたWHOが、ようやくパンデミックを認めた。

そしてヨーロッパの感染者が、中国本土を上回ったとの報道が流れた。イタリアやフランスで感染が拡大しているらしい。

ロックダウンされたパリを見て、一郎は大きくため息をついた。パリには何度か行ったことがあるが、人気のまったくないシャンゼリゼ通りを見るのは初めてだった。あの、自由で個人主義のフランス人が、外出禁止令にここまで素直に従うとは……。

イタリア北部でも都市封鎖がなされた。ミラノやヴェネツィアでは映画館やナイトクラブが閉鎖され、結婚式や葬儀も禁止されたという。

ニュースでは、目の周りにゴーグルの深い跡を付けた看護師が、涙目になりながら、もう限界です、と訴えていた。医療機関はとっくにパンク状態で、廊下まで患者が溢れている。中庭に並べられたたくさんの棺は、遺族に見守られることもなく、ひっそり埋葬されるという。院内感染も広まっているので、看護師は自宅には帰らず、ホテル住まいを続けていた。もう何日も前から、娘とはテレビ電話でしか話をしていない。

一郎は初めて恐怖を覚えた。

ニュース画面に映っているのは、発展途上国ではなく先進国イタリアで起きている出来事なのだ。中国での流行の時は、コロナそのものより、コロナを封じ込めようとする国家のほうが、怖いと思った。泣き叫ぶ住民を無理やり引き離し、都市を強制封鎖し、大人数で集まった者には、容赦なく制裁を下したのだから。とはいえ、中国の死者はそれほど多くはなかった。ヨーロッパの流行では、重症者・死者数の桁が違った。コロナそのものが、恐ろしい感染症であることを、改めて思い知らされた。

こんなにも短期間で、どうしてこれほど感染が拡大し、重症者も増えてしまったのか――。危惧されていた東京オリンピック開催が、一年延期されることになった。コロナ禍がここまで進めばやむを得ないだろう。忍が予言した通りだった。

延期が正式決定された直後から、小池都知事の発言が活発になった。今までだんまりを決め込んでいたのは、東京の感染が拡大している印象をＩＯＣに与えると、オリンピック開催に悪影響を及ぼすと考えたためだろう。

いきなり「ロックダウン」などと日本では実現が難しいようなことを口走ったのも、遅れを取り戻すため、強いリーダー像を演出したかったからかもしれない。都民の安心・安全よりもオリンピックを優先させたと非難されたが、どこ吹く風で、コロナ対策ＣＭなどを盛んに流し、「やってる感」をアピールしていた。

ワクチンも特効薬もないような状態で、対策といえば行動制限と感染者隔離しかないが、陽性者を特定するＰＣＲ検査の精度はそれほど高くないという。おまけに医療機関のマンパワーには限りがあるから、人々が検査に殺到したらパニックが起きる。検査施設でのクラスターも発生するだろう。

だから苦肉の策として厚労省が、三七・五度以上の発熱が四日以上続いた場合、と検査基準を定めたのは分からなくもない。ところが、太一からは凄まじい勢いで論詰《ろんきつ》された。

「親父は、やっぱり官僚だな。上から目線が直ってない」

太一によれば、国民の命と、医療体制を守ること、どちらが重要かという問題なのだという。

「一番大切なのは、国民の命を守ることに決まってるじゃないか。だから早急に医療体制を整えて、検査も充実させ、国民の安全を担保することが政治の役割じゃないのか」

またもやはっとなった。

その通りではないか。分かり切ったことなのに、気づかなかった。官僚脳にどっぷりと浸かっていた証だ。一般人が感じる当たり前のことを、感じられない精神構造に、いつの間にやらなっていたらしい。

「こういう時にバレるんだよな。政治家や官僚の正体が。アベノマスクとか、一体あれはナンだよ？　ああいうものを配れば、国民はありがたがるとでも思っているのか。国民をバカにしてるのが、見え見えじゃないか」

四月一日に政府肝いりのマスク配布が始まった。ところが、なかなか手元に届かないばかりか、届いた製品の中には髪の毛や虫が混入していたという。こんなものに四百六十億円もかけるなら、医療体制を増強するために使えと散々批判された。

「おまけに星野源と勝手にコラボして、家でくつろいでる動画を流したりしてるけど、まったくピントがずれてるだろう」

特措法に基づく緊急事態宣言がやっと出され、国民は外出の自粛を要請されたばかりだった。

「医療従事者や、宅配の配達人なんかは、忙しくて火の車なんだぞ。日々感染のリスクに晒されてるんだ。そんな人たちの気持ちを考えたら、あんな動画、流せないだろう。国家元首が安全地帯でくつろいでる場合かよ。コロナの感染被害を極小化するため、死ぬ気で働くべきだろう」

確かに安倍政権のやっていることは、ことごとく裏目に出ていた。理由は一言で説明できるほどシンプルだ。

政治家や官僚が、国民の立場になって考えていないからに尽きる。

国民の心に寄り添わず、自分がいかに映るかばかりを気にしているから、こういうことになるのだ。

それでも平時の時は、大目に見られた。しかし、有事になったらそうはいかない。個人的な野心や功名心などかなぐり捨て、責任逃れをせず、人々のためしゃにむに奮闘する姿を、人々は見たいのだ。

「太一はやっぱり、政治が嫌いか」

「政治がっていうより、政治家が嫌いなんだよ。与党は言うまでもないけど、野党もだらしないし。政治家には本当に失望してる」

「無政府主義がいいのか」

「そんな極端なことは言ってない。ただ、国民に選ばれたやつらは、もっと襟を正せといいたいだけだ」

「そういうやつらを選んだのも、国民だけどな」

「自業自得ってことかよ」

「政治家は国民の合わせ鏡だから」

「だったら日本人辞めて、海外に移住する」

「それも悲しいな——」


いつの間にやらヨーロッパを抜き、アメリカの死者数が世界最多になった。反対に震源地の武漢での感染は治まり、都市封鎖も解除された。日本に目を向ければ、緊急事態宣言が出されたとはいえ、まだまだ感染は拡大していた。

外出は極力控え、家の中に引きこもっていたが、買い物に出かけないわけにはいかない。幸い、一郎が入居しているマンションの一階には、小さなスーパーがあったので、エレベーターを登り降りするだけで事が足りた。

ある日、スーパーに入ろうとすると、大きなマスクをした小柄な若い女性が、中から飛び出して来た。一郎にぶつかり、転倒しそうになったので、とっさに腕を取り「大丈夫ですか？」と声を掛けた。

知っている女性だった。同じ階に、母親と息子と三人で暮らしている。女性は答えず、小走りして雑踏の中に消えた。廊下やエレベーターで会えば、挨拶を交わす仲なのに、何かショックな出来事でもあったのだろうか。

買い物から帰ると、妻の佳江にこの件を話した。佳江も「岡村さんでしょう？　看護師の。いったい何があったのかしらねえ」と首をかしげていた。

翌日、佳江が情報を仕入れてきた。昨日岡村さんは、スーパーの店長から、ここでの買い物は控えて欲しい、と要請されたのだという。

「いったいどういうことだ。岡村さんは、ここの住民だろう」

ほとんどの住民が、一階のスーパーで生活用品を購入している。

「マンションの住民専用のお店じゃないし。それに岡村さんの勤める病院、ほら、あのクラスターが出たっていう——」

佳江がつい最近二十数名の陽性者が明らかになった、都内の某病院の名を挙げた。

「岡村さんは、あそこに勤めていたのか？」

「ううん。でも、同じ最寄り駅にある病院だから。コロナ患者も診てるみたいだし」

「だからって、岡村さんが感染してるとは限らないだろう」

「分からないでしょう」

「考えすぎだろう」

「用心に越したことはないってこと。一階のスーパーで買い物するなっていうのはやりすぎだけど、共用部分の消毒はきちんと行うべきだと思う。エレベーターホールとか、廊下とか。うちなんか特に同じ階でしょう。管理人さん、結構ずぼらだし。組合の方から強く言ったほうがいいんじゃない？」

「――まあ、そうだけど。岡村さん、可哀そうじゃないか」

「確かに可哀そうよ。でも、それとこれとは別でしょう」

岡村さんとは、また会う機会があった。一階の店舗で品切れだった商品を、駅前のスーパーに買いに行った帰り、バッタリと改札のところで出くわしたのだ。昼前のことだったので、恐らく夜勤明けで帰ってきたのだろう。

「ご苦労様です」

思わず言葉が出た。医療従事者のおかげで、国民の命が救われている。岡村さんは軽く会釈しただけで、先を急ごうとした。一郎は、彼女の後に続いた。目指す場所は同じだ。

しばらくは黙って華奢《きゃしゃ》な背中を追いかけていたが、もう一度だけ言葉をかけてみたくなった。歩を速め、岡村さんの脇に付くと、口を開いた。

「病院、今大変らしいですね。特にコロナ患者を受け入れている病院は」

岡村さんは、チラリとこちらを見たが、すぐに視線を戻した。

「岡村さんも、ご苦労なさってるんでしょう」

「……」

反応がないので、もう構うのは止めようと歩を緩めかけたところ、「山崎さん――ですよね」と小さな声で訊かれた。

「そうです。岡村さんと同じ階に住んでいます」

「先日は失礼しました」

スーパーの前でぶつかったことを言っているらしかった。

「あの時は少し混乱してましたので、お詫びもせず――」

「まったく構いませんよ。それよりも、スーパーの店主、酷いですね。わたしのほうから、一言言っておきましょうか」

「いいえ。ありがとうございます。コロナは怖い病気だから、気持ちは分かります。朝元気だった患者が、容態が急変し、夕方には死んでしまうことだってありますし」

「そんなに急にですか……」

「先日も、息子が通ってる保育園の園長さんから、しばらくお休みしてくれないかと言われました。他の親御さんが心配されていると。まあ、うちは母と同居ですから、息子の面倒は見てもらえますが――」

元々、両親が購入したマンションに、父親が他界したのを機に、娘の岡村さんがまだ小さな孫を連れ、越してきた。

「みんな神経質になり過ぎですね」

「いいえ、そんなことはないですよ。わたしも、仕方なく自宅から通勤してますし。本当は職場で寝泊まりしたいんです。母は高齢で、息子もまだ小さくて免疫力がないし、わたしが感染したら完全にアウトですから」

「そうですか……」

マンションのエレベーターホールで岡村さんと別れた。家に帰り「駅前で岡村さんに会ったから一緒に帰って来た」と告げるなり、佳江は顔色を変えた。

「あなた、マスクをしてないじゃないの。早く手を洗って、うがいもして。ああ、それより、シャワーを浴びたほうがいいかも。ウイルスはお湯で洗い流せるっていうし」

「大げさだろう。大丈夫だ」

一郎は靴を脱いで、家に上がった。

「洗う前の手で顔をいじっちゃダメ！」

無意識に鼻をほじろうとしていたらしい。ウイルスは、鼻や口の粘膜から体内に侵入する。洗面所で手を洗っていると、背後から「早く服を脱いで。そのシャツとズボン、熱湯消毒するから」と畳みかけられた。

「いい加減にしろ」

一郎が妻に向き直った。

「人のことをばい菌みたいに扱うな。岡村さんは、感染なんかしてないよ」

「そんなこと、分からないじゃない。無症状の人もいるんだし。特に若い人は、感染しても症状が出にくいって言われてるのよ」

「岡村さんには近づくなって言うのか」

「感染が一段落するまでは――仕方ないと思う」

「失礼だろう、それは。岡村さんはコロナ患者のために、必死に頑張ってくれてるんだぞ。少しは感謝したらどうなんだ」

「あなた、中国からの春節客は入れない方がよかったって言ってたじゃない。中国人はダメで、日本人はいいの？」

「そういう問題じゃないだろう」

「そういう問題でしょう」

「お前がそんな冷淡な人間だったなんて、知らなかったぞ」

「あたしは、お父さんのことが心配なのよ――」

佳江の瞳がウルウルと揺らぎ始めた。

「……お父さん、元気だけど、もうすぐ七十になるし、立派な高齢者じゃない。腫瘍だってできたし。既往歴のある人は特に危ないって、この間テレビでお医者さんが言ってた。お父さんが死んじゃったら、あたし、どうしたらいいのよ――」

思わず佳江の肩を抱きしめた。

「――そうだよな。冷淡なんて言って、悪かった」

自分が感染すれば、佳江の命だって危険に晒すことになる。そんな分かり切ったことに、今まで気づかなかった。夫失格だ。

感染症の恐ろしさを、身をもって感じた。コロナは、人々を分断させる恐ろしい病だ。

それから数週間後、岡村さんと下のスーパーでばったり会った。岡村さんは、店の買い物かごを提げていた。

「山崎さん、ご無沙汰してます」

向こうから話しかけてきた。以前に比べ、瞳が活き活き輝いている。

「ああ、これですね」

買い物かごに注がれる視線に気づいたのか、岡村さんが目を細めた。

「出入り禁止が解かれましたから」

「そうですか。それはよかった。店も不当な差別だと気づいたんですね」

「いえ、そうじゃないんです」

岡村さんの瞳が、一瞬だけ曇った。

「病院、辞めたんです——」

厳しい職場環境に加え、夏のボーナスがカットされると聞き、決断したのだという。

「病院経営がどこも苦しいのは知っています。国の補助もありますが、微々たるものみたいですし。ですがそのツケを、わたしたち弱いものに払わせるというのは、納得がいきません。わたしだけでなく、同僚の看護師も四人辞めました。敵前逃亡って、後ろ指差されるかもしれませんけど、わたしにとって一番大切なのは家族ですから」

「誰も後ろ指など差しませんよ。今まで本当にご苦労様でした」

岡村さんの顔に笑顔が戻った。

「ありがとうございます」

岡村さんは軽やかな足取りでレジに向かった。重責から解放され、元気を取り戻した岡村さんをうれしく思う反面、複雑な気持ちだった。

一刻も早く医療体制を整えるべきなのだ。金が必要であれば、ケチらず投入しないと、そのうち病院がパンクする。ミラノやニューヨークのような医療崩壊を招くことになる。

二転三転した挙句、やっと補正予算が成立したが、これで医療が安泰とは誰も思っていなかった。公職選挙法違反の疑いがある議員夫妻に、国会を欠席し雲隠れしているにもかかわらず、満額の歳費を払うなら、自分と家族の命を危険に晒しながら懸命に働いている医療従事者にも、国が給与を補償しなければ筋が通らない。

残念ながら、このコロナ禍に於いて、国がきちんと機能しているとは言い難かった。驚いたのは、三七・五度以上の発熱が四日以上続いた場合に、相談窓口に来いと言っていた加藤厚労大臣が「われわれから見れば、誤解です」と開き直ったことだった。

検査を受けたくても、受けられないという批判を受け、受診目安変更を公表した際、真っ先に言い放った言葉がこれだ。あたかも悪いのは誤って理解した国民、もしくは全国の保健所で厚労省には一切の責任はありません、と言わんばかりではないか。

百歩譲って、国民もしくは保健所が誤解していたのであれば、早急に正す措置を厚労省自らしなければいけなかったのではあるまいか。これでは検査を受けられず死んでいった人間が浮かばれない。国は国民の命をいったい何だと思っているのだ。

SNSなどを覗いていると、普段は安倍政権に好意的な面々からも、批判の声が上がり始めていることに気づいた。「安倍首相は有事に強いと思っていたのに、まったく違った。失望した」というのが、彼らの言い分である。

程なく実施された世論調査で、安倍内閣の支持率は急落した。

10

持続化給付金支給が始まった。

ビルは個人事業主なので、百万円の支給が受けられるという。田中の会社は、二倍の二百万円を貰えるらしい。条件はコロナ禍の影響でひと月の売上が、前年同月比で五十パーセント以上減少している事業者。田中は真っ先に申請したが、二週間経ってもまったく音沙汰がないと憤っていた。

これとは別に、一人一律十万円の「特別定額給付金」が実施されたが、こちらも支給が遅滞していた。

政府寄りの識者は、マイナンバーと銀行口座が紐づいていないから時間がかかると言い訳した。特措法に基づく緊急事態宣言だけでは強制力が弱いので、憲法を改正すべきとの意見も相変わらず根強かった。憲法を改正し、個人情報の管理をもっと容易にすれば、給付金支払いもスムーズに行えると言いたいのだろう。

しかしビルは、こうした火事場泥棒のような主張には与したくなかった。行政の人手不足や、不手際にも問題はあるはずだ。国家の管理を強くすれば、すべて上手くいくという考えは危険極まりない。

「信頼のおけるリーダーがいる国家だったら、状況は少し違っていたと思うけどね」

「例えば――」と忍が例に挙げたのが、ニュージーランドだった。若干三十七歳のアーダーン首相のコロナ対策は、世界中から評価されている。女性首相はライブ配信を通して国民の心に寄り添い、友人のように語りかけ、質問に答えた。このきめ細やかな対応で、国民の不安は払拭された。

だから他国に比べ、厳しいロックダウンを行っても、国民は従った。働けるのは医療従事者や、エッセンシャルワーカーだけで、それ以外の者は強制的に自宅待機させられたらしい。食料の買い出しを許可されたのは、一世帯に一人のみ。街は一瞬にしてゴーストタウン化したという。

「結果的に感染を抑制できたから、首相の判断は正しかった。国民の生命と財産をちゃんと守ったんだよ。日本のリーダーにこういう人はいる？」

残念ながら、否だ。

女性リーダーに率いられている国は、おしなべて感染拡大をうまく抑え込んでいる。メルケル首相のドイツ、蔡英文《さいえいぶん》総統の台湾、マリン首相のフィンランド――。ニュージーランド以外にも、素晴らしい女性リーダーたちがいた。

「有事には、男性より女性のほうが頼りになるなんて、驚きだよな。女のほうが男より優秀なことが、これでバレたな」

ビルが言うと、忍はかぶりを振った。

「男女どちらが優秀とか、そういうことじゃないと思う。女性が上の地位に就けるような国には、きちんとした実力主義が浸透しているんだよ。だから人格も能力も素晴らしい人間が、リーダーになる。リーダーは人として尊敬、信頼されてるから、国民は従う」

翻《ひるがえ》ってこの国には、実力主義というより、いびつな階層主義が未だ蔓延《はびこ》っている。二世、三世議員の多さを見れば分かるだろう。政治家は後援会が作るもの、などという言葉がまかり通るのは、国全体のことより、特定の利益団体のことしか考えない政治家を量産しているためだ。

「でもエマニュエル・トッドは別のことを言ってるけどね」

フランス人の歴史人口学者、エマニュエル・トッドは、英米仏のような「個人主義的」で「女性の地位が高い国」で、コロナによる死亡率が高く、日独韓のような「権威主義的」で「女性の地位が低い」国では低くなっていることを指摘した。背景にはグローバル化の度合いが大きく影響を及ぼしているという。

日独韓のようなグループでは、グローバル化の下でも暗黙の「保護主義的傾向」があり、国内の生活基盤と医療資源がある程度維持されているため、被害の拡大を防げた、とトッドは分析した。

「あたしは、あまり賛成しないけど」

「おれも、グローバリズムそのものには反対だけど、これは受け付けないな。もしトッドの言ってる通りなら、日独韓どころじゃなくて、全体主義国家、中国の勝利ということになる。人々を徹底的に監視して、強制的に検査を受けさせ、陽性者は隔離して、マスクは国内で作ってたし、現地の外資系企業が海外向けに製造したマスクなんかも収用してたから、そりゃ死者は少ないだろう。だけど、こういう国家にならなきゃ感染症には打ち勝てないなら、民主主義の敗北じゃないか」

ゴミ袋に「回収ありがとう」と手書きの手紙が添えられていると聞き、久しぶりに温かい気持ちになった。外出自粛生活で、家庭ごみは急増している。感染リスクと向き合うゴミ収集員たちに、感謝の気持ちを込めて書かれたものだろう。

ところが、どこかの大臣が珍妙な発言をしたらしい。

自治体が指定するゴミ袋に「ありがとう」と印刷したらどうか、と提案したというのだ。これをありがたがる収集員が果たしているだろうか。

「何だか馬鹿にされてるような気がする。こんなもの書くくらいなら、給料上げろ。危険手当もくれ。否、偉そうなこと言ってるあんたも、こっち来て手伝え。ゴミの量が半端ないんだよ」

というのが本音ではないか。

「回収、ありがとう」の文字は、一般庶民が私的に手書きで書くから、心を動かされるのだ。自治体や国の権力者が印刷した文字で「ありがとう」を大量生産しても、誰も喜びはしない。むしろ「こういうものを書いておけば、作業員の文句も少なくなるだろう」というスケベ心が透けて見える。

人間は偉くなればなるほど、人の心が分からなくなってしまうのだろうか。

著名な作家が、巣ごもりに飽きたのか、コロナ治療現場の状況を「警察24時」風のドキュメンタリーにしたらどうかと提案したらしい。件の大臣のように「ありがとう」を表明したかったのだろうが、医療従事者が歓迎するとは到底思えなかった。

財政難や人手不足、感染リスクや言われなき差別に苦しんでいる医療現場を、安全地帯からビールでも飲みながら眺め「大変そうだなあ。ありがとう。頑張ってください」と応援するのは、単なる他人事、娯楽と変わりないではないか。おまけに二十四時間密着取材すれば、撮影スタッフにも感染が広がる恐れがある。

あまりにも無神経な提案を、無神経と思っていないところが恐ろしいとビルは思った。

――有事になると、人間の正体がバレるな……。

これは何も、大臣や著名作家のような、上の階層に属している人間だけに留まらない。父が同じ階に住んでいる看護師が、差別されていると教えてくれた。彼女とその家族、さらには住んでいるマンションまでが、差別対象にされていったらしい。感染していない彼女が、これだけ辛い目に遭うのだから、もし感染者が出たらと思うと、空恐ろしかった。

ネットは感染者を誹謗中傷するツイートで溢れていた。感染した人間を、諸悪の根源のように叩いている。著名人にも感染者が現れ、回復するや己の不注意を詫びたりしたから、益々感染は本人の責任という空気が広まってしまった。

自治体で初めての感染者が出ると、個人が特定され、顔写真までばらまかれ「こいつのせいで、これから汚染が広がる」などと誹謗された。多数の感染者が出た首都圏の車が地方で見つかると、いたずらされたり、ネットでナンバーを晒される事件も起きた。

ビルはSNSで落ち着こうと訴えた。せん滅すべきは隣人ではない。コロナウイルスなのだ。

とはいえ、国際的に見れば、日本人の民度は高いということらしい。

検査が充実していないこともあったが、日本人の感染者は欧米に比べ、圧倒的に少なく、死者も同様だった。日本人、アジア人の感染者が少ない理由は「ファクターX」などと呼ばれ、様々な憶測が乱れ飛んだ。「日本人は元来清潔好きで、マスクをする習慣がある」「強制されなくても上からのお達しには、文句を言わず従う」「握手やハグをしない」「大声で騒がない」「BCGを打っている」等々。しかしながら、本当の理由は不明だった。

ピーク時には七百以上にも上った一日の全国の感染者が、自粛の甲斐もあり、二桁にまで減った。

五月末には緊急事態宣言は解除され、日常が戻るかと思われた。毎日飽きずにコロナばかり報道していたワイドショーから、感染症の専門家が退場し、芸能リポーターやタレント評論家などが、再び幅を利かせるようになった。

経営悪化に苦しんでいた企業経営者は、巻き返しを図ろうとしたが、コロナが完全に収束したわけではないので、市場は以前のようには戻らなかった。

ソーシャルディスタンスに気を配らなければならなかったため、レストランや劇場では、客席を半減せねばならなかった。ロックダウンを解いた途端、人々がデパートに殺到する国もあったようだが、日本人は慎重だった。地下の食品売り場以外は閉じていた百貨店が、フルオープンしても、客足は伸びなかったらしい。

ビルの所属事務所でも後輩タレントたちが、貧苦に喘いでいた。舞台だけでは食えないので、皆バイトをしていたが、コロナを理由に解雇された後輩たちも少なからずいた。破産寸前の雇用主から涙目で「悪いが、もう給与を払う金がない」と言われたら、不当解雇だと訴えることもできないと、彼らはあきらめ顔で語った。

人手不足の宅配業界のバイトに鞍替えした、桃田という後輩の舞台俳優がいた。届け先のドアを開けると、いきなり消毒液を噴きかけられたことも一度や二度ではなかったと桃田は語った。

そんな桃田が、ある日交通事故を起こした。慣れない原付バイクで右折する際、対向車と接触したのだ。幸いにも脚とあばらを骨折しただけで済んだが、救急病棟の医師たちは重要なことを見逃していた。

桃田はコロナに感染していたのだ。

予防が不充分だったため、たちまち院内感染が起こり、救急病棟は一時閉鎖を余儀なくされた。これを機に病院は、あらゆる患者に対する感染対策を徹底し、医療関係者の負担はさらに大きくなった。コロナというのは、本当に厄介な病だということを改めて思い知らされた出来事だった。

桃田が入院していた三週間、面会はまったく許されなかった。骨折が一段落しても、桃田は倦怠感や味覚障害に苦しんだらしい。田中は所属タレント全員に、配送業でのバイトを禁止した。

コロナ不況の最中、人材を募集している企業は限られていた。仕方がないのでビルは、後輩たちにビデオ配信の雑務を手伝わせ、小遣いを与えた。微々たる額だったが、ビル自身も困窮していたので、これが精いっぱいだった。

ある日、撮影スタジオを父が訪れ、ビルを部屋の隅に連れて行った。知名度がうなぎ登りしている父・一郎は、中村教授からネット講義を引き継いでいる。主にコロナ関連の配信にシフトしたビルと、MMTを論じる一郎。ふたりの棲み分けは、いつの間にやらこのようになっていた。

「お前、金は大丈夫なのか？」

一郎が小声で質した。

「大丈夫だよ」

「こういう時期だからな。本業は休止状態なんだろう」

「そんなの昔からだよ」

「援助しようか」

「いらねえよ」

十八の時、家出してから現在に至るまで、実家に金をせびったことは一度もない。

「おれより、若い奴らが可哀そうだよ。あいつら、バイトもできないんだから」

「それでお前が面倒見てるわけだな」

「飯代くらいしか出せないけど」

翌日、手伝いをしてもらっている後輩三人が、ビルのもとにやってきた。一郎から仕事を手伝う要請されたのだという。

「親父が？　何を依頼された？」

「何だか難しそうな仕事です。リサーチだとか、取材だとか。やったことないから、上手くできるか分からないと答えたんですが、是非とも必要だからと言われて」

著名人になったから、アシスタントが必要なのかもしれなかった。とはいえ、後輩たちの専門は歌やら踊りで、経済には疎い。二の足を踏むのは当たり前だ。

「結構いい給料もくれるみたいなんです。ただ、向こう行っちゃうと、もうこっちは手伝えなくなっちゃうかもしれないし――」

「お前らが選べよ。おれは、どっちでも構わないから」

結局三人は、一郎のアシスタントを引き受けることにした。

しばらくして、事務所で偶然彼らと会った時、様子を訊いてみた。

「大した仕事じゃないっすよ。電話番したり、コピー取ったり。たまに運転手とか、買い物なんかもさせられます」

――なんだそれは？

単なる雑用係じゃないか。というより、仕事なんか本来ないのに、無理やり作っているような気がする。

「まあ、おいしいバイトっちゃバイトですけど。だけど、こんな給料もらってホント、いいんすかね？」

「いいんじゃないか。遠慮なくもらっておけよ。親父は金持ちだから」

11

六月下旬辺りから、感染者がまた増え始めた。

専門家は夏には一旦収まり、秋に第二波が来ると予想していたが、どうやら、今回の新型ウイルスは高温多湿でも活発に活動するらしい。一郎も素人ながら、冬にも南半球で感染者が多数出ていたのだから、夏になったら収まるというのは楽観的な見方ではないかと疑っていたが、どうやら予感が的中してしまったようだ。

エピセンターとなっているのは、新宿歌舞伎町だった。若者が自粛疲れから夜の街に繰り出し、酒を飲んで騒いでは、感染を拡大させているらしい。特にホストクラブなどで、三密を破り、シャンパンコールを繰り返しているという。

保守系のメディアは、一斉に無軌道な若者たちを攻撃し始めた。彼らは、三密を守っていない店には、罰則を伴う厳しい指導をしろ、と憤ったが、それだけで収まるのなら苦労しないと一郎は思った。

底辺のホストは、寮のタコ部屋に住んでいるという。一人が感染すれば、あっという間に全員が感染するような環境だ。店を厳しく指導するだけではもう遅い。抜本的な感染拡大予防策が必要だった。

かと言って、また緊急事態宣言が出せない事情もあるのだろう。即刻営業を停止させ、休業期間中は収入を百パーセント補償するのがベストな方策と一郎は思ったが、今の日本ではそれが不可能なことは分かっていた。

だとすれば、徹底的な検査を行い、陽性者を振り分け、陰性者だけで経済を回すしかない。もし擬陽性の人間を隔離したら人権問題になるとか、検査をしたって受け入れる医療機関がないとか、相変わらずほとんどこじつけにしか聞こえない反論があったが、どうも本当の問題はそれだけではなかったらしい。国立感染症研究所が、情報を独占して権力を保つために、民間企業などの協力を仰ぐことに否定的との声がちらほら聞こえてくる。

官僚経験者の一郎は、さもありなんと思った。しかし、こんな体質は是非とも変えなければいけない。

PCR検査の徹底と、陽性患者の受け入れ施設拡充を、ネットで訴えた。今までは専門外のコロナにはあまり言及しなかったが、もはやそんなことを言っている場合ではない。歌舞伎町界隈で、早急にローラー検査を行い、陽性者を徹底的に割り出すべきだ。

このようなことをネット配信しながら、ふと、昔の自分はまったく逆の思考回路を持っていたな、と苦笑いした。

危険を察知しても「慌てず、騒がず」が必須と以前は考えていた。キンキンぎゃあぎゃあ騒ぐのは、女、子どものすることだ。リーダーがどっしりと構えていれば皆安心するし、無用なパニックは起こらない。結果、事態が悪化しなければ「ほら、見たことか」とリーダーの株がさらに上がる——。

太一が「そういう考え方は、悪しきパターナリズムだよな」と批判していた。

「逆に事態がさらに悪化したら、どうするんだ？　危険を察知しても『大丈夫だ。心配ない』って言い張るのは、正常性バイアスだろう。大丈夫であって欲しいという、客観的分析力に欠けた、個人的な願望に過ぎないんだよ」

思っていたほど大事に至らなかったら「大騒ぎして、いったい誰が責任取るんだ！」と叱責するのではなく「良かったね。酷いことにならなくて」と皆が胸を撫で下ろす社会——。時代は変わったのだ。

「夜の街」と一括りにして、諸悪の根源のように報道するのも控えるべきと、一郎は訴えた。緊急事態宣言が解除されたのだから、彼らには営業する権利がある。きちんとした感染症対策を取った上で、開いている店舗だってたくさんあるだろう。彼らに店を閉めろというなら、もっと補償を充実すべきだ。

災害や恐慌が起きると、犠牲になるのは弱者である。零細企業のアルバイトや非正規労働者が真っ先に職を失う。資産がある大企業の、正社員はそれほどダメージを受けない。極めつけは、公務員と政治家だろう。彼らの収入は何があろうが保障されている。コロナ禍の中でも持ちこたえられるのは、こういった特権階級に属する人々だ。

元官僚の一郎も結構な額の年金をもらい、おまけに本の印税という副収入も得た。だから苦労しているに違いない息子に援助してやりたかったが、断られてしまった。ならば少しでも負担を軽くしてやろうと、太一が面倒を見ている後輩三人を引き取った。

桜井と小西、小林という名の三人の若者たちは、タレントを夢見て地方から出て来た。これからという時にコロナ禍が起こり、舞台は中止、バイトもクビになったという。三人で同じ部屋に住んでいるが、電気代がもったいないのでエアコンは使っていない。風呂もほとんど入らないらしい。家賃も滞納していた。

十代後半や二十代の彼らは、確定申告をしていなかったため、持続化給付金を受ける権利もない。

取りあえず家賃と光熱費を立て替えてやり、臭いから早く風呂に入れ、と言いつけた。

「仕事は、身だしなみを整えてからだ」

「うっす！」と元気よく挨拶し、去っていく彼らの後ろ姿を見ながら、芸術家は大変だな、と思った。太一も、彼らのような苦労を味わったのだろうか。

そういえば、八〇年代にフランスに留学した同僚が、パリでは芸術家に対する保障が充実していると言っていた。

「日本で画家をやっていると言ったら、それで食えるのか？　と訊かれるだろう？　だけど向こうじゃ、そりゃ凄いな、今度個展を開いたら是非呼んでくれ、と乞われるんだよ」

さすが芸術の都だけのことはある。日本では昔から、生産性で人の価値を判断するようなところがあった。しかし、バブル崩壊以前は一億総中流で景気も良かったから、あまり問題にはならなかった。ところが、格差が顕著になった現代社会で、こういう考え方が蔓延るのは危険だ。

「パリじゃ芸術家だけじゃなく、ペットも優遇されてたな」

パリで飼われている犬や猫は、鎖に繋がれることもなく自由で、人間の子どもと同じように可愛がられている、と同僚は言った。

八〇年代当時、日本では犬は外飼いが普通で、四六時中鎖に繋がれ、散歩もろくに連れて行ってもらえなかった。風呂にも入れなかったので、大半の飼い犬は多大なストレスを抱えていた。

現在では犬も猫も、家族の一員として温かく迎えられている。八〇年代のフランスで当たり前だったことが、やっとこの国にも浸透してきたのだ。

ということは、日本でもじきに、芸術家に手厚い保障をするようになるのだろうか。芸術家だけではなく、あまり生産的ではないが、意義のある仕事をしている人々が、無理なく暮らせるような社会に変容していくのだろうか。

——そうならない限り、本当の意味での文明国とはいえないな。

コロナ禍で、もうひとつ浮き彫りになったのが、無用な根性論だ。日本社会では未だに「風邪など引くのは、自己管理ができてない証拠」という理屈がまかり通っている。多少の熱があっても出勤するのが、責任ある社会人と思っている人間も少なくない。

ところが、これがいかに危険なことか、人々は思い知ったのだ。病気に感染するのは、自己管理ができていないからではない。症状が出たら会社や学校を休み、家で安静にしていなければ、感染が拡大する。こんな当たり前なことに今まで気づかなかった日本人は、愚かだ。

コロナによって、日本社会の脆弱さがあちこちで浮き彫りになった。国を牛耳る者たちの無責任さ、無能さも白昼の下に晒されてしまった。

こんなことではいけない、と耳の奥で誰かが叫んでいた。

12

これまで起きたことについて、何か変化はあったかと質したところ、忍はかぶりを振った。

「だいたいあたしが経験した未来と一緒。やっぱりマクロの事象は変えられないのかな」

忍は、都知事選は、現職の小池百合子が再選されるはず、と言った。

「コロナ対策がそのまま選挙運動になったし。まあ小池さんは、パフォーマンスが得意だから」

国に比べれば、都道府県知事のコロナ対応のほうが評価できる、と多くの人々は思っていた。アメリカでも、経済を優先させるトランプ大統領は批判されたが、感染拡大を何とか食い止めようと手を尽くす、クオモニューヨーク州知事の支持率は上がった。

とはいえ、歌舞伎町で起きた集団クラスターに取った対策は、従来通りで手ぬるかった。ピンポイントではなく、一帯でローラー検査を行い、早期に感染を封じ込めるべき、と一郎もブログに書いていたが、ビルもまったく同意見だった。

なぜ諸外国のような徹底した検査を行わないのか。日本が開発したのに今まで使用できなかった高性能の全自動ＰＣＲ検査機が、ようやく認可されたようだが、日本は何をするにもどうしてこうも遅いのか。

「第一波での被害は、それほどでもなかったでしょう。日本モデルとかもてはやされたから、舞い上がっちゃったんだよ。何が幸いしたのか、分かっていないのに」

忍があきらめ顔で言った。

「感染はまた拡大するのか？」

「するよ。でも政府は無策だった。あたしが見た未来とまったく同じ」

「政治はいったいどうなってるんだ」

「政治家が何考えてるか、すぐに分かるから。これから凄いことが起きるよ」

「凄いこと？　何だ？」

忍は答えず、鼻を鳴らしただけだった。

忍が憂えていたことは現実化した。政府がＧｏＴｏキャンペーンなるものを強行したのだ。おまけにギリギリになって東京都だけを除外すると言い出し、現場を混乱の渦に叩き込んだ。四月に閣議決定した「新型コロナウイルス感染症緊急経済対策」の一環とはいえ、感染が一段落した後に行うという約束ではなかったのか。

テレビのワイドショーでは、いわゆる族議員が、ＧｏＴｏキャンペーンの必要性を盛んに説いていた。コメンテーターが感染の拡大を助長させるのではと詰め寄っても聞く耳を持たず、ひたすら観光業界の窮状を訴え続けた。

「予算を取ったんだったら、給付金を与えて、まだ危険だから営業は控えてくれと言うべきじゃないのか！」

ビルがテレビ画面に向かって怒鳴った。新宿から始まった感染は、首都圏にまで広まっている。この時期に旅行など奨励したら、全国規模に拡大してしまう。

「それに、苦しいのは何も観光業界だけじゃないだろう。特に大変なのは医療じゃないか」

コロナ患者を受け入れている病院も、そうでない病院も、コロナのせいで軒並み赤字だという。国はまだ医療はひっ迫していないと呑気に構えているが、現場の医師たちは危機感を募らせていた。

「首都圏の人間が離島に大挙して押し寄せて、感染が広まったらどうするんだ。たちまち病床不足になるじゃないか」

「国会議員は国民全体の代表なはずなのに、こうも一部の利益団体のことしか考えないって態度を露骨に貫くとはねえ。恥ずかしくないのかな」

忍もあきれ顔で画面を見ていた。

しかし、旅行代金の半額を補助するキャンペーンの人気はそこそこ高く、四連休も後押しして、行楽に出かける人も多かった。皆、もう巣ごもりにはウンザリしていたのだ。特に若い人間は、そうだろう。自分だって二十代だったら、今頃は車を飛ばして、ビーチを目指しているかもしれない。

しかし若者に宿ったコロナは、いずれ高齢者に行きつく。高齢者は重篤リスクが高い。

政府が掲げた指針では、高齢者グループの旅行は×で、修学旅行は△なのだそうだ。高齢者グループは、夜カラオケで歌ったりするが、修学旅行には引率の先生が就くから問題は少ないという理由かららしい。これを書いた役人は、枕投げや布団の上のプロレスごっこを経験したことがないのだろうか。

「でも仕方ないのかもしれない。ソーシャルディスタンスとか政府は言ってるけど、無理だもの。だって若者は恋愛したいじゃない。彼氏や彼女見つけて、手を握ったり、ハグしたり、キスしたりしたいじゃない。これは濃厚を通り越して超濃厚接触だけど、動物の不可避な欲望でしょう。感染リスクがあるから接触は控えろっていうのは、若者に恋をするなと言ってるのと同じ」

「若者に恋愛を禁じたら、益々少子高齢化に拍車がかかるな。だけど重症になる若い奴だっているんだぞ。それに自分の家のじいちゃんばあちゃんに移したら、大変だろう」

「だから検査をすればいいじゃない。ＨＩＶと同じだよ」

そうか。エイズ予防のために、避妊具の使用や定期的な検査が奨励されているが、コロナでも同じことをすればいいんだ——。

「結局は検査に行きつくよな。中国やニューヨークなんかじゃ、日本じゃ考えられない規模のＰＣＲ検査を行ってるんだろう。それで感染者数を減らすことに成功してる。医療先進国の日本でなぜ同じことができない？　検査すれば若者は安心してセックスできるじゃないか」

東京都医師会など、現場の医師たちも、検査の拡充を訴えているのに、未だに不充分というのは、いったい何がネックになっているからなのか。

ビルは「検査をしなければ、若者が恋愛できない。ＨＩＶ検査と同じように早急に取り入れるべき。国はやる気があるのか⁇」とネットに書き込んだ。忍の受け売りなのだが「その通り」「新たな視点」と好意的なコメントがついた。

通常国会が閉じた今、首相は公式な会見を開いていない。野党は臨時国会召集を要求したが、拒否された。

会見は大臣任せで、国民に対して充分な説明をしない首相は、各方面から批判を浴びた。

13

ＧｏだのＳｔａｙだの、まるで犬だな――。

都知事の会見をテレビで見ながら、一郎は失笑してしまった。国はＧｏと言い、知事はＳｔａｙＨｏｍｅと言う。国民はいったいどちらの指示に従ったらいいのか。

具体的な感染防止策を何も示さぬまま、手をこまめに洗えだの、大声でしゃべるなだの、大人数で飯を食うなだのとしか言えない国や自治体は、国民のことを小学生とでも思っているのだろうか。

感染者を出したのは、お前たちが注意散漫だからだ、とでも言わんばかりの態度に、一郎は憤りを覚えた。

――これでは政治が信頼されないのは当たり前だ。

太一が以前からパターナリズム批判を行っていたが、今の国の態度は正に悪しきパターナリズムだ。どうしようもならなくなったので、パターナリズムに逃げていると言ってもいい。

危惧していた通り、感染は全国規模に拡大していった。特に沖縄の状況は酷い。一刻も早く国の援助が必要だ。これでも国は、感染拡大はＧｏＴｏキャンペーンというより、国民が三密を守らなかったせいと、責任逃れをするつもりなのか。

「もうすぐお盆休みっすねー」

一郎と一緒にテレビを観ていた、桜井が間の抜けた声で言った。

自宅近くの中古マンションに事務所を構え、太一の後輩三人の面倒を見ている。リサーチや電話番、車の運転などを任せているが、どう見ても三人も必要な業務ではない。しかし放っておけば路頭に迷うか、ブラックバイトに手を染めるかもしれないので困っている。コロナ禍で求人が減る中、給付金詐欺の受け子などの募集は逆に増えていると聞く。

「田舎へ帰らないのか？」

桜井の実家は長野にある。

「帰ってくるなって、言われてます。じいちゃんばあちゃんがいますし、帰ったら近所から石ぶつけられるからって」

「そいつぁ大変だな」

笑って聞いたが、あながち冗談ではない。東京都民は今や地方ではばい菌扱いだ。

一緒にいた小西も小林も、田舎には帰らないという。だったらみんなで海にでも行って来いよ、と勧めた。

「えっ？　いいんすか。バイト始めたばかりだし、休みなんか取って」

「構わんよ」

「でも海なんか行ったら、人いっぱいいますし」

「ウイルスは水で流れるっていうぞ」

「でも更衣室とかトイレとかはヤバいっていうし」

「なんだ、そんなに怖いか？　若いから大丈夫だろう」

「いえ、おれらはいいんすけど」

桜井にジッと見つめられ、はたと気づいた。

「おれのことなら大丈夫だよ。見ての通り、頑強な身体だ。親に感謝してるよ」

三人が帰った後、一人、講演用の原稿を書いていると電話が鳴った。旧知の男からだった。

「考えてくれたか？」

開口一番、男が尋ねた。

「考えてるよ」

「そうか。急がせて悪いが、できたら来月半ばまでには回答を貰いたいんだが」

「先方の要望か？」

「ああ、早めに準備したいようだ」

「どっちが本命だ」

「二人ともだよ」

「そりゃ、そう言うだろうな。お前の見立てではどっちなんだ」

「はっきり言えば、息子さんのほうだろうな」

「そうか――」

少し時間をくれ、と言い残し、電話を切った。

十日ほど前、今はとある社団法人の理事をしている元同僚から連絡があった。たった今、電話で話していた男だ。会わせたい人物がいるという。指定された場所に行くと、待っていたのは、野党の若手国会議員たちだった。

これはまだ内密にして欲しいと釘を刺された後、新党を立ち上げるつもりだと明かされた。

コロナ禍の対応のまずさから、益々政治不信が広がっている。直近三ヶ月のGDPは、戦後最悪のマイナス成長を記録しているのに、政府は密かに消費増税を進めようとしている。これ以上はもう我慢ならない――。

議員たちは、怒りに満ちた表情で訴えた。

「解散総選挙で自民党はかなりの議席を失うでしょうね。といって、立憲が国民とくっついて以前のような規模の民主党に戻っても、国民は見向きもしてくれんでしょう。コロナによって滅茶滅茶にされてしまった社会を、何とか早く立て直したいと思ってる同志が集まったんです」

集まった議員たちは皆MMT理論を信奉していた。

「10%の消費税とコロナのおかげで、国民が疲弊しきってるのに、さらに増税するなんて正気の沙汰とは思えません。国家財政なんて、どうでもいい！　国民の生命と財産を守ることが先決です！」

異論はない。六十兆円を超える国費をつぎ込んで、コロナ対策を行っている最中に、消費増税を目論むなど、国民の心を踏みにじる行為だ。こんな話を進めれば、総選挙で大敗するのは目に見えているのに、自民党は理性を失ってしまったのだろうか。

「ぜひ、山崎さんにも立ち上げに加わっていただきたい！」

大きなマスクをした男が、興奮した様子で言うと、同志が戒めた。

「大声でしゃべるな。飛沫感染するぞ」

男がうなずき、「すみませんでした」と頭を下げた。四人いる男たちのうち、二人とは面識があった。共に野党第一党の代議士で、左派だ。以前の一郎とは敵対する間柄だった。

「わたしに、政治家になれということですか」

蓮尾《はすお》という、一番恰幅のいいリーダー各の男がうなずいた。

「失礼ながら、山崎さんが、まさかあんな講義をしているとは、思いもよらなかったですよ」

自分が何か思い違いをしてるかもしれないと、一郎が配信したビデオはすべてチェックしたという。

「中村正章先生が、おれを造り替えたんだよ。同志が欲しかったら、彼に打診してみてはどうかね」

そういえば以前正章からも、政治家になって欲しいと乞われた。

「前にお話ししたことがあります。ですが政治家には不向きだからと、固辞されました」

蓮尾の同志、渡部が答えた。

「ご子息も、中村先生のグループにおられますよね」

「そうだが」

「できれば、ご子息にもお力添えをいただきたいです。彼の出る番組は、昔から観ていました。体当たり取材や被災地のルポ、素晴らしかったですよ」

蓮尾も渡部も、四十代で太一の年齢に近い。後ろに控えた二人も若そうだ。

「――あいつは、どうかな……」

蓮尾が眉をひそめた。

「いや、きみたちが問題じゃない。政治そのものがあまり好きじゃないようだから」

「それは残念だ。彼は知名度もあるし、ファンもいます。かく言うわたしたちもファンです。親子同時に国会議員になったら耳目《じもく》を集めるんだけどなあ」

「まあ一応伝えてはみるけどね」

「山崎先生も、ぜひご検討いただければありがたいです」

「あなたたちのことは応援したいけど、おれはもう年だよ。足手まといになるだけだ」

そんなことはありません、と全員が首を振った。

「先生はまだお若いです。わたしたちには、できるだけ多くの同志が必要です。内閣支持率は今や過去最低。安倍首相は政権を放り出して引退するのではないかとも囁かれています。そのタイミングで解散総選挙に打って出たとしても、議席を大幅に失うことでしょう。新党を立ち上げるだけが目的じゃないんです。我々は政権奪取を目指しています。そのためには、山崎先生とご子息の協力が必要です。ぜひとも前向きにご検討ください！」

四人がそろって頭を下げた。

「——と、言われてもなあ……」

面談の日のことを思い出しながら、一郎はひとりごちた。

「世襲政治ならともかく、親子二人で同時に政治家というのは、聞いたことがないぞ」

衆議院議員の任期は来年の十月で切れる。しかし、それ以前に解散総選挙が実施されるだろう。任期満了に伴い総選挙が行われたことは、戦後一度しかない。

深呼吸すると、一郎は再び受話器を握った。

14

電車に揺られていると、ひとつ向こうの車両から喧噪《けんそう》が聞こえて来た。

通勤通学帰りの客で混雑し始める時刻。ビルはできるだけ乗客に触れないよう用心しながら、揺れた車内を移動し、隣の車両に向かった。

男性三人が口論していた。三人ともマスクを着用している。今にも摑みかからんばかりの勢いだが、止めようとする者は誰もいない。

この様子をビデオに録っている青年がいたので、何が起きたのか訊いてみた。

「おれの前に立つな、って怒ったんですよ」

青年の話によれば、座っていた男の目の前に別の男が立って、軽く咳込んだので「離れてくれ」と文句を言ったらしい。咳込んだ男は半歩横に移動したが、今度は隣に座っていた男からも、同じことを言われ、ついにブチ切れた。「文句があるんだったら、こいつに言え！」と最初に文句を言った男を指差した。車内はそこそこ混んでいたので、他に移動する場所がなかったのだ。こうして三つ巴の口論が始まったという。

「みんなイライラしてるんですね」

青年が言った。

「怖いんだろうな」

第二波が来たと言われている。第一波の時より感染者は多い。

尻ポケットのスマホが振動したが、口論が激しさを増してきたので、電話には出ず三人に近づいた。二人は座り、残り一人は立ったまま、やり合っている。

座っている二人は、どちらかと言えば年配で、立っているのは三十くらいの若い男だ。座っている年配二人が結託し、若者を攻め立てていた。年配の一人が興奮して立ち上がり、若者の胸を乱暴に押した。

「やめなさい」

ビルが二人の間に割って入ろうとした。

若い男がビルを押しのけ、年配男性を睨んだ。

「そんなにおれがコロナに見えるか？　そうかもな」

いきなり若い男が自らマスクをはぎ取った。

「そういや昨日からちょっと熱っぽいし。味も感じない。だけど、検査なんかすぐには受けられないし」

年配客二人が、男から飛び退いた。他の乗客たちも、慌てて避難を始めた。車内はたちまち騒然となり、あちこちから悲鳴や怒号が上がった。

リュックサックを背負った十歳くらいの女の子が、人波に飲まれ、転倒した。

「みんな落ち着け！」と叫びながら、人波に逆らって進み、女の子を抱き上げた。女の子は恐怖に震え、泣いていた。

「冗談だよー、冗談～」

若い男が、困惑気味に声を上げる。

しかし、時すでに遅かった。スライド式の扉がバタンと閉まり、車両に残ったのは男とビル、それにビルにしがみついている女の子だけになった。隣の車両ではぎゅうぎゅう詰めになった乗客たちが、目を皿のようにして、こちらの様子を伺っていた。

ドアノブに手をかけても扉は開かなかった。乗客たちが開けさせまいとしている。

「おい。小学生がいるんだぞ！」

声を上げても、扉は開かない。

「冗談だっての。おれはコロナじゃないよ。何焦ってんだよ。みんな馬鹿だなー」

男が間延びした声で言う。

「いいから早くマスクをしろ！　マスクして口をつぐんでろ！」

ビルが叫んだ。

電車は程なく駅に到着したが、扉は開かなかった。ホームでは駅員が、電車待ちの客たちを誘導している。やがて、ビルたちのいる車両を除く、すべての車両が開放され、乗客が我先にとホームへなだれ込んだ。駅員がマイクで、落ち着いて避難してください、と叫んでいる。

「なんか、凄いことになってるな……」

男の顔から血の気が退いていた。

「おれ、冗談言っただけなのに」

「本当にコロナじゃないのか」

「じゃない――と思うよ。熱もないし、味もしっかり分かるから」

しかし、コロナが厄介なのは、無症状者がいるということだ。無症状者からも当然感染する。それればかりか、症状が出る人間でも、発症する二日前くらいが、一番感染力が強いといわれている。だからこの男から感染しないとは、百パーセント言い切れない――。

やっとドアが開き、防護服を着た数名の男たちが乗り込んできた。男たちと共に改札を抜け、ビニールシートで仕切られたワゴン車に乗せられた。若い男と少女は、別の車に乗せられたようだ。

「わたしはコロナじゃありませんよ」

「それはこれから分かります」

防護服の男が素っ気なく答えた。

五分ほどで、車は大きな病院の駐車場に着いた。車を降りると、病棟ではなく、駐車場に仮設された巨大なテントの中に連れて行かれた。真っ白なテントの中では、大型の陰圧装置が轟音を立て、排気を行っていた。

唾液を採取され、その場で待つよう言われた。トイレに行きたいと訴えたが、却下された。どうしても我慢ができないなら、尿瓶《しびん》を持ってくると言われた。

たっぷり三時間は待たされただろうか。ようやく結果が出たと連絡が来た。これでも検査時間は随分短縮されたのだという。流行りはじめの頃は、最速でも一日かかったと検査官は言った。

「陰性でした」

これでやっと解放されるかと胸を撫で下ろしたのもつかの間、警官が現れ「署までご同行願えますか」と要請された。仕方なく今度はパトカーで、最寄りの警察署まで行った。

取調室で調書を取られた。コロナ患者だと主張していた男性とは知り合いか、と訊かれたので、とんでもないと答えた。

「面識なんかありませんよ」

「だが、その男性を擁護していたようだという証言もありますよ」

「誤解です。男たちがエキサイトしてましたから、止めようとしただけです」

「ですが二人きりで車両に残ったでしょう」

「小学生の女の子も一緒でした。我々は逃げ遅れたんです。で、乗客に締め出された。あの男は冗談だと言ってましたが、コロナじゃなかったんでしょう」

「ええ。陰性でした」

「ということは、あの女の子も——」

「陰性です」

──良かった。

「いずれにせよ。あなた方のせいでダイヤは大幅に乱れた。これは犯罪です」

「だから誤解ですって」

「それがはっきりするまで、お付き合い願いますよ」

「令状があるんですか」

「ご協力いただけないのであれば、こちらも厳しい措置を取らざるを得なくなります」

数時間後、やっと解放されたが、引き取りに来てくれる人を呼べというので、仕方なく父親に連絡を入れた。田中や中村先生の顔も浮かんだが、もうすぐ終電がなくなる時刻なので、迷惑はかけたくなかった。

一郎はタクシーを飛ばしてやって来た。警官に頭を下げ、息子を引き取る父を見て、そういえば十代の頃にも似たようなことがあったと懐かしく思い出した。

グレ始めた頃のことだった。繁華街で別の高校のやんちゃグループと乱闘騒ぎになり、警察に補導された。あの時引き取りに来てくれた父は「お前はもうおれの息子じゃない」と冷たく突き放したが、今回は「災難だったな」と慰めてくれた。

「今日電話したんだが、こんなことに巻き込まれてたんだな。出られないのは、当たり前だ」

電車の中でスマホが鳴ったが、無視したことを思い出した。

「おれは何もやっちゃいないよ。喧嘩の仲裁をしただけだ」

「ああ、もちろんそうだろう。腹が減ってないか？　ちょっと寄って行こう」

一郎が、若者たちで賑わっているオープンテラスを顎でしゃくった。緊急事態宣言が解除され、飲食店は巻き返しを図っている。ただし、三密は守らなければいけないので、屋外で営業している店が多い。空いているテーブルに座るなり、黒いマスクをした店員がオーダーを取りに来た。生ビールで乾杯した。考えてみれば父親と二人きりで酒を飲むのは、これが初めてだ。

一郎が料理を片っ端から注文した。そんなに頼んだら、テーブルに載り切れないとビルは苦笑いした。

「若いんだから、たくさん食えるだろう」

「もう若くない。四十になるよ」

「そうか……」

一郎がビルが子どもの頃の思い出話を始めた。朝四時に起きて、一緒に逗子の海に釣りに出かけたこと。戦隊ヒーロー映画をねだられたのに、間違ってホラー映画のチケットを買ってしまったこと。運動会の親子レースで、張り切り過ぎて転倒してしまったこと――。

「途中まで一番だったのにな。お前が重すぎたんだよ」

父親が子どもを肩に担ぎ、速さを競うレースだった。

「好き嫌いをせず、何でもたくさん食えって強要されたら、重くなるに決まってるじゃないか」

はははは、と一郎が大口を開け、笑った。

「ところでお前、結婚はしないのか？」

「予定はないよ。相手もいないし」

「いるだろう」

忍のことを言っているらしかった。

「しっかりしたいい娘じゃないか」

「そりゃ、頭ン中は六十歳みたいだからな。彼女とはなんでもないよ」

「そうか？　お前のことを気に入ってるように見えるぞ」

「付き合いは長いけど、男として見られてはいない」

「あの娘は、お前が一皮むけるのを待ってるんじゃないのか？」

「どういう意味だよ？」

「——まあ、それはともかく、役者になってからの活躍は見てたよ。熱血助っ人コーチ、実はファンだったんだ。被災地ルポとか、バトルＴＶなんかも面白かった。どんどん進化してると思った」

　なんだか背中がこそばゆかった。父親にこんなに褒められるなんて初めてだ。しかし、本当にそう思っていたなら、どうして電話一本ぐらいくれなかったのかと、家出して以来一切父親に連絡をしなかった自分を棚に上げ、ビルは思った。

「父さんは、おれがレールから外れたのを、怒っていただろう」

「最初はな。だが今は違うよ。いろいろ思うところがあって、おれは考え方を百八十度変えた」

「悪いけど、それがにわかに信じがたいんだよ。頭が良くて努力家で自信たっぷりの父さんが、そんなに簡単に変われるものなのか。今までの人生、全否定になるじゃないか」

「年を食ったのかな……」

一郎がビールの残りを飲み干し、不味そうに顔をしかめた。

「今だからこそ笑い話で済まされるが、脳におかしな物ができた時には、もうダメかと腹をくくった。半年前に半身麻痺から復帰してたから、そこで運を使い果たしたと思ってた。眩暈《めまい》はするし、抗がん剤で身体と心がボロボロになるし、辛かった。遺書も書いたよ。お前にも連絡しようと思った――」

あっけらかんと治してしまったような印象を持っていたが、それなりの葛藤があったのだ。

「恥ずかしながら、病人という弱者になって、ようやく弱者の気持ちが分かった。想像力が欠如していたんだな。そんなやつが、長年国政を担う仕事なんかしてたんだから情けない」

「なんでもかんでも自己責任と言いたがるやつらは全員、想像力が欠如してるんだよ。っていうより、他人の立場に立って物事を考えられない。やつらにとっては、コロナになるのも自己責任なんだ」

「コロナでとんでもないことになった世の中を、何とかしたいとは思わないか？」

「思わないやつはいないだろう」

一郎は、本当に政治家になるつもりはないのかと尋ねた。

「お前の考えに近い人たちが、今度新党を結成するんだ」

「言っただろう。おれは政治家には向いてないよ」

「先方は秋波を送ってる。お前と同じ世代の若い議員たちだ。給付金を増額し、検査を徹底して感染を封じ込めたいと彼らは言ってるよ。おれたちと同じで、ＭＭＴを信奉している。どうだ？考えてはみないか？」

「……」

ビルは通りかかったウェイターに強い酒を注文した。

「今日起きたことは話しただろう。電車ん中で、少し咳をしたからって、おれの前に立つなとか、因縁をつけられたらしい。咳をした男は、ちゃんとマスクをしてたんだ。で、口論になったけど、誰も止めなかった。スマホで動画撮ってるやつらはいたけどね。後でＵＰして、『コロナで人の心は荒んでる』とかコメント載っけて、いいねをたくさん貰いたかったんだろう。ついに男がブチ切れて、マスク外して、実は熱があるだの、味が分からないだの、言い始めた。そしたら、みんな一目散に隣の車両に逃げて行きやがった。小学生の女の子が押しつぶされそうになったのに、お構いなしだ。おまけに逃げ遅れた女の子とおれを、締めだした。ドアをロックされたんだ。おれたちは、感染を疑われる男と一緒に隔離された」

「そいつは……ひどいな」

「そっちのマンションでも、看護師が差別されたんだろう」

「ああ。スーパーの出入りを禁止されて、保育園も受け入れ拒否されたそうだ」

「感染者じゃなかったんだって？」

「感染者を治療する病院に勤務していただけで、感染者じゃない」

「ひどいモンだ」

ビルが運ばれてきたシングルモルトを苦々し気に呷《あお》った。一郎が同じ酒を注文した。

「今日のニュースでもやってたけど、関西の大学のラグビー部で集団感染が起きただろう。そしたら、部活とはまったく関係のない一般の学生までバイトができなくなったり、飲食店の入店を拒否されるようになったたって。こんなことばかり起きやがる」

「みんな怖いんだよ」

「だからって、こんな差別が許されるわけがないだろう。あいつら、小学生の女の子を見殺しにしたんだぞ。政府のやってることも酷いけど、そんな政治家を選んだのは、ああいう人間たちだ。父さんの言ってた、政治家は国民の合わせ鏡だって言葉、本当にその通りだと思うよ」

一郎は、しばらく無言でグラスを傾けていた。ビルも黙って酒を飲んだ。マッカランのシングルモルト。メープルシロップのような甘い香りがする。

「小学生の女の子が、平和に暮らせる世の中にしたいよな……」

一郎がぼそりと言った。

「よし、分かった！　そろそろ行こう。もう遅い」

まだ中身が残っているグラスを置き、一郎が立ち上がった。

15

「ちょっとこれから忙しくなるけど、よろしく頼む」

桜井と小西、それに小林を集め、一郎は言った。

「どうせ暇してますから、仕事頂けたほうが嬉しいっす！」

真っ黒に日焼けした桜井が、白い歯を見せ、微笑んだ。どちらかと言えば色白だった小西も小林も、こんがり小麦色に日焼けしている。三人で湘南の海に行き、たっぷり甲羅干ししたらしい。

「で、ちょっと質問があるんだが――」

昨日、渡部と蓮尾に会って、正式に結党に参加したいと申し出た。息子さんは？　と訊かれたが、息子は政治家にはならない、ときっぱり答えた。

「そうですか……」

二人は落胆を隠さなかった。

「ビルさんにご協力いただければ、新党も盤石なんですが」

「あいつは放っておいてあげてください。その分、わたしが頑張りますから。役不足かもしれんが」

いえいえ、そんなことはありません、と二人が慌ててかぶりを振った。

「山崎さんのお力を頂ければもう百人力です」

具体的にどう準備すればいいか尋ねると、今のところは特にないと渡部が答えた。公示前だし、第一衆議院は解散さえされていない。とはいえ、早くて年内、遅くて年初には安倍首相が退陣し、解散総選挙へ向け、拍車がかかるのではと噂されている。

「十月に新党設立の記者会見を開く予定です。それまで英気を養っていただければ」

「そうですか。では、取りあえず、もっと自己アピールをしてみますよ。選挙までに知名度を上げることが重要でしょう」

　ということで、桜井等三名を招集した。

「質問があるんだが、きみらの友だちの中で、おれのことを知ってる人間はいるか？」

　三人の友だちなら、十代後半から二十代くらいの世代だろう。桜井たちは「う〜ん」と黙り込んでしまった。

「おれらの知ってる連中は、経済とかにあまり興味ありませんから」

「そうか」

　分かってはいたが、若者の知名度はまだまだ低いようだ。ならばやはり、中高年の支持者を増やすしかないか。

「ビデオをもっと頻繁に配信してみよう。きみらの友だちや、ご両親にも観るよう勧めてくれ」

「了解しました」

「ところで、三人はおれのビデオ、観てるか？」

　桜井が二人を振り返った。小西も小林も、視線を宙にさ迷わさせた。

「観ようと思ってるんですけど……なかなか時間が取れなくて」

「正直に言ってくれて構わんよ。つまり観てないんだな」

「いえ、観ました」

　小西が言った。

「観ましたけど、難しすぎて、ちょっと分からなかったから、続きは観てません」

小西は高校卒業後、バイトをしながら養成所に通い、タレントとなった。桜井も小林も似たような経歴だ。政治経済は中学や高校の公民でかじっただろうが、専門的に勉強したことはない。このような若者は多いだろう。

三人の前で生の講義をしてみることにした。

始めて五分も経たないうちに、小林の目蓋《まぶた》が重くなっていくのが分かった。桜井は居心地が悪そうに何度も脚を組み直し、小西は貧乏ゆすりをしている。

一郎は講義を中断し、今まで話した中で分からないことはあったかと質問した。三人は互いの顔を見合わせたが、発言はしなかった。

「じゃあ、代表して桜井」

「はっきり言っていいんすよね――」

「もちろん」

「全部です。全部チンプンカンプンでした」

桜井が同意を求めるように、小林と小西に視線を向けた。

「あの～。財政ってナンですか」

小林が挙手しながら質問した。

「何となく分かるんですけど、正確に分かってるのかはちょっと不安だったモンで――」

「日本が赤字とか言ってましたけど、本当っすか？　だって一応まだ世界三位の経済大国なんでしょう？」

こう質したのは小西だ。

一郎はできるだけ丁寧に、かみ砕いて説明した。すると桜井が面白いことを言いだした。

「そもそも、ナンで国が赤字なんですか？　だって札を刷ることができるんでしょう。赤字になりそうになったら、札、また刷ればいいだけのことじゃないすか」

「そうだ！　その通りなんだよ」

小難しい理屈などいらないのかもしれない。札を刷ることができるのに、なぜ国民から札を取り立てようとするのか。だから国民が貧乏になるんじゃないか。

「今日はこれで終わりにしよう。明日またよろしく」

三人が帰ると、講義内容を一から見直した。さらにシンプルに、わかりやすく伝えるにはどうしたらいいのか。池上彰ではないので、なかなかの難題だ。

翌日、再び講義をした。昨日より真摯に耳を傾けてくれるのは、二度目だからだろう。しかし、講義が熱を帯びると、彼らの瞳に宿っていた好奇心が消え、居心地が悪そうにする様子が伝わって来た。

「休憩にしよう」

たちまち三人は脱力し、大きく伸びをしたり、スマホをいじったりした。

「やっぱり難しいか？」

小西と目が合ったので尋ねた。

「途中まではよかったんですけど、だんだん、難しくなって……」

「質問してくれればよかったのに」

「いえ、途中で止めちゃうの、悪いと思いましたし、第一何が分からないのかも分からない状態で――」

「つまり、まったく分からないということか」

「そうじゃないと思いたいんですけど、そうなのかもしれない、って感じですかね」

他の二人にも質問してみたが、似たような答えが返ってきた。

「率直な意見を聴きたいんだが、今日みたいな講義を入門者用にネット配信して、観てくれる人、特にきみらみたいな若い人が関心を示してくれると思うか？」

観てくれると思います、と三人が口裏を合わせたように答えた。

「分かりやすいし、経済とか知らない人間でも、興味持ってくれると思います」

たった今、まったく分からないかもしれない、と言っていたのを忘れたように、小西が言った。

「そうか……。では、まあ――取りあえずＵＰしてみよう。準備を頼む」

事務所を片付け、照明も入れて、即席のスタジオを作った。いつもはスーツにネクタイで講義をするが、今回はピンクのポロシャツとキャメルのチノパン姿で行うことにした。

「はい。行きます。五秒前――」

カメラマン役の小林がカウントダウンを始める。一郎は子どもに語りかけるような口調で講義を始めた。

長々とやっても退屈するだけなので、十分に区切った動画を三本配信した。タイトルも若者や入門者向けにソフトなものにした。

すぐに再生回数を確認したが、ほぼ視聴されていなかった。しばらくしてボツボツ視聴者が現れ始めたものの、思ったより伸びない。既に一郎のネット講義を視聴している中・上級者は、このビデオを観ないせいもあるだろう。

——やはり経済に興味のない若者に取り入ろうとしても難しいか。

無理に知名度を上げようとしても、限界があるのかもしれない。

入門者向けのビデオ配信はやめることにした。桜井や小西は、「もっと続けたかったです」と残念そうだった。

「だけど、こういうものにはあまり興味ないだろう」

「最初はそうでしたけど、何度も強制的に聴かされてるうちに、なんとなく理解してきたというか——」

一郎が苦笑した。

「一般人に、強制的に聴かせるわけにはいかんだろう。興味がなけりゃ、すぐスルーして別の動画を観るさ。動画なんか、腐るほどあるんだから」

その翌日、桜井が憔悴した様子で事務所にやってきた。大丈夫か、顔色がよくないぞ、と声を掛けると、桜井は「コロナじゃないですよ」と力なく言った。

「本当のところは分からないですけど。ＰＣＲ検査、未だに受けづらいって話だし。いえ、大丈夫っす！　すんません。移されるの、心配ですよね。熱もないし、咳も出ないから陰性です。実は友だちっていうか、親友のことなんですけど——」

一緒に養成所に通っていた仲のいい友だちが、昨夜自殺したのだという。

「駆け出しの役者で、元々仕事がなかったのに、コロナで追い打ちでしょう。バイトも雇い止めされたし、もうどうしようもないから、実家帰って、農家を継ごうと思ったらしいけど、帰って来るなって言われたみたいで。今東京モンが来たら、村八分にされるからって。まあ、そういう話は聞いてたんですけど、まさか、自殺するなんて——」

桜井がおいおいと泣き始めた。近ごろの男の子は、涙腺《るいせん》がもろい。

「そうか——それは、本当に気の毒だったね」

「そもそも、ナンでこんなことになってるんですか！　元から格差社会で大変だったのに、コロナでさらに格差が広がって。小さな店はバタバタつぶれてるのに、政治家の給料は保証されてるなんて不公平だよ！」

涙と鼻水をまき散らしながら、桜井が叫んだ。

「早く何とかして欲しいのに、政府は何やってっか分かんねえし。給付金だって、スズメの涙じゃないですか！　あんなんで自粛しろって言われたって、餓死しろって言われてるのと同じだよ。だから自殺者が出るんだよ！」

小西と小林が桜井に歩み寄り「落ち着け」となだめた。

「今日はみんなもう帰っていいよ。ごくろうさん。週末はゆっくり静養してくれ」

三人が帰ると、冷蔵庫から冷えたワインを取り出し、グラスに注いだ。ワインを飲みながら、面識のない桜井の親友のことを想った。役者になるという希望に胸を膨らませ、田舎から出て来た若者が、なぜこんな最後を遂げなければならなかったのか――。これはコロナのせいではなく、社会の責任だ。

いつも軽口ばかり叩いているチャラい桜井が、あれほど激高するのを初めて見た。それほど彼にとっては受け入れがたい出来事だったに違いない。

――そうだ……。

突然、ひらめいた。

一郎はグビリとワインを飲み干し、パソコンを開いた。

週明け、また三人を招集した一郎は「今から話す内容を聴いて、コメントをくれ」と前置きし、演説を開始した。

格差、貧困がコロナによってさらに加速している。人々は分断され、もしこいつがコロナだったら、自分や家族に危険が及ぶと、お互いを猜疑心に満ちた目で見ている。感染したら周りから責められ、仕事もできなくなる。収入を絶たれたら餓死するしかない。自殺した者もいる。知り合いの知り合いで、役者志望の若者が自殺した。舞台は中止、バイトもクビになり、家族に迷惑がかかるので田舎にも帰れない。そして自ら命を絶った。いったいこの国はどうなってしまったのか――。

感情を露わにし、聴衆に訴えかけた。

ＭＭＴ理論を説明している時には、生あくびを堪えていた桜井、小西、そして小林が身を乗り出して聴き入っていた。

経済を回さなければ、企業は倒産し、失業者があふれる。それが分かっているから国は、自粛しながら旅行しろなどと、訳の分からないことを言っている。人々が困窮せず、感染も減らせる方法がひとつだけある。国が国民の給与を全額補償し、経済活動を一時的にストップさせることだ。ダラダラやっていても感染は広まるばかりである。徹底的な封じ込めを行うしかない――。

「ここまでで、忌憚《きたん》なき意見を言ってくれ」

演説を中断し、三人を見回した。

「あの〜、全額補償なんて到底無理って、聴衆はツッコミを入れるんじゃないっすか」

桜井が言った。

「そうだろうな」

「食いつきはいいと思います。で、ここからＭＭＴの話を始めるんでしょう？　全額補償が可能って理由の説明に」

小西が質問した。

「その通り。だけどまた生あくびが出ちゃうよな」

小西が後頭部を掻きながら笑った。一郎がプリントアウトした書面を三人に配った。

「桜井、最初から読んでみてくれ」

「ええっと……『貴社による日本国債の格付けについては、当方としては日本経済の強固なファンダメンタルズを考えると既に低過ぎ、更なる格下げは根拠を欠くと考えている――』」

二〇〇二年四月三〇日に財務省が提出した、意見書のコピーである。日本国債の格下げを予告した格付け会社三社宛になっている。今でも財務省のホームページで、自由に閲覧することができる。

「『日・米など先進国の自国通貨建て国債のデフォルトは考えられない』って書いてありますね。つまりこれは――」

「財務省自ら、赤字国債をいくら発行しようが、日本は財政破綻なんてしないって、言ってるんだよ」

「えっ？　だって財務省って、国の赤字が膨らみ過ぎてるから日本は危ないって、さんざん煽ってるんでしょう」

「だから二枚舌なんだ。財政破綻しないメカニズムを訥々と説明するより、財務省も認めてるんだから、デフォルトなんかしないんだって、証拠を見せつけたほうがてっとり早いだろう。だからじゃんじゃん赤字国債を発行して作った金を、国民の補償に充当しても、国は痛くも痒くもないのに、なぜやらないんだって訴えたいんだよ」

「ばっちりですよ、それ！」

三人が頷いた。

「そういう持ってき方すれば、みんな聞くと思います」

政治家は大学教授ではない。知識を教授するのではなく、国民に寄り添うのだ。彼らの悩みや不満に理解を示し、解決できると安心させなくてはいけない。解決のための具体的な方策など、あえて説明する必要はない。あなたを信用して任せる、と言わしめれば票が取れる。

「よし、これで行こう」

講義の様子をネットにＵＰさせた。食いつきは悪くない。閲覧回数は順調に増えて行った。

「まずまずのようだ。じゃあ今度は表で撮ろう」

「表？」

「そう。街頭演説だよ」

国会議員に立候補するなら、街頭に立たなければならない。公示もされていないから、選挙運動はできないが、政治活動としての「辻立ち」ならば許される。

「たしか所轄の警察署に道路使用許可申請が必要なはずだ。調べておいてくれ」

了解しました、と小林が言い、パソコンのキーを叩き始めた。

生まれて初めて行う街頭演説はさすがに緊張した。

最寄り駅前の広場を確保したが、知っている顔が通りかかったらどうしようなどと、情けない心配をした。

桜井と小西、小林が傍《かたわ》らに付いてくれたのはありがたかった。彼らはパワーポイントで作ったビラを配りながら、「国にもっと給付金を出すよう、訴えましょう！」と叫んでいた。

小型の拡声器にヘッドセット式マイクという、スタイリッシュないでたちは、三人の中では一番おしゃれな小林が選んでくれた。メガホンだけは止めたほうがいいと、小林は言った。強制的に聴かせるイメージがあるのだという。

ビールケースに乗ると言ったら、「それってナンですか？」と質問された。

「ビールケース、知らないのか？」

小林がスマホでチェックするや、眉をひそめた。

「これって、瓶ビール入れるやつですか。初めて見ました」

これを、逆さまにして乗るんだよと言うと、小林はブルブルとかぶりを振った。

「それって平成時代の演説じゃないですか？　今は令和ですよ」

いや、昭和の時代の演説だと訂正しようとした時、スマホ画面を脇から盗み見た桜井も「これは止めたほうがいいです」と断言した。

「こんなのに乗ったら、でかい先生が益々でかく見えちゃう。上から目線はよくないです」

「だって学校の先生だって教壇の上からしゃべるだろう。上から目線は仕方ないよ」

「だからおれ、授業なんか聴かなかったんですよ。偉そうに上から物言いやがってって、ふて寝してました。もし教壇に穴が掘ってあって、穴の底から何か言ってたら、こいつ、何必死こいてしゃべってるんだろうって、逆に耳を澄ましてましたけどね」

噴き出してしまった。

彼らの助言に従い、演壇ではなく通行人と同じ目線でしゃべった。マスクではなく、フェイスシールドを装着し、飛沫が飛び散らないよう注意を払った。

通行人のほとんどは、一瞥するだけで通り過ぎた。中には露骨に迷惑そうな視線を向けてくる者もいた。

「ソーシャルディスタンスを保たなければいけないのに、人を集める演説などするなよ！」

彼らの瞳は、こう訴えかけていた。確かにその通りなのだが、先に行われた都知事選でも、候補者たちは街宣をしていた。いずれにせよ、解散総選挙が公示されたら、街頭演説はせざるを得ない。そのための予行演習は、早めに行っておくべきだ。

原稿を読まずに演説を行っていたため、言葉に詰まることがあった。そんな時は、誰も演説に興味を示していない様子を見てほっとなったりした。

初日は、惨憺たる結果に終わった。

立ち止まって耳を傾ける者は皆無だったし、上がってしまい、何をしゃべっているのか自分自身でもよく分からなかった。演説の様子を小西が動画に撮っていたが、五秒見ただけで消去したくなった。

それから二日後、再び辻立ちした。

二度目ともなれば、度胸も据わってくる。前回は早口でまくし立てたが、今回はじっくり話すことができた。

「欧米では命の選別が行われました。患者の急激な増加と、医療設備の不足が原因です。未来ある若者に人工呼吸器を優先的にあてがい、高齢者は後回しにされました。しかし、これはおかしくありませんか？　弱者を救済するのが、成熟した社会の役務であるはずです。日本を同じようにしてはいけない。早急に医療体制を整え、感染を封じ込めるべきです！」

足を止め、一郎の言葉に耳を傾ける通行人が現れ始めた。

演説の様子をネット公開したので、太一や正章にも知られるところとなった。

「本気で政治家になるのか？」

太一が目を丸くした。

「ああ、そのつもりだ」

来週に、新党の結党記者会見が開かれる手筈になっている。その際、一郎もメンバーの末席を汚す予定だ。

「母さんは何て言ってる？」

新党の党員になり国政選挙に立候補することを打ち明けた際、佳江は「止めたって、どうせ聞かないんでしょう」とあきらめ顔で言った。

「お父さんは、気力も体力もあるけど、コロナだけは気を付けてね」

佳江が一番心配したのが、人と接する機会が多くなることだった。しかし、これればかりは仕方ない。政治をリモートでやるわけにはいかない。

「マスクやフェイスシールドで防御するし、手洗いやうがいも徹底するから」

正章は一郎の立候補をとても喜んでくれた。蓮尾や渡部が最初にコンタクトしたのが正章だ。彼らは正章が唱える経済政策に心酔し、是非とも実行したいと熱く語っていたという。

「山崎さんも加わって新党が結成され、ＭＭＴに基づく経済政策が実施されれば、日本は長きに渡るデフレ不況から脱却できます。コロナが一段落したら、消費増税を目論む連中がいるようですが、そんなことをしたら日本は死にます。是非とも日本を救わなければなりません」

ラガーマンの血が燃え滾った。増税論者などにもう好き勝手をさせるわけにはいかない。彼らを駆逐しなければ、日本は再生しない。

新党名は「経済再生の党」と命名された。一握りの大企業だけが儲かり、非正規の雇用だけが増え、賃金も上がらない偽りの経済成長ではなく、国民全体が豊かになる真の経済成長を実現させるのが、党の公約だった。

現役の国会議員七名と、党員五名からなる小さな党だが、早くも世間の耳目を集め始めた。財政赤字をとことん膨らませ、バラマキをやりながら経済を成長させると断言したのだから、話題になるのは不思議ではない。錬金術だのオカルトだのと馬鹿にする者たちは相変わらずいたが、長きに渡る不況にいい加減ウンザリしていた人々からは、喝さいを浴びた。

そんな折、身体の様子が少しおかしくなった。

残暑が一段落し、秋の気配を感じ始めたころのことだ。相変わらずコロナが猛威を振るい、医療は崩壊の瀬戸際にあった。

ある朝、事務所で原稿を書いていると、突然脱力感に襲われ、堪らずソファーに横になった。大丈夫ですか、と桜井たちが寄ってきた。

「悪いが誰か、体温計を買って来てくれないか」

事務所に救急箱の用意はなかった。小林が近くの薬局まで走り、非接触型の体温計を買ってきた。おでこの前にかざすだけで、すぐに体温が測れるという。便利になったものだ。

体温計は三七・三度を差した。

「微妙なところっすね」

「昨晩つい深酒しちまったからな。少し横になればいずれ治るさ」

横になっているうちに睡魔に襲われた。目が覚めた時はすでに昼時だった。小西がミックスサンドウィッチを買ってきてくれた。食欲は普通で、味もちゃんと分かった。万全とはいかないまでも午後には体力が回復し、原稿も何とか仕上げることができた。その日は早く帰って、晩酌せず床に就いた。

翌朝、家を出るまで体調は普通だった。しかし、事務所で蓮尾らとリモート会議をしている際、眩暈に襲われた。脳腫瘍の時に経験した眩暈とは異なり、目の前が急に暗くなるような眩暈だ。会議から抜けさせてもらい、熱を測った。相変わらず三七度台前半だった。

「やっぱ、検査したほうがいいですよ」

桜井が言った。

「いや。大丈夫だよ。コロナじゃない。息苦しくないし、味もちゃんと分かるから」

「人によって症状が異なるっていうでしょう」

桜井が保健所の「帰国者・接触者相談センター」に電話をかけたが、なかなか繋がらず、やっと出たと思ったら「まずは医者に行け」とにべもなく断られた。

高齢者で熱もあるから、早く検査させてくれと食い下がると、明後日の午後なら空きがあると先方は妥協した。

「症状のあるやつ、そんないっぱいいるんですかね。明後日までなんか待ってらんないっすよ。けど、もったいないから予約だけは入れておきましょう。もっと早くできるとこ見つかったら、キャンセルすればいいし」

取りあえず保健所を押さえ、引き続き、検査をしてくれそうな所に片っ端から電話をかけまくった。小西や小林も、あちこちの医療機関に問い合わせた。どこも繋がらないか、今は手一杯だからしばらく待って欲しいという答えだった。

「医療はひっ迫してないとか言ってたけど、充分ひっ迫してんじゃねーか！」

三度断られた小林が、受話器を叩きつけるように置いた。その時「見つかりました！」と小西が叫んだ。

「船橋にあるクリニックです。今日中にできるそうです」

すぐに車に乗せられ、クリニックに向かった。運転するのは小西、桜井が付き添い、小林は事務所に残った。

「すまないな」

「なに、どうってことないですよ。単なる風邪だって分かれば、安心じゃないですか」

「お前たちに移しても大変だしな」

「いえ、おれらは大丈夫っすよ」

桜井が真っ直ぐ前を見ながら答えた。

クリニックの駐車場に仮設された、発熱外来用のテントで検査を受けた。唾液をシャーレに入れるだけで、もう終わり。結果は明日連絡すると言われた。結果が出るまで外出を控え、自宅で過ごすようにと念を押された。

翌日、家で休んでいる時、結果が届いた。陰性だという。ほっと胸を撫で下ろした。しかし、軽い倦怠感と目まいは相変わらずだ。微熱も治まらない。佳江が心配して、もう一度病院に行けと諭した。

「コロナじゃなくても他の病気かもしれないし」

「何、単なる風邪だよ。年食うと風邪が長引くの、知ってるだろう」

去年の冬にも風邪を引いた。熱や喉の痛みは程なく治まったが、咳喘息になり、症状が治まるのに一ヶ月ほどかかった。

翌日も、家で休んだ。昼になっても微熱が治まらなかったので、事務所に連絡を入れた。

「保健所？　あっ、はい。まだ予約キャンセルしてないです」

電話に出た桜井が答えた。

「そうか。悪いが家まで車で迎えに来てくれないか？　念のため、もう一度ＰＣＲ検査を受けてみたい」

すぐに桜井と小西が迎えに来た。車で走ること二十分。検査場所として指定された保健センターの入り口は閉鎖され、電気も消えていた。

「外からは開いているようには見えないって言われました。近隣から苦情が来るの、心配してるんですかね」

地下駐車場から入れと指示されたという。地下に車を入れ、警備員に断って、階段を上った。ＰＣＲ、新型コロナ、といった表示はなく「検査会場はこちら」という矢印付きの案内板がひっそりとあるだけだった。

「ドライブスルーで大々的に検査してる国もあるのに、まったく進歩してませんね」

一階がコロナ検査専門階となっているようだが、こんな設備で院内感染が防げるのか疑問だった。一昨日行った船橋のクリニックのように、陰圧テントのようなところで完全隔離しなければ危ないのではないか。それともこれが、都の保健施設の限界なのか。

検査待ちの人数は少なかった。簡単な問診に検体の採取だけの検査は、すぐに終わった。船橋のクリニックと同じで、結果は明日出るのでそれまで自宅待機するよう命じられた。

翌日の午後、結果の連絡があった。

陽性だという。症状をあれこれ聞かれた。三七度台の微熱が数日前から続き、倦怠感と軽い眩暈がすると、昨日の問診の際答えたことを繰り返した。

「どこで移ったか、心当たりはありませんか？」

「ありません」

「大人数で外食はしませんでしたか」

「いいえ」

「接待を伴う飲食店には行かなかった？　キャバクラとかそういうところです」

「いいえ」

「では性風俗店は？　答えづらいかもしれませんが、大事なことなんで」

「いいえ！」

語気を強めて否定した。担当の保健師は、すぐに入院となるから、準備をしておくようにと命じた。

このことを告げると、佳江の顔から見る間に血の気が退いていった。

「だって陰性だったんでしょう」

「おそらく偽陰性だったんだ」

「今回のが間違いなんじゃないの？」

「いや。陽性が正しいんだろう。とはいえ、咳も出ないし、呼吸も正常だ。味だって分かる。軽症だから問題ないよ」

「でも入院するんでしょう」

「高齢者だからな。大事を取ってということだろう。点滴打って、二、三日ゆっくりしてりゃすぐ治るさ。悪いけど着替えを用意してくれるか」

程なく白いワゴン車が到着した。コロナ患者移送用の特別車だ。後部シートが陰圧状態に保たれている。佳江も一緒に乗った。濃厚接触者なので、これから検査を行うという。

搬送されたのは、コロナ専用病棟のある病院だった。専用の入り口から入ると、そこは既にレッドゾーンで、防護服を着ていない人間の立ち入りは固く禁じられていた。

心配する佳江と別れ、防護服姿の看護師に病室に案内された。軽症なので相部屋かと思っていたが、個室だった。様々な書類に記入させられた後、血を採られ、次に検査室に行き、肺のCTスキャンを撮った。

病室に戻ると、入院生活の説明を受けた。部屋から出るときはナースコールを押すこと。患者は自分でドアの開け閉めをしない。部屋の外に出てはいけない。トイレにも自由に行けない。面会も謝絶だという。外部とのやり取りは、電話でしかできない。

「基本的にドクターも、もうこの部屋には来ません」

えっ？　見捨てられてしまったということか。ワクチンも特効薬もないから、ここで独り隔離され、自力で治せというのか。

点滴を打たれ、しばらくじっとしていると、担当医から内線で連絡があった。

コロナ肺炎の徴候が見られるという。咳も出ないし、呼吸も正常なので正直驚いた。取りあえずインフルエンザの治療薬を投与し、様子を見ると医師は説明した。

落ち着くと佳江の携帯に連絡を入れた。あの後検査をし、今家に帰ったばかりだという。結果は明日の午後分かるらしい。入院期間を訊かれたが、それは病気次第だと答えた。

「まあ、このまま自然に治れば、一週間くらいでケリがつくんじゃないか？」

昨今では陽性と判断されても、既にピークを過ぎているからと、帰宅できるケースもあると聞いた。

電話を切り、今度は桜井に連絡した。陽性が判明し、今病院にいると報告するや、息を飲む気配がスマホの奥から伝わって来た。

「大丈夫だよ。ピンピンしてるから」

「いえ、その……移したの、もしかしておれらじゃないかと思って――」

以前、自粛に疲れ、小西と小林の三人で遊び歩いたことがあるという。深夜、若者の集まる店で朝方まで騒いだらしい。

「今まで黙っててすみません。言おう言おうと思ってたんですが、機会がなくて……」

いつのことかと訊くと、十日前だった。一郎が発症したのは、四日前だ。微妙なところだが、おそらく、彼らに移されたのではないだろう。

「それよりお前たち、症状はないのか？　検査したほうがいいんじゃないのか」

「さっき保健所から連絡がありまして、濃厚接触者だから検査受けろと言われました。これから三人で行ってきます」

つまり彼らに移されたのではなく、彼らに移したことを疑われているのだ。それにしても一体誰から移されたのか？　感染予防は徹底的に行っていたのに、やはりコロナは一筋縄ではいかないようだ。

さすがにその晩は眠れなかった。感染者として隔離され、自由を奪われ、会いに来るのは防護服を着た看護師のみという状況。感染を広めてはいけないのは分かっているが、世界から置き去りにされてしまったような孤独感を味わった。症状は軽いものの、肺炎の初期症状があるというのも気になる。悪化しなければよいが——。

朝食と薬が運ばれて来て目覚めた。寝入ったのはおそらく明け方だ。寝不足のせいかは知らないが、頭が重い。看護師が血圧と体温を計った。相変わらず微熱が続いている。

食欲はなかったので、デザートのヨーグルトだけを食べ、薬を飲むと、再び目を閉じた。眠気はなかなか訪れなかった。

佳江から電話があり、検査の結果、陰性だったと告げられた。

「そうか。それはよかったな。でもおれも最初は陰性だったから、もう一度検査したほうがいいぞ」

「わかった。そっちは大丈夫なの？」

「ああ。心配ない。問題はないよ」

問題がないわけではない。孤独と不安に押し潰されそうだ。佳江にこんな目に遭わせたくない。だから陰性の確証が欲しい。

「お見舞いにも行けないなんて、ひどいわね。ガラス越しの面会さえできないなんて」

「何、たかだが四、五日の辛抱だから。すぐ元気になって帰るさ」

「足りないものはない？」

「いや。大丈夫だ」

電話を切ってから、桜井たちも今日検査結果をもらう予定だったことを思い出した。大丈夫とは思うが、移してしまったとしたら可哀そうだ。

スマホに手を伸ばしかけた時、突如胸が苦しくなった。見る間に呼吸困難に陥り、一郎は必死になってナースコールを押した。

「はい。どうしましたか？　山崎さん」

答えることができず、うめくばかりだった。

バタバタと足音が聞こえ、扉が開いたと同時に、一郎の意識は遠ざかって行った。

16

萩生田文科大臣が、新型コロナウイルス感染症に関する差別・偏見の防止に向け、メッセージを発表した。児童生徒だけではなく、保護者や学校関係者にも語りかける内容だ。

ビルは自宅のパソコンで、メッセージの全文を読んでいた。

「感染者、濃厚接触者等とその家族に対する誤解や偏見に基づく差別を行わないこと」という下りを読んで、ビルは大きなため息をついた。

「これって、大人に向けたメッセージだろう。つまり学校の先生や親をこうして諭してるわけだ」

一緒にいた忍が、画面を覗き込んだ。

「表から帰ったら手を洗えだの、大声でしゃべるなだの、大人数で飯を食うなだの、政府は国民のこと、子どもだと思ってるのか？　バカにするなっておれ怒ってたけど――」

「今回も怒ってるわけ？」

「いや、逆だ。電車での事件を考えれば、お上からこんな感じで、子どもみたいに叱られても仕方ないんじゃないかと思うんだ。情けない話だけどな」

忍には既に、この間電車内で起きたことを話していた。

「――そうかもね。ところで訊きたいんだけど、近ごろビデオも更新してないし、なんだかずっと家に引きこもってるようだし、具合でも悪いの？」

会議を招集しても現れなかったビルを心配し、忍が自宅まで訪ねて来たのだった。

「いや、そうじゃない。熱もないし、咳も出ないし、味もちゃんと分かる。コロナじゃないから安心してくれ」

「別にコロナのことを疑ってるわけじゃない。心配なのはあなたの精神状態」

「大丈夫」

「やる気、無くしてない？」

「そりゃあんなことがあれば、色々考えるさ。おれはともかく、小学生の女の子が見殺しにされたんだぞ」

「それはひどいとあたしも思う」

「何度も差別はよくないって、ネットで訴えているのに、相変わらず直らない。子どものいじめと大差ないじゃないか。大人はまるで、図体のでかい小学生だよ――」

「そう。その通り。知らなかった？」

ビルが押し黙った。

「文科大臣が、いくらコロナ差別はよくないって諭しても、差別は相変わらず起きると思う。これまでにも国は、色々な差別やいじめ防止の声明を出してきたけど、相変わらず不当な差別やいじめは世に蔓延ってるでしょう。単に差別はよくないって言うだけじゃダメなのよ。それで直らないのは、国民が悪いというのは、正にビルが嫌いなはずのパターナリズム的考え方」

「いや、しかし……」

「そもそも、なぜコロナ差別が起こるのかといえば、みんな不安だからだよ。不安でストレスが溜まると、発散したくなる。それが差別やいじめに繋がる。気の置けない友だちと食事をしたり、コンサートに行ったり、スポーツを楽しんだり、旅行したりすればストレスは減るけど、今の自粛ムードでなかなか難しくなっている。だから人々は益々ストレスを溜め込む。こんな負のスパイラルの中で、メッセージを出すだけじゃ不充分」

「……」

自分のことを言われているような気がした。自分も文科大臣と同じように、感染者を差別するなと訴えているだけだ。

「じゃあどうすればいい？」

「やっぱり検査数を増やすしかないと思う。で、保護施設をもっと手配して、軽症や無症状の人は、そこでしばらく静養してもらう。武漢みたいに突貫工事で隔離施設ができないなら、オリンピックの選手村を使うとか、いろいろ手はあるでしょう。地方だったら空き家がいっぱいあるはずだから、そこを自治体が借り上げて軽症者用に使うとか」

「しかし、医者や看護師が足りなくなるんじゃないか」

「直接コロナの治療に当たる呼吸器系のお医者さんとかは、地獄の忙しさだけど、それ以外の医療関係者は結構暇してるみたいだよ。コロナ禍で患者も減ったみたいだし。そういう人たちに助けてもらえば、何とか回るんじゃない？　検査を充実して、施設とマンパワーも確保すれば、少なくとも医療崩壊は防げる。ワクチンや特効薬がなくても、重篤患者や死者を減らすことはできる。これらの施策を実現して、かつ、国民にきちんと発信して安心させた上で、不当な差別は止めろといえば、差別は減ると思う」

「……そうだよな」

　最初の患者が発覚してからもう半年以上経つというのに、相変わらず国や自治体の対応は後手後手だ。

「理想論だけど、陽性者は施設、陰性者は市中ってきっちり分けて、これで感染は広まりませんと公言できれば、経済活動は戻って、コロナ差別なんてなくなると思う。だってそもそも市中には感染者がいないんだから、差別なんて起こりようがないもの。でもこれは国だからこそ、できること」

「――またおれに、政治家になれと言ってるのか？」

「それはビル自身が決めることだよ」


忍がおかしいと言い出したのは、それからしばらく経ったある日のことだった。

「あたしの知ってる未来と、違うような気がする」

「どこが違うんだ？」

「安倍首相がまだ辞めてない」

「なんだって!?　総理大臣を辞任するのか？」

思わずビルは大声で質した。

「そう。持病が再発して、体力的に限界を感じるからって。だけど、声明を出す気配はまったくないし、何より感染はまだ拡大してるし」

「今後どうなるんだ」

「感染は高止まりした。でも、医療は相変わらずひっ迫してたから、人々の不安は続いたけど。確か、冬にまた感染拡大があって、でも思ったより被害が広がらなくて」

「コロナが完全に収束するのはいつなんだ？」

「完全ではないけど、来年春には落ち着く。そこそこ効く薬が開発されて、高齢者の重症化が減ったから」

「じゃあ、そうなるんじゃないか？」

わからない、と忍はつぶやいた。

「ミクロはともかく、マクロのことは変わらないんだろう」

「そうだと思ってた。でもミクロの事象がマクロに影響を及ぼすことだってあるでしょう。あたしの知ってるビルは、とっくに政治家をやってて、自分の党も持っていた。都知事選にも出たんだよ」

そんなことなどまったく知らなかった。

「なんで言ってくれなかったんだ？」

「だって言っても意味ないじゃない。どうせ政治家になる気はないんでしょう」

「いずれにせよ、都知事になったのは小池さんだろう」

「ビルは次点だった。小池さんとの差は、わずか数万票。それだけ知名度があったんだよ」

無敵の小池知事にそこまで迫れるとは、確かに並大抵の知名度ではない。

「あたしの知ってるビルは、今と同じコロナ対策を訴えてたけど、発信力が桁違いだった。だからみんな、言うことを聴いた。そのせいかどうか知らないけど、この世界よりコロナの感染は緩やかだった」

「おれだけのせいじゃないだろう……」

ビデオ配信をサボっている身としては、耳の痛い話だった。

「でも、コロナを克服しても未来は決して明るくはならない。コロナでさらに悪化した財政を健全化するために、政府は消費税を引き上げたから。で、日本は半世紀近くデフレが続く最悪の国となって、もはや先進国とさえ呼ばれなくなった」

なんてことだ！

「なぜ、あたしの頭に未来の記憶が降って来たのか。それは神様が、四十年前の世界にタイムスリップして、未来をこんな状況から救え、って命じたからだと思ってた。でも状況は変わらないばかりか、益々酷くなっているような気さえする」

その時、スマホが着信音を奏でた。妹の美里からだ。

「お兄ちゃん、早く来て！　おとうさんが大変なの」

叫ぶような美里の声が、伝わって来た。


忍と中村先生と一緒に、父が入院しているという病院に駆け付けた。一郎がコロナで入院しているなんて、まったく知らなかった。

時刻は夕方の五時。先に来ていた母と美里が看護師と押し問答をしていた。美里が父と会わせて欲しいと訴えても、看護師は首を縦に振らなかった。

「残念ながら、お会いすることはできません」

コロナは二類相当の指定感染症なので、厳しい決まりがあるという。せめてガラス越しに顔だけでも拝むことはできないかと粘ったが、却下された。

現在は人工呼吸器を装着している。病状次第では、人工心肺装置が必要になるかもしれないと看護師は言った。人工心肺装置とは、エクモのことだ。コロナと戦う最後の砦と聞いたことがある。

「そんなに悪いんですか……」

年配の看護師は重々しく顎を引いた。

「だって、あたし、今朝電話でしゃべったんですよ。すぐ元気になって戻るって言っていたのに――」

母が悲痛な声を上げた。

「エクモを使うほど重篤なんですか？」

ビルが尋ねた。

「準備だけはしています。エクモを使うとなると、十数名のスタッフが二十四時間体制で付き添いますから。新型コロナは急速に悪化するケースがあります。まだまだ分からないことが多い感染症です。すみませんが、行かなければなりませんので」

コロナ専門病棟では、皆忙しそうに立ち働いていた。これで医療がひっ迫していないなんて、よく言えたものだ。

騒がしい音がしたので振り向くと、桜井に小西、そして小林だった。

「畜生！　ナースステーションにゃ誰もいないじゃねえか。これじゃ先生がどこにいるか、分かんないだろう！」

桜井ががなり立てた。

「大声を出すな。ここは病院だぞ」と小林が声を殺して諭している。三人はビルたちを認めるや、直立不動になり、深く腰を折った。

「先生は大丈夫ですか」

面会謝絶だと答えると、三人は瞠目した。

「……だって、昨日電話で話した時は元気そうでしたよ」

保健所から濃厚接触者と認定され、昨日検査を受けたのだという。結果は三人とも陰性。電話で報告しようと思ったが通じないので、見舞いがてらやって来た。

「先生にはお世話になったんですよ。おれたちのために無理くり仕事作って、給料振り込んでくれて」

「おかげで家賃も払えましたし、ホームレスにならずに済みました」

「先生は、おれたちの命の恩人です」

三人は口々に一郎を讃えた。

「もう少しおれらが注意してればよかったんです。人混みで街宣なんかしなけりゃよかった。ネット配信だけにしときましょうって、説得すべきだったんだ……」

桜井が涙目になって呟いた。小西が「先生は回復するよ」と励ました。

「親父は街宣してたのか?」

驚いて桜井たちに尋ねた。

「ええ。選挙運動の予行演習だって」

「絶対に当選したいって意気込んでました」

「経済再生の党から少しでも多くの議員を出して、ＭＭＴっていうんですか？　あれを実行させるんだって」

「早く経済を立て直して、国民を幸福にしたいって言ってました」

「そうか……」

すみません、と看護師たちが小走りに傍らを通り過ぎた。大人数で廊下に固まっていたので、仕事の邪魔をしている。

看護師たちは、廊下の正面にある部屋に入って行った。防護服を身に着けるのがガラス越しに見えた。今、彼女たちがいる部屋がイエローゾーンだ。ここで完全防備し、患者たちのいるレッドゾーンへと向かう。

これ以上病院にいても仕方ないので、退散することにした。母の心労が心配なので、今晩は妹が実家に泊まることになった。

「父さんは頑丈だから、きっと大丈夫だよ」

ビルが無理やり陽気な声で言うと、一同は小さくうなずいた。

ところが翌日、病院から耳を疑いたくなるような連絡が届いた。

容態がさらに悪化したため、人工心肺装置による治療を開始したと、担当医は告げた。

終章　二〇四三年

1

「うわ～っ、凄い。豪華ですね～」

ハイヤーの車内に入るなり、ルクサーナが声を上げた。

「運転手さんがいないんですね。ホント、まるで走る応接間です」

「レベル5に乗るのは初めて？」

詠美が尋ねた。レベル5とは、完全自動で走る車のことである。無論、運転手もいない。

広い車内を見回していたルクサーナの瞳が、突然曇った。

「でも本当に大丈夫なんですか。人がいなくて」

車が動き出すと、ルクサーナは首を伸ばして左右を確認した。車が右折しようとするや、「キャッ」と小さな悲鳴を上げる。

「対向車来ますよ！」

「大丈夫よ」

詠美が笑いながら答えた。

正面から来た大型トラックをやり過ごし、運転手のいないハイヤーは右折し、市の中心を目指した。

「完全自動運転はまだ危険で、運転手は必要だって記事を読んだことがあります」

恐らく組合が、御用ジャーナリストを使って書かせたのだろう。そんなことはない、と詠美が否定した。

「現在の技術では無人走行が可能よ。事故も九十九パーセントの確率で防げる。IOTで繋がっていれば」

「繋がっているんですか」

「ここのようなスマートシティでは繋がってる。でも一般道ではまだ」

「予算が足りないんですか？」

「っていうより、そういうものに予算を付けたくない人たちが、政治家のバックにいるから」

「どうして付けたくないんですか」

「運転手さん、いらなくなっちゃうでしょう」

あっ、とルクサーナが小さく声を上げた。

「いろいろなことを考えなくちゃいけないんですねえ」

「そうね。ところでどう？　この仕事にはもう慣れた？」

「正直、難しいです。お話があった時、本当にわたしでいいのかって、驚きました」

「あなたは努力家だし、柔軟な思考力を持ってるから。それに何より超がつくほど真面目。だから適任だと思った」

目の前に見える富士山に向かって、運転手のいない車は走行した。蕾《つぼみ》が膨らみ始めた山桜が、沿道を覆っている。

「でもあたし、介護士でしたから。畑違いの仕事です。それに外国人なのに、政治家の秘書をやるなんて——」

「まったく問題はないわ」

ルクサーナは、再改正出入国管理法が制定されてから間もない頃に来日した、特定技能資格保持者だ。人権を無視して過酷な労働を強いていた企業を洗い出し、厳しい行政指導をしたおかげで、日本は外国人労働者にとって安心して就労できる国となった。その代わり、在留資格を得るには厳しい考査がある。実技、日本語能力、モラル審査などに加え、介護士を目指す場合は、日本人と同じ国家試験にパスしなければならなかった。

ルクサーナは難関の介護福祉士試験に一発で合格した。足腰が不自由になった母のために、介護会社から派遣されてきたのがルクサーナだった。母が急性肺炎で亡くなるまで、献身的に介護をしてくれた。母はルクサーナを孫のように可愛がった。忙しい合間を縫って、実家に顔を出すと「ルクサーナがいるから大丈夫。あんたはほとんど役に立たないから、帰って自分の仕事をしなさい」と嫌味を言われた。

介護会社の業績が悪化し、人員整理を始めた時、真っ先にターゲットになったのが、外国人労働者だった。

「仕方ないですよ。自国の労働者を守るのは当たり前ですから」

日本人としては申し訳ない気持ちでいっぱいだった。労働基準法には「使用者は、労働者の国籍、信条又は社会的身分を理由として、賃金、労働時間その他の労働条件について、差別的取扱をしてはならない」と明記されている。だから外国人という理由だけで、リストラの対象となってはならないはずだ。とはいえ、あれこれ理由を付け、外国人労働者から真っ先に解雇する企業は少なからずあった。

「解雇補償金もちゃんともらえますし、会社とは争いたくありません。問題は次の就職先です。条件に合うところがなかなか見つからなくて」

「だったらわたしの秘書にならない？」

大きな瞳が、さらに大きく見開かれた。

「冗談はやめてください。詠美さんは偉い政治家なんでしょう。わたしに秘書なんか務まるはずありません」

「正規の秘書は、すでに三人いる。私設秘書として迎えたい。お給料、弾むわよ」

母が孫のように可愛がっていたように、子どものいない詠美はルクサーナを娘のように思っていた。彼女が傍らにいるだけで、心が安らぐのだ。

こうして私設秘書になって早一ヶ月。ルクサーナは着実に進歩していた。

「ここ、本当に未来都市みたいですね」

ルクサーナが建設途上の高層ビル群に目を細めた。裾野に予定されていた一期工事がまだ終了していないうちから、二期工事の計画が持ち上がっている。周辺の地価は高騰し、地主はたちまちビリオネアになった。

「富士山は目の前だし、空気もいいし、何でもそろってるし、理想的な街ですね。でも、家賃が高そうだから、お金持ち専用なんでしょうね」

突然、爆音が轟いて、黄色いスポーツカーが猛スピードで詠美たちのハイヤーを追い抜いていった。

「あれって、ガソリン車じゃないですか? まだあったんですね。禁止じゃなかったんですか?」

「禁止じゃない。でも、もうほとんど売ってないけどね」

今世紀の初めに作られた、シボレーコルベットのようだ。クラッシックカーマニアの間では、かなりの高値で取り引きされていると聞いた。電気自動車が主流になった現在でも、ガソリン車の需要はある。エンジン音がたまらないのだという。ほとんど市場に出回っていないから、購入できるのは一部の金持ちだけだ。

「あの車、IOTで繋がってないですよね」

「そのようね。きちんと取り締まらないとね」

車は市の中心街に入った。ちょうど市民が職場や学校から帰宅する時刻だ。皆、高級そうなブランド服に身を包み、真っ直ぐ前を向いて歩いている。

ショーウィンドウは、早くも初夏の装いで飾られ、オープンテラスは仕事帰りの客で溢れていた。人々の笑い声は、密閉した車内にまで届きそうな勢いだった。

「いいですねえ。日本は豊かで」

ルクサーナがため息をついた。

「わたしの国は、まだまだ貧乏です。だから日本は憧れの的でした。来られて本当によかったと思います」

「でも、この国の経済はずっと低迷していたのよ」

「それ、本で読みました。だいぶ前の話ですよね」

「そうね。かれこれ二十年以上前の話かしらね」

車が目的地に到着した。露木昇《つゆきのぼる》選挙事務所。詠美が所属する民主社会連合が説得の末、擁立した候補だ。静岡第五区で欠員が出たため、補欠選挙が行われる。

選対本部長の桜田が、笑顔で詠美たちを迎えた。

「ご足労感謝します。官房長官」

「ご苦労様です、桜田さん。お元気ですか」

桜田は党が手配した、選挙のベテランである。当選請負人と異名をとっている。

「露木さんは？」

桜田が一瞬、困惑した表情を見せたのを詠美は見逃さなかった。

「事務所で電話の応対に追われています」

「戦況はどう？」

「大丈夫ですよ。勝機は充分にありますから」

露木昇は人気者の弁護士だ。頻繁にメディアに登場し、コメンテーターや法務相談などをしている。三十九歳と若く、女性ファンも多い。

桜田に案内され、事務所に入った。お揃いのTシャツを着たボランティアスタッフたちが、電話で投票を呼び掛けている。一番奥に控えていた露木は、受話器を握る代わりに爪の手入れをしていた。昨今では男性の間でもネイルが流行っているらしい。

詠美に気づくと、露木はゆっくりと立ち上がり、両腕を大げさに広げた。

「これはこれは。官房長官直々に応援に来ていただけるなんて、光栄です」

ルクサーナがチラリと詠美を見やった。

「はじめまして、露木さん。今日はよろしくお願いします」

お辞儀をした際、先方の頭が、自分より上にあることには気づいていた。

「まだ、お時間ありますから。取りあえずこちらにどうぞ」

桜田が気を利かせ、詠美を奥の応接室に案内した。露木は、背もたれに掛けてあった上着を取らず、腕まくりしたYシャツ姿のまま応接室に入った。

知己の桜田と話をしている間、露木はつまらなそうに窓の外を眺めていた。桜田が気を利かせ、話題を振ったが、露木は当り障りのない受け答えをするだけで、会話は弾まなかった。

詠美が目配せすると、勘のいい桜田は立ち上がり「わたくしどもはやることがありますので。秘書さんにもお手伝い、お願いしてよろしいでしょうか？」と同席していたルクサーナに合図し、部屋から出て行った。

「露木さん。率直な意見を伺いたいんですが、今回の出馬はあまり歓迎されていないのではないですか？」

二人が出ていくのを見計らって、詠美が尋ねた。

そんなことはないですよ、と露木は眉をハの字に下げながら首を振った。

「政治には元々興味がありましたし。総理大臣から直々の出馬要請ですからね。今日は首相は——？」

「申し訳ありません。スケジュールの調整がつかず、わたしが代わりに参りました」

「首相は人気者ですからねー」

弱冠四十三歳の花田首相と露木は、同じタイプに属する。二人ともハンサムで年齢より若く見えた。分かりやすい言葉でしゃべり、女性や若年層の人気が高い。

「立ち入った質問をしていいですか？　長官」

「どうぞ」

「首相との仲、上手くいってないと噂が流れてますけど、本当ですか」

またこの話か、と詠美は心の中で舌打ちした。

「そんなことはありません。マスコミがそういう報道を流しているのは知ってますけど、根も葉もない噂ですよ」

「そうですかね。首相と官房長官の、政策に対する考え方の違いが浮き彫りになってるって、新聞記事にもありましたが」

「その記事はフェイクです。花田内閣は挙党内閣ですから。わたしは首相の忠実な参謀です」

露木が大きく鼻を鳴らした。

ドアがノックされ、「そろそろお時間です」と桜田の声がした。露木と詠美が立ち上がり、準備を整えた。

演説場所の、裾野シティターミナル駅には、思ったよりたくさんの聴衆が詰めかけていた。

露木が選挙カーの檀上に上ると、黄色い声援が飛んだ。さすがメディアの人気者。実物の露木を一目見ようと、集まったファンたちだ。最前列には若い女性の姿が目立った。

露木の演説は、中身があるとは言い難かったが、人々は瞳を輝かせ、その低い声に聞き惚れていた。あたしなんか必要なかったのにね、と詠美は思いながらこの光景を眺めていた。

「本日は、素晴らしい方に応援に来ていただきました！」

進行役のスタッフが詠美にマイクを渡した。

「内閣官房長官の園田詠美です。よろしくお願いします」

頭を下げた刹那「引っ込め！」という罵声が轟いた。

「この大嘘つき！」

「裏切者！」

列の後ろのほうで、何やら騒いでいる集団がいた。

ヤジには慣れているので、詠美は動じなかったが、露木はそうではなかったらしい。ソワソワと落ち着きがない様子で、引きつった愛想笑いを浮かべている。

「――露木さんは様々な社会問題に関心を持たれ、我が党にも積極的に政策の提言をなさってくれます。さすが敏腕弁護士さんだなあと思わせる、目からウロコが落ちるような提言も多いです。その中のいくつかは、今後正式に法案として提出を考えています」

露木が雑談で語ったに過ぎないことを、誇張して伝えた。是非とも彼に勝ってもらわなければならない。

「ってことは、露木もあんたと同じ、ファシストってことかっ！」

ひと際大きな声に、皆が振り向いた。後ろの列にいたひげ面の男が、拳を振り上げ、唾を飛ばしている。

「みんな、ファシストに投票なんかするなよ！　こいつらはこの国を亡ぼすつもりだっ！」

スタッフたちが男に近づいた。

「なんだ！　日本には言論の自由があるんだぞ。おれに触ったら、お前ら全員、暴行罪で訴えるからな！」

スタッフは落ち着かせようとしたが、興奮した男は罵詈雑言を止めなかった。

「だからおれ、あの人には来て欲しくなかったんだよー」

露木が詠美を盗み見ながら、側近に耳打ちした。

ルクサーナが心配そうな面持ちで、詠美を見ていた。

2

「近ごろ、ぶら下がりの回数が減りましたね」

詠美が言うなり、花田首相は母親に叱られた子どものように肩をすくめた。

「ぼくは園田さんのように、うまく受け答えできないからねー」

首相は国民の前では「わたし」と言うが、詠美たち側近の前では「ぼく」と地が出る。

「近ごろ絡んでくる記者が増えたし。特にフリーの記者なんかが」

今、世間の耳目を集めているのが、静岡五区の補欠選挙だ。大本命と言われていた民主社会連合公認の露木昇が、まさかの敗北を喫した。無敵と謳われた民主社会連合の、終わりの始まりという声も聞こえて来た。

「もうお帰りですか?」

早くも荷物をまとめ始めた首相に尋ねた。時刻は午後五時半を回ったところだ。

「今日は早めの会食があってね。悪いけど、後は頼みますよ」

六時から官房長官の定例記者会見がある。補欠選挙の件を突っ込まれるのは目に見えていた。

「ぼくより園田さんが話すほうが、よっぽど説得力があるしね」

イタリア人の色男のようにウインクして去っていく首相の後ろ姿を見送りながら、詠美は大きなため息をついた。四十三歳の若き首相。そして彼より一回り以上年上で、女房役の自分。役割分担は最初から心得ていた。穢れ役は引き受ける。党のプリンスは守らなければいけない。

——何はともあれ、昔に比べれば政治はよくなったわ。

二十年前の日本だったら、四十代前半の首相など考えられなかった。西欧諸国では当たり前のことが、儒教を重んじる国家では難しかったのだ。女性議員の数も増えた。それも昔よく見かけた、マッチョイズムに理解を示す振りをしながら男性政治家を巧みに操る「銀座の高級クラブのママ」的議員ではなく、本来の意味で実力のある女性たちが議会に溢れている。

「時間です、長官」

秘書官が執務室に入ってきた。詠美はひとつ息を吸い、椅子から立ち上がった。

会見では思った通り、補欠選挙のことを訊かれた。一昔前の会見では事前に質問状の提出を義務付けていたようだが、今はそんなことはしない。すべてぶっつけ本番だ。記者クラブはとっくに廃止され、ジャーナリストを名乗る者は誰でも受け入れている。

「応援演説中、かなり辛辣なヤジが飛んで来たそうですが、本当ですか」

女性の記者に訊かれた。つい一ヶ月前から会場に現れるようになった、フリーの雑誌記者だ。敵視されているのが、ヒシヒシと伝わってくる。

「そうですね。ヤジはありました」

「下馬評では露木候補は、当選確実でした。落選の原因は、応援演説が混乱したせいという声も聞こえてきますが、その点、どのように思われますか？」

「露木さんは、有力な候補でした。当選できず非常に残念に思います。では、そちらの方——」

次の質問者に移ろうとしたが、女性記者に遮られた。

「今の内閣がやっていることは、二十年前に政権与党となった、民主社会連合が推し進めて来た政策とは真逆のものです。これに不満を持った国民が、与党公認の露木候補を選ばなかったということは、考えられませんか？」

「憶測で答えるのは控えさせていただきます」

「長官が剛腕を発揮して、様々な改革を実施してきたともっぱらの噂です。閣議では反対意見も出たが、強引に押し通したと。長官と総理の不仲説も聞こえてきますが、真偽のほどはいかがですか」

「首相とわたしは一心同体です。仲たがいなどしていません」

「では、首相も住宅手当の減額や、公務員の削減に賛成という立場ですか？」

「仕方のないことだと言っておられました」

「あなたが首相を説き伏せたといわれています。首相は元々、反対だったのではありませんか」

今度は別のジャーナリストの質問だ。

「そんなことはありません。首相もわたしと同じ考えです」

「そうですか？　先日の記者会見の際、首相は過度な引締め政策には、慎重な態度を示していましたよ」

自分がアクセル役。そして首相がブレーキ。これで政策への不満が少なくできるなら構わない。

それから後も、様々な質問を浴びせられた。答えられる質問には真摯に回答し、それ以外のものは、のらりくらりとやり過ごした。

「それでは答えになってないでしょう！」

と興奮する記者もいたが、ポーカーフェイスを保った。本当のことを言っても、どうせ納得してはくれないだろう。

「それではそろそろ時間ですので、これで失礼させていただきます」

檀上から降りようとするや「まだ話は終わってません！」「与党の支持率低下をどのようにお考えですか」「これじゃ自民党と同じだ！　先の選挙で投票した人は、裏切られたと怒ってますよ！」とあちこちから声が飛んだ。官邸スタッフが記者たちをなだめ、退室を促しているのを尻目に、詠美はそそくさと執務室に戻った。

明日もこの調子では先が思いやられる。以前は日に二回だった官房長官の会見を、一回に留めたのが唯一の救いである。

九段下にある議員宿舎は、官邸から車でわずか五分の距離だから便利だ。本宅は選挙区の横浜にあるが、官房長官就任以来ずっとここに留まっている。

宿舎に着くと、着替えもせずキッチンに直行した。冷蔵庫から冷えたシャブリを取り出してグラスに注ぎ、どかりと居間のソファーに腰を下ろす。テレビを点けると、ドキュメンタリー番組をやっていた。

行楽客でにぎわう地方で就労する若者たちの奮闘記。インタビューに答えているのは、地元の郵便局に就職したUターン組の青年だ。郵政を再国営化し、過疎の地域にも利便性が戻った。首都圏からの移住組も増え、田舎は古き良き時代の活況を取り戻しつつある。

「そういえば、組合がスト権をよこせとか言ってたわね」

日本の公務員はストライキを禁止されているが、欧米では軍隊以外は認められているところも多い。フランスで国鉄職員や消防士が大規模なストライキを行い、大変なことになっているというニュースを、先月やっていた。

日本の公務員の賃金は海外に比べ、決して低いほうではない。だから大人しくして欲しいと願うのは、権力者の傲慢だろうか。

公務員だけではなく、民間の労働組合の力も強くなったと言われている。以前は労使協調型の組織だったが、今や闘いがメインだ。妥協なき待遇改善や賃上げ要求をしてくると、経営者が嘆いているのを聴いたことがある。日本人が欧米化しているせいだろう。

チャンネルを変えると、今度は盛り場の様子が映っていた。高そうなブランド物のスーツやドレスに身を包んだ若者たちが、ステージで踊り狂っている。学生客がメインのクラブだという。中には高校生や中学生まで混じっているらしい。奨学金返済で汲々としている貧乏学生を知っている世代からすれば、信じられないような光景だった。

「でもこれって、懐かしい。ずっと前、見たことがある」

詠美がまだ小学校低学年だった頃、お兄さんやお姉さん世代が、今の若者そっくりの生活をしていた。そして小学校を卒業する頃バブルが弾け、多くの金融機関や企業が倒産した。詠美たちはロスジェネ世代などと呼ばれ、まともに就職すらできないような状況に陥った。

画面が切り替わった。クラブ正面の六本木通りを、引いたズームで映している。路肩に停まっているのは、高級電気自動車ばかりだ。今の学生は、あんなものを乗り回しているのか。

「ホント。八〇年代後半とまるで同じだわ。あれから半世紀経って、同じことが起きるなんて。正に歴史は繰り返すのね」

詠美はため息をつきながらワインを飲み干した。心地よい酔いが回ってくる。普段ならここで止めるところだが、二杯目をグラスに注いだ。今日は金曜日。週末は久しぶりに地元に帰る。

3

土曜日の昼前に、横浜の事務所についた。九段下から横浜までは、道が空いていれば一時間もかからない。

事務所では、ルクサーナを初めとするスタッフたちが、ゆったりとした時間の中で働いていた。霞が関では緊張の連続だが、ここには安らぎがある。

ルクサーナの席に近づき「おはよう」と挨拶した。パワーポイントと格闘していたルクサーナが、パソコンから顔を上げ「おはようございます」と小さく言うなり、すぐ画面に戻った。どことなく元気がない。昼ご飯に誘ったが、予定がありますから、と素っ気なく断られた。

午後になっても、ルクサーナの態度は変わらなかった。三時から地元後援会での会合があり、その後、街頭演説をする予定だ。これらすべてに同行するのに、こういう状態では困る。

ルクサーナを応接間に呼び、扉を閉めた。いつもなら顔いっぱいに笑みを浮かべ、こちらを見るのに、今日は応接テーブルの一点に視線を落としている。

「単刀直入に言うわね。あたし、あなたに何かした？」

いいえ、とルクサーナは目を合わせず答えた。

「あなたが真面目で努力家なのは知っている。能力も申し分ない。そんな娘がどうして、こんな子どもっぽい態度を取るのかしら」

ルクサーナがゆっくりと顔を上げた。黒く大きな瞳が、真っ直ぐに詠美を見すえる。

「長官、いえ、詠美さんには感謝してます。職を失ったわたしを、政治のことなんかまったく分からない外国人なのに、秘書に雇ってくださるなんて、身に余る光栄でした」

「あなたはすごく気配りができるから。母もあなたがケアしてくれたお陰で、安心して旅立てたと思う。私設秘書にはそういう能力が必要なのよ。政治の勉強は、働きながらすればいい。仕事の量が多すぎるなら減らす努力をする。給与を上げてもいい。そういうことが原因なら、何でも言ってちょうだい。できる限りのことはするから」

「いいえ、お給料は充分過ぎるほどいただいてますし、仕事もそれほどハードではありません。介護士をしていた時の方が、ずっとストレス溜め込んでました。そういうことじゃないんです……」

この数週間、詠美に関する過去の記事を検索しては読んでいたという。

「詠美さんがあの大事件から生還され、議員に初当選された頃の記事は、ほとんどすべてが好意的でした。官房長官に抜擢された時は、祝賀ムード一色でした。まるで皇室の誰かが、成婚なされたような騒ぎだったです。なぜ官房長官ではなく、首相にさせないんだって記事もありました。

あたし、こんな凄い人の秘書になるんだって、背筋がゾクッとなりました。でも──」

最近の記事にはネガティブなものが多い。あの頃の熱狂がまるで嘘のようだ。大嘘つき、変節の人、鉄の女、ファシスト、恥さらし、ｅｔｃ、ｅｔｃ……。ありとあらゆる罵詈雑言が並べ立てられている。

「露木さんの応援演説に行くまで、記事は根も葉もない捏造《ねつぞう》だと思ってたんです。詠美さんを追い落としたい野党とか、与党の反主流派がそういうこと言いふらしているだけだと。だって詠美さんは嘘つきじゃないし、ファシストでもないもの。でも、露木さんは詠美さんのこと、本当に迷惑がっていたようでしたし、興奮した聴衆のヤジには、すごくびっくりしました」

「当選確実って言われた露木さんは、落選しちゃうしね。マスコミにはあたしのせいだと書かれたけど、ルクサーナはどう思うの？」

「分かりません。本当にそうなんですか？」

「そう……かもね」

「教えてください。詠美さんは嘘つきなんですか」

「嘘つきじゃない」

「じゃあどうしてみんなが嘘つきって言うんですか？」

「状況が変わったから、政策を変更せざるを得なくなったの。だから二十年前政権を奪取した民主社会連合が、公約したことを今は破ってる」

「何を公約して、どうして破ってしまったんですか」

「それは、あなた自身で調べてみて」

「やってみますけど、あたしネイティブじゃないから、誤読するかもしれないし……」

「それでもやってみて」

ルクサーナに話しても理解してくれるとは思えなかった。これは彼女の日本語能力や、政治経済の知識の問題ではない。経済に精通した日本人の中にも、なぜそんな水を差すような真似をするんだと憤る者はたくさんいる。

「そろそろ時間ね」

後援会との会合のため、事務所を出た。会合場所の地区センターは、歩いてすぐの距離だ。近ごろ後援会とも上手く行っていない。理由は、言うまでもなく昨今の詠美の変容ぶりにある。

「官房長官にまでなった偉い方に、あまり失礼なことは言いたくないのですがね――」

前置きしてから後援会長が話し始めた。

「あなたは改革と称して引締めばかり行っている。わたしらが、亡くなったあなたのご主人と、その継承者であるあなたを支持してるのは、景気を回復させてくれると信じたからです」

「景気はもう充分に回復してますよ。むしろ過熱気味です」

「それこそ、あなたや政府の功績じゃないですか。過熱してどこが悪いんです。格差は縮まり、若年人口が増え、失業者も減った。このまま、もっともっと突き進めばいいんです。かつての日本がそうであったように、世界が羨む豊かな国。ジャパンアズナンバーワンを取り戻しましょうよ！」

「……」

やはり話がかみ合わない。

「そろそろ解散総選挙があるって噂じゃないですか。近いんでしょう？」

「そうかもしれませんね」

花田首相は、政権の支持率がこれ以上下がらないうちに、とっとと解散する腹積もりだ。支持率低下の原因は、詠美が音頭を取って、改革を進めているからに他ならない。官房長官の首を挿《す》げ替えろという声も聞こえてくる。

「まさか次の選挙で、現職の官房長官が敗れるなんてことはあってはならないですよ。ですが、区民が徐々に長官から離れてます。自民党の若手ホープが、対抗馬として神奈川三区から立候補するという噂も耳にしました。ともかく、区民の気持ちをこちらに引き戻さなければなりません」

街頭演説の時間になった。予定されている場所は、駅前の広場だ。ＪＲ四路線が乗り入れている大規模な駅だから、それなりに人通りがある。詠美が来ることは事前に通告されていたので、広場にはすでに聴衆が集まっていた。

選挙運動のつもりで、バッチリお願いしますよ、と後援会長が釘を刺した。詠美はうなずき、車から降りた。ルクサーナが後に続く。街宣に立つのは、露木候補の応援演説以来だ。

人波がどっと押し寄せ、警護官が慌てて詠美をガードした。乱暴に群衆を押しとどめようとするので、注意した正にその時だった。「危ない！」と叫ぶルクサーナの声を聞いた。

倒れ込んだルクサーナの後ろには、痩せた若い男がいた。男の手には、血の付いたナイフが握られていた。

4

ルクサーナを刺したのは、十七歳の少年だった。父親と二人暮らし。もう随分前から学校には行かず、部屋に引きこもっていたらしい。

少年が狙ったのはルクサーナではなく、詠美だった。少年のパソコンをチェックすると、詠美に対して批判的な記事を掲載するサイトに、頻繁にアクセスしていたことが分かった。

取り調べでは、別の女性を刺してしまったことについては謝罪しているが、詠美を狙ったことについては後悔していないという。

「今、官房長官を殺らなければ、日本はもうダメになると思った」

と少年は語っているらしい。

ルクサーナが少年の凶行から守ってくれたのだ。幸いにも彼女は一命を取り留めた。肩と背中に十針縫う傷を負ったが、動脈に損傷はない。事件後、すぐに近くの病院で手当てを受け、今はベッドで眠っている。しばらく入院するという。

翌日、面会時間が始まる時刻に、詠美は病室を訪れた。ルクサーナはベッド脇に備え付けられたテレビで、ニュースを観ていた。肩と胸に巻いた包帯が痛々しいが、元気そうだ。

「傷は痛む？」

「それほどではありません。大丈夫です」

「あなたは命の恩人よ。でも、もうあんな危険な真似はしないで。あたしは還暦過ぎたおばあちゃんだから、いつ死んでもいい覚悟はできてる。でもあなたは違うでしょう。未来があるんだから、命を大切にしないと」

「ひょろっと背の高い、普通の少年でした。あんなことするなんて、まったく思えない雰囲気だったのに。いきなりポケットからナイフを取り出すのが見えたから、身体が勝手に動いたんです」

「怖くなかったの？」

「あたしが生まれた村では、荒っぽい人たちがたくさんいましたから、このくらい、へっちゃらです」

「本当にありがとう。何とお礼を言っていいやら、分からない」

「お礼はいいです。それよりも教えてもらいたいです」

「何を？」

「すべてです。この間、詠美さんはあたしに自分で調べろって言いました。でも調べたって分からないことは、分からないです。記事を読んでも本人が語ったわけではないですから、本当のことは書かれていないんじゃないですか。どうして詠美さんは、少年が殺そうとするほど憎まれているのか、秘書として知る権利があると思います」

「――分かった。どこから話そうかしら」

「それは、詠美さんにお任せします。すべての発端から知りたいです」

すべての発端――。

昏睡状態から奇跡の生還をし、夫の後を継いで政治家になった時からか。いや、もっと前かもしれない……。

「わたしの夫が政治家だったことは知ってるでしょう」

「ええ。亡くなられたご主人の代わりに、詠美さんが立候補して政治家になったことは記事で読みました」

「夫とわたしは、いわゆる活動家をしていたの。MMT理論って知ってる？」

「ええ。名前くらいなら」

「今から二十年以上前、自民党が政権与党だった頃の経済政策は間違っているとわたしたちは考えていた。MMT理論に基づく政策に転換すれば、長年続いたデフレ不況から脱却できると説いて回っていたの」

しかし、いくら草の根運動を広げようと、それだけで世の中が変わるわけではない。政策を変えるためには、政治を変えなければならない。

「新党が立ち上がって、夫と夫の父親が仲間に加わるよう誘われた。わたしの夫――その頃はまだ夫じゃなかったけど――は政治家が大嫌いだったから当初、乗り気ではなかった。でも元経産官僚だった夫の父親は合流した。もう七十に手が届こうとしていたのに、新人として衆院選に立候補するつもりでいたの。だけど、ちょうどその頃、新型コロナウイルスが全世界で猛威を振るっていた」

「あたしが生まれて間もない頃ですね。コロナの怖さは両親からよく聞かされていました」

「これからという時に、舅はコロナウイルスに罹患したのよ」

当初は微熱があっただけだったのに、容態は急変した。すぐに人工呼吸器が必要になり、翌日には人工心肺による治療が始まった。これがコロナの恐ろしいところだ。

誰もが最悪の事態を予想した。しかし、一郎は驚くべき生命力で快復した。

「元々頑強な人だったから。だけど後遺症は残った」

味覚が戻らず、食欲が減退し、見る間に痩せ細ってしまった。肺の損傷も残ったため、いつも苦しそうに咳き込んでいた。

「とても選挙なんてできる状態じゃなかった。たとえ当選できても国会議員の激務には耐えられなかったでしょうね」

それでも一郎は立候補にこだわった。止められるのは、息子の太一しかいない。

太一は、なぜそんなに政治家になりたいのかと父親に問うた。父親は償いだからと答えた。

「日本をこんな国にしてしまった責任の一端は、官僚だったおれにもある。また生かされたんだ。これで二度目だぞ。つまり目的を達成するまで生きていろと、天から啓示を受けたんだ」

一郎は悪性の脳腫瘍も克服していた。

「歩くのもままならない父親の意思を継げるのは自分しかいないって、夫は遂に目覚めた。自分がやるから、静かに療養していてくれって、父親を説き伏せたの」

「その時が初めての立候補なんですか」

「ええ。知名度はあったけど、政治経験はゼロの新人だから、小選挙区での当選は難しいといわれてた。でも結果的に圧勝だった」

「凄いですね」

「コロナが味方してくれたのよ」

二〇二〇年冬から二一年春にかけて、第三波の流行が日本を襲った。第一波や二波に比べ、変異したウイルスは強毒型で、感染力も強かった。国内の感染死者は三万人を超え、人々を恐怖のどん底に落とし込んだ。

コロナによる倒産は、表に出ていない分も含めれば、数万件に及ぶといわれ、二〇年第四四半期のGDPは、年率換算で四十パーセントも下がった。十万件を超える、解雇や雇い止めも起きた。

しかしながら国は依然として、有効な手立てを打てずにいた。相変わらず国民に手洗いや自粛を促し、スズメの涙ほどの給付金を与えるだけで、のらりくらりとやり過ごした。記者会見で具体的なコロナ対策を訊かれても、木で鼻をくくったような応対をするばかりだった。

内閣支持率は、三十パーセントを割った。こうなると解散総選挙どころではない。解散したら過半数を失うリスクがあるため、自民党は衆議院議員任期満了まで選挙を先延ばしせざるを得なかった。

政府が逃げ回っている間、太一はPCR検査の拡充と、医療インフラの整備を訴え続けた。人々が安心して暮らせるよう、国民全員に検査を実施し、休職しても問題なく生活できるレベルまで、補償を引き上げよと論じた。

当然、財源はどうするんだという議論が起きた。そのためのMMTではないかと太一は切り返した。

開催を延期されていた東京オリンピックが、世界規模の感染拡大のせいで中止せざるを得なくなると、自民党の敗北はもはや決定的となった。

過去一度しか行われていない任期満了に伴う総選挙で、自民党は一八五議席を失うという歴史的大敗を喫した。与党の地位についたのは、新生民主党を始めとする連立政党である。太一が所属する経済再生の党も一翼を担っていた。

「それから日本が変わったんですね」

「出だしは順調だったわ」

政権を取った直後、ご祝儀のように、コロナワクチンの治験が終わり、一般の使用が可能になった。翌月には有効な治療薬も完成した。開発したのは、日本の製薬メーカーだった。

爆発的感染は治まり、人類は経済活動を再開した。ロックダウンも国境封鎖も解除され、待ってましたとばかりに人々は移動を開始した。外国人ビジネスマンや旅行客が戻って来て、街中は人々で溢れ、消費も活発になった。

「でも一定レベルまで上がると、すぐに頭打ちになった。コロナ以前から景気が低迷していたから。経済再生の党は消費税を引き下げろと声を上げたけど、政府は腰が重かった」

「新政権になってもですか？」

ルクサーナが眉をひそめた。

「元々消費増税で自民・公明と合意した党の流れを汲んだ新党が、親玉だったからね」

景気対策も充分とはいえなかった。毎年ゲリラ雷雨や大型台風に見舞われていたから、大規模な資金を投入してインフラの再整備を行うべきなのに、遅々として進まなかった。

「新生民主は旧民主党時代、〝コンクリートから人へ〟というスローガンを掲げて、事業仕分けを行っていた過去もあるから、公共事業には慎重だった。利権が渦巻く無駄な工事をやるなというのは、分からなくはないけど、すべての公共事業が無駄という考えはおかしい。むしろやらないことのほうが悪よ。夫たちの党と新生民主は事あるごとに対立した。そして遂に、連立を離脱したの」

「それ、本で読んだことあります。離脱した経済再生の党に合流した党や議員が、たくさんいたそうですね。ご主人のカリスマ的人気に惹かれたって書いてありました」

コロナが収まってから、太一は全国を巡り、市井の人々と対話を繰り返してきた。生活に困窮している彼らの生の声を、できる限り多く吸い上げようと努力を惜しまなかった。

時には激しいヤジに晒されることもあった。物を投げられたり、唾を吐きかけられたりすることも。太一は敵意を剝き出しにした群衆を優しい瞳で見つめ返し、

「わたしが憎ければ、もっと唾を吐いてかまいません。世の中がよくならないのは、わたしたち政治家の責任ですから。いつかあなたをきっと幸せにしてみせます」

と答えた。

「まるでイエス・キリストですね……」

「元々舞台俳優だったから、人前で喋るのは得意だった。でも演技をしていたわけじゃない。ありのままの自分を、民衆の前にさらけ出していたの。裏表はまったくなかった」

だから太一は信用された。

非正規、無職、障害、難病といったハンデを抱えていても、将来の不安なく暮らせる豊かな社会。そんな社会を実現するため、あなたの前面に立って戦い、あなたをあらゆる理不尽から守る——。

熱く語る太一のファンは、日に日に増えていった。詠美は第一秘書となり、太一を献身的に支えた。

「その頃、すでにご結婚なされていたんですか？」

「立候補と同時にプロポーズされた」

参院選で、経済再生の党は四〇議席を確保するという偉業を成し遂げた。一年前、僅か十数人から始めた政党が、これほど短期間で躍進した例は他にない。

予算委員会の質問で、太一は財務大臣に「日本は財政破綻するか？」と単刀直入に質問した。大臣が「現状のまま赤字が膨らめば、危険水域に達する」などと言葉を濁していると、二〇〇二年に財務省自ら「日・米など先進国の自国通貨建て国債のデフォルトは考えられない」と通達しているではないかと詰め寄った。

「このまま赤字国債を発行し続けると、日本は本当に破綻するんですか？　それはいつですか？　破綻したら国家はどうなってしまうんですか？　具体的にお答えください」

同席した事局長も、具体的には答えず、得意のご飯論法で逃げた。何度もしつこく問い詰めたが、明白な答えは得られなかった。

このことはネットでも話題になった。

もしかしたら、財政破綻などありえないのではないか？　政府は国民に金を出すのをケチっているだけではないのか？　国民の懐を犠牲にして、国家財政を守ろうとしているのではないか？いや、単に意地悪をしているだけではないのか？　補助金やら給付金を与え過ぎると、国民は味を占めて、事あるごとに国に金をせびろうとする、ゴロツキになるとでも思っているのではないのか？

「ふざけるな！　国民を馬鹿にするのも大概にしろ！」

「自国の民を信じられないのか？」

「国民より政府のほうが信用できないだろう。四半世紀経済成長してないんだぞ。誰の責任だ！」

「どうせ日本は落ちるところまで落ちたんだから、今度は山崎にやらせてみたらどうだ？」

国民の声を受け、二〇二四年の解散総選挙では、経済再生の党の流れを汲んだ「民主社会連合」が過半数の議席を獲得した。内閣総理大臣に指名された党首の蓮尾は、官房長官に太一を抜擢。首相補佐官に中村正章教授を迎えた。

太一たちはエンジンを全開し、政策を実現していった。

最初に取り組んだのが、防災対策だ。毎年、豪雨や台風による被害が出ているにもかかわらず、遅々として進まなかった河川改修や、堤防、放水路の建設などを急がせた。

道路やトンネル、上下水道、港湾などの社会インフラ老朽化対策にも積極的に取り組んだ。ちまちまと設備点検をするのではなく、耐用年数を超えた老朽施設は破壊し、新たな施設に建て替えさせた。

土木建築業界は狂喜したものの、同時に人手不足に悩まされた。不法な外国人労働力に頼ろうとする企業もあったので、厳しく取り締まった。その代わり、インフラ整備事業はロングスパンで行うものであり、国は財源を保証すると確約した。そして規制を強化し、企業同士の競争を抑制した。

将来不安から解き放たれた企業は、人手不足を補おうと、積極的に雇用を開始した。幹部候補生が必要になったため、非正規より正規の採用が増えた。

次に行ったのが、大幅な減税と社会保障の拡充だ。

議会の猛反発を押し切って、消費税を期限付きで5％にまで下げさせた。医療費の自己負担分を一律一割に引き下げ、国民年金を一人あたり月十万円に引き上げた。

若者の貧困対策としては、まず有利子奨学金の利息を免除させた。高校無償化についても、細かい条件を取っ払い、授業料を全額国が補助することにした。最低賃金を全国一律三割引き上げ、割り増し分は政府が補填した。

更に、フランスの少子高齢化対策を参考にし、子どもを三人以上持つ家庭には大幅な所得減税や、年金加算を行った。

こんなに大盤振る舞いをしたら、国の財政は益々ひっ迫する。とはいえ、識者たちは相変わらず「財政赤字が拡大すれば民間資金が不足し、金利が上がる」などと言っていたが、金利上昇などまったく起こらなかった。事実は逆で、財政赤字が増大すれば、その分民間資金が増えるだけだからだ。

主流派の経済学者の憂慮とは裏腹に、政府の財政支出を増やせば増やすほど、ＧＤＰは伸びていった。まるで財政支出にＧＤＰが連動しているかのように、ぴったりと同じ傾向を示したのだ。

つまり、政府が金をばらまけばばらまくほど、景気は回復していったのである。

「日本はもう成熟期に入ったから、これ以上成長しないなんて、したり顔で言ってた人たちがかつていたけど、とんでもない。ＩＴでは出遅れたものの、これは日本人のレベルが下がったからではなくて、景気のせいだったのね。その証拠に、祖国を見限って海外に流出していた日本の頭脳が戻って来て、再び日本は技術立国に返り咲いたでしょう。政府が本腰を入れて景気対策を行ったおかげよ」

「政府というより、ご主人のおかげじゃないですか。ご主人が先頭に立って、改革していったんでしょう」

確かに太一がいなければ、現在の景気回復はありえなかっただろう。小泉政権や安倍政権に勝るとも劣らない強引な手法で、太一は改革を推し進めていった。その結果、国の救世主と崇められた反面、数々の敵も作ってしまった。

「だからあんなことが起きたんですね……」

三年前、知事選挙の応援演説に出かけた太一に悲劇が襲いかかった。

爆弾テロである。太一とその支持者に恨みを抱いていた狂信的な権威主義者が、演説会場に爆弾を仕掛けたのだ。

太一が演説中に爆発が起き、死者七名、重軽傷者数十名を出す大惨事となった。死者の中には太一も含まれていた。太一の後ろに控えていた詠美は意識を失い、そのまま昏睡状態に陥った。

「どのくらい眠ってたんですか？」

ルクサーナが訊いた。

「九ヶ月よ」

ルクサーナが息を飲んだ。

「九ヶ月もですか？　正に奇跡の生還ですね」

「みんな、もう覚醒しないってあきらめていたみたい」

「昏睡している時って、意識はどうなってるんですか？　例えば、ええと……三途の川でしたっけ？　ああいうのが見えたりするんですか？」

詠美は首を振った。

「そういう冥界みたいなものは見えなかった。その代わり、長い長いやたらにリアルな夢を見ていた。目覚めた時、夢の続きと思っていた現実が、夢とはかけ離れていたから、しばらくは適応するのに苦労したわ」

「どんな夢だったんです？」

「一言でいえば、ディストピアね。人口が減って、若者がほとんどいない世界。景気は低迷して、街中は失業者で溢れていた。犯罪やテロ事件が頻発して、とてもじゃないけど、夜間に女性が一人で出歩けるような環境じゃなかった」

なぜそんなことになっていたのかといえば、太一が改革を起こさなかった世界だからだ。

「夢の世界にはあなたもいたわよ、ルクサーナ。あなたは現実と同じ介護士で、わたしはなぜか看護師だった。わたしたちはペアで仕事をしていたの」

「なんか凄くリアルですね。で、あたしたちどうなるんですか？」

ルクサーナは興味津々のようだった。

「わたしは爆破事件に巻き込まれた。これも現実と同じ。但し、狙われた主人は官房長官ではなく、元政治家だった。それに、わたしは彼のことを知っていたけど、結婚はしていなかった。あなたは――あまり言いたくないわ。しょせん夢の中の出来事だしね」

それでも聞きたいというので、見た事をありのまま伝えた。勤めていた介護会社を追われ、麻薬密売や、風俗に身を染めたと。ルクサーナは「まあ、堕ちていく外国人女性のステレオタイプですけどね」と鼻を鳴らした。

「ディストピアの日本では、外国人労働者は馬車馬のようにこき使われていたから。彼らは最低賃金以下で働かされ、社会保障も満足になかったのよ」

「現実の日本からしたら、信じられないような話ですね。日本はビザの審査は厳しいけど、いったん受け入れられたら日本人とまったく同じ条件で就労できるじゃないですか。法律違反した企業は厳しく取り締まられるし。だから、わたしの国でも日本の人気は断トツでした。

それで詠美さんは爆発に巻き込まれて、どうなっちゃうんですか？」

「主人、いえ、山崎太一が街頭演説している時、爆発が起きて、被爆した彼を看護しているうちにわたしの意識は飛んだ」

「それで目覚めたんですか？」

「いいえ、まだまだよ。九ヶ月も眠り続けていたんだから、続きがある。わたしは夢の中で目覚めたの。つまり、目覚めたのもまた夢だったわけね。わたしの意識は四十年前に飛んでいて、二十歳のわたしの頭の中で六十歳のわたしが覚醒したの。つまり見た目は二十歳なのに、中身は六十のおばあちゃんになってたってわけ。で、あたしはそこで二十歳の主人を探し出して、導こうとする。彼に、傾いていく国を立て直す人材に育って欲しかったから。日本がディストピア化するのを何とか食い止めて欲しかった。何よりも、彼に爆死なんかして欲しくなかった――」

　実際は、高校の同級生だった太一と大学生の時に再会し、その後紆余曲折を経て、付き合うようになったのだった。

　詠美は大学卒業後、契約社員として働きながら、中村教授のアシスタントをしていた。教授が提唱するMMT理論に魅せられた。混迷する社会を救うには、この方法以外ないと思った。

　高校卒業後役者となった太一が、社会活動家として目覚めた時、詠美は彼を中村教授の元に連れて行った。太一は教授が説く理論を驚くべきスピードで吸収し、世間に広める一翼を担った。役者の太一は、プレゼン能力に関しては中村教授より長けていた。

「走馬灯のように過ぎて行った過去の人生の大部分は、現実とあまり乖離していなかった。なかなか政界に打って出ないのでイライラしたことや、太一の父が新型コロナに感染して立候補を断念せざるを得なかったこと。父親の意志を継いで、総選挙に出馬したこと――。

この辺りから夢の記憶が飛んでいるから、恐らく目覚めたのね。現実社会が夢で見たディストピアとは真逆になっていたことにほっとした。太一がやってくれたんだと思った。

それから徐々に記憶が戻って来て、わたしは秘書として官房長官の夫を支えながら一緒に改革を進めていたことを思い出した。応援演説中に爆弾が炸裂して、現実世界の記憶が夢の中の記憶にすり替わったことも。そして、夫が夢の中同様、死んでしまったことも知った……」

詠美が目覚めたのは、折しも解散総選挙があるのではと噂されていた時期だった。詠美の体調が万全なことを確認した党執行部は、死んだ太一の代わりに立候補してくれないかと打診してきた。

「あなたなら絶対に勝てる。いや、あなたが出なければ勝てない」

首相の蓮尾や閣僚の面々、党執行部、太一の後援会、それに多くの国民の期待を担い、詠美は小選挙区での立候補を決意した。結果は二位を十万票以上引き離す圧勝だった。

蓮尾は一年生議員に過ぎない詠美を、官房長官に異例の抜擢をした。彼女が夫と二人三脚で政策を進めてきたことを知っていたからだ。党内から反対意見はなかった。世論も好意的に捉えた。

「皆、わたしが夫の路線を継承するものだと思っていた。もちろん、わたしはそのつもりで引き受けることにした。夫がやり残した仕事を終わらせるのが、わたしの役目だから」

「だったらなぜ、変節してしまったんですか。ご主人が進めていた政策と、真逆のことをしているんですか？」

持病が悪化した蓮尾が政界を引退し、後を引き継いだのが民主社会連合のプリンスと呼ばれた花田だった。

若くてハンサム、スタイル抜群の花田は、アイドルを凌ぐ人気を博していた。彼が総理大臣に就任したのをきっかけに、詠美は動き始めた。

「日本の財政収支が、そろそろ危険水域に達しようとしていたからよ」

二〇四一年から、日本の財政は黒字になった。民間も黒字、財政も黒字という異常事態だ。どこかで見たことにある状況だった。一九八〇年代後半、バブル経済前夜と正に同じではないか。

「民間金融機関が、野放図な信用創造を行っていた。つまりろくな審査や担保もなしに、お金を貸しまくっていたの。簡単に融資を受けられる企業はあらゆるものに投資を始めた。その結果、物価が高騰したでしょう」

「でもそれって、景気がいいってことじゃないですか？」

「景気がいいのは、緩やかなインフレの時。でもインフレも度を越えてしまうと、デフレとおなじくらいやっかいな代物になる。あなたは知らないと思うけど、かつての日本にはバブル景気というものがあったの。信用膨張が起きて、不動産や株の価格が異常に高騰した。それと似たようなことが、起こり始めているのよ。おまけに今回は不動産や株ばかりではなく、あらゆる物の価格が上昇している」

「ハイパーインフレってやつですか？」

「戦時中じゃあるまいし、まさかそんなことになるとは思わないけど、なってからでは遅い。バブルの時は、理論価格からはかけ離れた資産価格を更新し続けた挙句、ある日突然信用収縮、つまりバブル崩壊が起きたの。一夜にして株は紙くず同然になり、都内の一等地は、郊外の駐車場並みの価格に下落してしまったのよ。こんな事態は絶対に避けなければならないでしょう」

「……そんなことがあったなんて、知らなかったです。勉強不足でした」

「はっきり言えば、今の世の中、ちょっとおかしくなってきている。労働組合の力が強くなって経営者は萎縮してるし、多くなり過ぎた役人は仕事を持て余して遊んでるし。業者と癒着して、公共事業の利権にあやかる政治家も後を絶たない。国民は手厚い社会保障のもとで、キリギリスのように人生を謳歌している」

「だから引き締めるってことですか？」

「道徳的な話をしてるんじゃないのよ。これは経済理論に則ったこと。かつてわたしたちが行っていた政策——産業や労働者を保護して競争を抑制したり、グローバル化にブレーキをかけたり、大規模な公共投資を行ったり、減税して社会保障を拡充したり——は、すべてデフレ対策。インフレになった今は、これらとは正反対の政策が必要になるの。つまり、規制を緩和して企業や労働者を競争させ、小さな政府にして公共事業を減らし、増税する。昔と違って、皆充分に体力があるから、耐えられるはずよ。景気の過熱をストップさせるにはこの方法以外ない」

「それって、大昔、自民党や民主党が行っていたことでしょう」

「そうね。彼らはデフレ時に必死になってインフレ対策を行っていた。でも、今こそ彼らがやっていた政策が必要になるのよ」

ルクサーナがしばらく考えた後、口を開いた。

「――詠美さんが変節の人になった理由がよくわかりました。すべて国のため、国民のためだったんですね。今わたしに話したようなことを、広く国民に知らしめるべきです。詠美さんは誤解されてます」

「だけど、果たして皆は理解を示してくれるかしら。政府や党はあまり現状を変えたくないようだし。まあ、そうでしょうね。今まで、国民に大人気の政策のおかげで、高い支持率を得て来たのに、その根底を覆すようなことになるんだから。彼らとは危機感を共有してるけど、『まだ早い』とか、『慎重に事を進めるべき』とか言うばかりで、どうにも腰が重いし」

「だからって詠美さん一人悪者になるなんて、ひど過ぎます。どうしてこうなっちゃうんですか？つまり、あたしが言いたいのは、自助努力で世界が変わらないかってことです。政府が色々規制したり、援助したりしなくても、国民の力で、そこそこ豊かで平等な社会を実現することは、できないものでしょうか」

「わたしのおばあちゃんは東北の寒村出身で、大正時代に生まれたの。西暦で言えば、二十世紀の初めころね。小さい頃、おばあちゃんの昔話を色々聞かされた。生まれ育った村では、自分の子どもを養子に出す代わりにお金を貰ったり、女たちは朝から晩まで死ぬほど働かされて、家長には絶対服従を強いられたりしたって。女が意見なんかしようものなら、有無を言わさず殴られたらしいわ。今から思えば信じられないくらいの人権無視、野蛮な社会だったでしょう」

「わたしの国でもかつてはそうでした」

パキスタン生まれのルクサーナがうなずいた。

「母が生まれた時は、戦後十年くらい経っていて、さすがに祖母の時代ほどひどくはなくなったけど、女・子どもは基本、おとうさんに従わなければいけなかった。おとうさんにゴミ出しをさせるなんて、ありえない時代だったらしい。そんなことをしたら、近所中の噂になったって。婦人参政権は、終戦の年に認められたけど政界に進出する女性なんか、天然記念物並みに少なかった。その頃は企業でも、女性はアシスタント止まりで、管理職はほぼ百パーセントが男性だった。

わたしが生まれた六年後に男女雇用機会均等法というものが施行されて、表面的には男女の職業差別は無くなったけど、当時はまだまだ格差があったみたいね。女性管理職の割合が四十パーセントを超えるのには、二〇三五年を待たなければならなかったし、クォーター制が導入されたのはつい最近のことよ。

祖母の時代には、障害を持った子どもは生きていけなかった。働けなくなった老人が、長生きしているのを後ろめたく感じるような世の中だった。母が子どもの頃は、点字ブロックなんてなかった。障害者用トイレや、低床バス、車椅子利用者用駐車スペースや音響式信号機なんかも。

つまり何が言いたいのかといえば、ゆっくりではあるけど、社会は着実に野蛮から抜け出し、知性的、文化的になってきているということ。かつて少数のマッチョに強権的に支配されていた世界は、徐々に弱者——女性やお年寄り、障害者やマイノリティーにも開放されつつある。皆が隣人を慈しみ、弱者の気持ちを理解して行動するようになれば、本来政治の介入なんて必要ないのよ。貨幣の量を無理やり増やしたり減らしたり、減税や増税なんかしなくても、社会はきちんと回っていく。さっきあなたが言った自助努力でね」

「日本はまだ、自助努力だけでは無理ということですか」

「残念ながら。だから政治が介入しないと。でも、いつかははっきりと言えないけど、いずれそんなことが必要なくなる日が来る。政府が形式的に存在しているだけの社会の実現は、可能だと思う。わたしは人類の善意を信じたいから」

5

翌週、詠美は再び駅前広場に向かった。

後援会は危険だからと止めたが、詠美の意思は固かった。怖い目に遭ったはずのルクサーナが、再び詠美の傍らに付いてくれたことが、何よりも励みになった。ルクサーナは、国民にきちんと説明すべき、と詠美に何度も進言した。

「話せば理解してもらえます。そうすれば、もう変節の人なんて呼ばれなくなります」

確かに今までは明確に説明するのを避けて来た。理解してもらうのはなかなか難しいだろうが、説明責任は果たすべきだ。

広場に向かう車の中で、詠美は太一のことを思い起こした。

人工心肺装置のおかげで奇跡の生還を果たした父が、まだ立候補にこだわっているのを見かねた太一は、遂に政治家になる決意を固めた。同時に、詠美は太一から求婚された。一人ではやり遂げる自信がない、ぜひ心の支えになって欲しいというプロポーズの言葉に、詠美は瞳を潤ませながらうなずいた。

太一が当選して間もなく、父一郎が逝去した。コロナの後遺症に苦しんでいたが、息子の晴れ舞台を見るまでは死ねないと、気丈に生きていたのだ。父の亡骸の前で「おれは父さんの遺志を継いで、国民の幸福のため全力を尽くす」と息子は誓った。

太一の活躍には目を見張るものがあった。二度目の当選の時には既に、連立政党のエースにまで登り詰めていた。太一が打ち出した改革はことごとく成功し、日本は急速に活力を取り戻していった。まるで四半世紀に渡り押さえ付けられていたエネルギーが、一気に爆発したかのような勢いだった。

成長のスピードは、予想を超えた。だから三年前、そろそろブレーキを踏む時期だと太一は考えた。

「これ以上インフレを進ませるのは危険だよ。今年こそ消費税の見直しを図るべきだ」

折しも、三年毎に見直される税率の満期が近づいていた。５％に減税された消費税は、今まで見直し時期が来ても引き上げられることなく、推移していた。

与党公認の知事候補の応援演説の後、官房長官記者会見が予定されていた。会見の席で消費税の見直しについて質問されることは、充分に予想がついた。だから太一は先手を打って、８％に引き上げたいと提言するつもりだと言った。

詠美は反対した。消費増税はまだ閣議決定すらされていない。国民から大反発を食らうのは目に見えている。それに今そんなことを言ったら、公認候補が負けてしまうリスクだってある。

「だけど、曖昧に言葉を濁すのは、おれの信条に反するのは知っているだろう。それにこんなことで負けてしまう候補なら、それだけのやつだったってことだよ」

しかし、提言はなされなかった。太一は爆死してしまったのだから。結局消費増税は見送られ、現在も5％のままだ。あれから三年。見直し時期が再びやってきた……。

「到着しました」

SPに厳重に警護されながら車を降りた。傍らにはルクサーナがいる。こんな場所に舞い戻ったら、忌まわしい記憶が蘇るかもしれないのに、ぴたりと張り付いて離れない。

人だかりの多さは予想以上だった。

演壇に登り、広場の端から溢れんばかりの聴衆を見下ろした。皆こちらに、鋭い視線を向けているような気がした。

胸の鼓動が高まった。今まで演説でこれ程緊張したことはない。正直、怖かった。回れ右をして、遁走したかった。

ふと群衆の真ん中辺りに、一際背の高い男がいることに気づいた。

まさか、そんなはずは……。

男は、温かみの籠った、力強い眼差しをこちらに向けていた。詠美が視線を合わせると、男は大きく頷いた。

次の瞬間、太一は消えた。
鼓動が治まった。
詠美はゆっくりと口を開いた。

了

参考文献

目からウロコが落ちる　奇跡の経済教室　基礎知識編（中野剛志著／ベストセラーズ）
全国民が読んだら歴史が変わる　奇跡の経済教室　戦略編（中野剛志著／ベストセラーズ）
平成経済二〇年史（紺野典子著／幻冬舎新書）
日本経済三〇年史　バブルからアベノミクスまで（山家悠紀夫著／岩波新書）
資本主義はなぜ自壊したか（中谷巌著／集英社インターナショナル）
セイビング・ザ・サン　リップルウッドと新生銀行の誕生（ジリアン・テット著　武井楊一訳／日本経済新聞社）
ハゲタカが嗤った日　リップルウッド＝新生銀行の「隠された真実」（浜田和幸著／集英社インターナショナル）
未来の年表　人口減少日本でこれから起きること（河合雅司著／講談社現代新書）
未来の年表２　人口減少日本であなたに起きること（河合雅司著／講談社現代新書）
西洋の自死　移民・アイデンティティ・イスラム（ダグラス・マレー著　町田敦夫訳／東洋経済新報社）
芸能人はなぜ干されるのか？　芸能界独占禁止法違反（星野陽平著／鹿砦社）
詐欺の帝王（溝口敦著／文藝春秋）
チャイルド・プア　社会を蝕む子どもの貧困（新井直之著／TOブックス）
平成世相風俗史年表　１９８９～２０１９　世俗風俗観察会編（河出書房新社）
令和につなぐ平成の30年　日本経済新聞社編（日本経済新聞出版社）
山本太郎　闘いの原点　ひとり舞台（山本太郎著／筑摩eブックス）
あなたを幸せにしたいんだ　山本太郎とれいわ新選組（山本太郎著／集英社）
僕にもできた！　国会議員（山本太郎・雨宮処凛著／筑摩書房）
文藝春秋２０２０年6月号（文藝春秋）

文藝春秋2020年9月号（文藝春秋）
コロナ後の世界を語る 現代の知性たちの視線　養老孟司、ユヴァル・ノア・ハラリ他　朝日新聞社・編
疾病2020（門田隆将著／産経新聞出版）
コロナ時代の僕ら（パオロ・ジョルダーノ著　飯田亮介訳／早川書房）

著　者　黒野伸一（くろの・しんいち）

一九五九年、神奈川県生まれ。『ア・ハッピーファミリー』（小学館文庫化にあたり『坂本ミキ、14歳。』に改題）で第一回きらら文学賞を受賞し、小説家デビュー。過疎・高齢化した農村の再生を描いた『限界集落株式会社』（小学館文庫）がベストセラーとなり、二〇一五年一月にＮＨＫテレビドラマ化。『脱・限界集落株式会社』（小学館）、『となりの革命農家』（廣済堂出版）、『長生き競争！』（廣済堂文庫）、『国会議員基礎テスト』（小学館）、『ＡＩのある家族計画』（早川書房）、『グリーズランド１　消された記憶』（静山社）、『お会式の夜に』（廣済堂出版）など著書多数。

監修者　中野剛志（なかの・たけし）

一九七一年、神奈川県生まれ。評論家。元京都大学大学院工学研究科准教授。専門は政治思想。九六年、東京大学教養学部（国際関係論）卒業後、通商産業省（現・経済産業省）に入省。二〇〇〇年よりエディンバラ大学大学院に留学し、政治思想を専攻。〇一年に同大学院にて優等修士号、〇五年に博士号を取得。論文“Theorising Economic Nationalism”（Nations and Nationalism）でNations and Nationalism Prizeを受賞。主な著書に『日本思想史新論』（ちくま新書、山本七平賞奨励賞受賞）、『ＴＰＰ亡国論』（集英社新書）、『日本の没落』（幻冬舎新書）、『目からウロコが落ちる　奇跡の経済教室【基礎知識編】』『全国民が読んだら歴史が変わる奇跡の経済教室【戦略編】』（ベストセラーズ）など多数。

あした、この国は崩壊する

ポストコロナとＭＭＴ

二〇二一年三月二五日　第一版第一刷

著　者　黒野伸一
監修者　中野剛志
発行者　後藤高志
発行所　株式会社 ライブ・パブリッシング
〒１６０－００２２
東京都新宿区新宿１－24－１
藤和ハイタウン新宿８０７号
電話　０９０－４３８７－９４７８
校　正　若林良
本文ＤＴＰ　株式会社 明昌堂
印刷・製本　株式会社 廣済堂

Printed in Japan　ISBN978-4-910519-00-5　C0093